V&R

Bernhard Strauß / Michael Geyer (Hg.)

Grenzen psychotherapeutischen Handelns

Mit 3 Abbildungen und 5 Tabellen

Vandenhoeck & Ruprecht

Bibliografische Information Der Deutschen Bibliothek

Die Deutsche Bibliothek verzeichnet diese Publikation in der
Deutschen Nationalbibliografie; detaillierte bibliografische Daten sind im
Internet über ‹http://dnb.ddb.de› abrufbar.

ISBN 10: 3-525-49092-5
ISBN 13: 978-3-525-49092-1

Printed in Germany.
Satz: KCS GmbH, Buchholz/Hamburg
Druck und Bindung: Hubert & Co., Göttingen

Gedruckt auf alterungsbeständigem Papier.

Inhalt

Vorwort der Herausgeber   7

Grenzüberschreitende Theorien _____   13
Diether Höger
Hat die Bindungstheorie die Psychotherapie verändert? . .   15

Eva-Maria Biermann-Ratjen
Hat die Säuglingsforschung die Psychotherapie verändert?   25

Ulrich Sachsse
Wie wirkt sich die Arbeit mit Traumatisierten auf die
therapeutische Identität aus?   43

Claas-Hinrich Lammers
Wie wirkt sich die Arbeit mit Borderline-Patientinnen
auf die therapeutische Praxis aus?   61

Michael Broda
Die Grenzen der Integration von Psychotherapieschulen . .   72

**Grenzen ökonomischen Denkens
in der Psychotherapie** _____   89
Friedhelm Lamprecht
Kosten- und Nutzenerwägungen in der Psychotherapie . . .   91

Bernd Sprenger
Grenzen und Grenzüberschreitungen der Ökonomie
in der stationären Psychotherapie   104

Michael Geyer und Cornelia Albani
Zu kurz, um wahr zu sein? – Kurze und langfristige
Wirkungen von Psychotherapie   116

Grenzen und Grenzüberschreitungen _____   135
in der Psychotherapie
Frank Bartuschka
Grenzen setzen in der stationären Psychotherapie –
das Ringen um Struktur   137

Inge Rieber-Hunscha
Zeit als Realität beim Beenden der Psychotherapie   152

Christian Reimer
Zeitbegrenzte Interventionen in der Psychotherapie   167

Sebastian Krutzenbichler
Liebe und Abstinenz im psychoanalytischen Prozess.
Zur Notwendigkeit von Grenzüberschreitungen,
um schützende Grenzen wahren zu können   189

Juristische Grenzen der Psychotharapie _____   199
Hans-Joachim Behrendt
Juristische Grenzen der Psychotherapie   201

Vera Walther-Moog
Psychotherapie zwischen Ethik und Recht   222

Grenzüberschreitungen: Lust und Last _____   235
Florence Wasmuth
Das Göttliche im Menschen – Faust, eine deutsche
Volkssage von F. W. Murnau (1926): Eine psycho-
analytische Betrachtung   237

Autorinnen und Autoren   247

Vorwort

In unserer Arbeit sind wir oft genug mit den körperlichen und see-lischen Folgen tief greifender Veränderungen unserer Lebensver-hältnisse, Wertorientierungen und Bindungsformen konfrontiert, die jenem ebenso tief greifenden gesellschaftlich-kulturellen Wan-del geschuldet sind, den wir Globalisierung nennen, und es herrscht in gewissen Kreisen nostalgische Sehnsucht nach den alten Grenz-pfählen.

Dieses Buch handelt von den vielfältigen Herausforderungen, die dieser Prozess für Psychotherapeuten in ihrer Arbeit bereithält. Einerseits spüren wir, dass wir etwas zu verteidigen und Grenzen zu setzen haben. Den Zumutungen der Globalisierung sind alter-native Konzepte von Gemeinschaft entgegenzuhalten. Zumindest aber gibt es eine besondere Verpflichtung unseres Berufsstandes, die Gesellschaft auf offenkundige Grenzen menschlicher Anpas-sung an nicht menschengerechte Verhältnisse hinzuweisen.

Andererseits sind wir – nolens volens – Mitgestalter der Globa-lisierung und damit zu einem offensiven und produktiven Umgang mit ihren Chancen und Risiken verurteilt. Wenn wir das Wesen des sich gegenwärtig rasant vollziehenden Wandels als sich »ständig verändernden Prozess der Vernetzung« (Beck 1998)[1] bestimmen, hätten wir uns die eigenen Grenzen unseres Denkens und Han-delns, die diesen Vorgang behindern, bewusst zu machen, sie in Frage zu stellen und gegebenenfalls zu überwinden. Damit sind wir beim Gegenstand des vorliegenden Bandes.

Im ersten Teil *»Grenzüberschreitende Theorien«* werden Fragen

---

1 Beck, U. (1998): Perspektiven der Weltgesellschaft, Frankfurt a. M.

nach unserem Umgang mit jenen neuen Denkansätzen gestellt, welche die oben angesprochene Vernetzung innerhalb unserer Profession ebenso wie ein neues – methoden- und berufsübergreifendes –psychotherapeutisches Selbstverständnis voranbringen könnten.

Eines dieser Konzepte, die *Bindungstheorie*, scheint derzeit in aller Munde. Diether Höger weist jedoch in seinem Beitrag nach, dass die wünschenswerte Integration eines in der Psychotherapie eher unüblichen methodischen Vorgehens auf der Grundlage der in der Biologie gewachsenen ethologischen Forschungskultur der direkten und detaillierten Beobachtung und Beschreibung von Verhaltensweisen nur zögernd erfolgt. Dies hat auch zur Folge, dass die äußerst praxisrelevante Frage nach der (Bindungs-)Natur der Patient-Therapeut-Beziehung, die mit dieser Methodik zu beantworten wäre, nach wie vor ungeklärt ist. Was für die Bindungstheorie gilt, stellt Eva-Maria Biermann-Ratjen auch für die *Säuglingsforschung* allgemein fest, indem sie übersichtshaft die wichtigsten Ergebnisse dieser Forschungsrichtung referiert und deren Auswirkungen auf die Theoriebildung der großen Psychotherapierichtungen nachgeht. Obwohl die integrative Potenz auch dieser Forschungsrichtung sowohl für die Herausbildung eines methodenübergreifenden Verständnisses psychotherapeutischer Interventionen als auch für die psychotherapeutische Praxis selbst von niemandem in Zweifel gezogen wird, läuft die Weiterentwicklung der heute wesentlichen Psychotherapiekonzepte eher an diesen Ergebnissen vorbei. Ein paradigmatischer Vorgang für Begrenzungen im Denken.

Dem stellen *Ulrich Sachsse* und *Claas-Hinrich Lammers* in ihren Beiträgen das jeweils gleichermaßen persönliche wie über das Persönliche hinausragende eigene Beispiel entgegen. Ullrich Sachsse reflektiert die Entstehung und Überwindung von theoretischen Denkhindernissen am Beispiel des eigenen *Umgangs mit Traumaopfern*. Dabei schildert er eindrucksvoll, wie tradierte Überzeugungen unser Verständnis von Pathologie, aber auch unser Selbstverständnis prägen und damit unsere Handlungsfähigkeit begrenzen können. Dieser Beitrag gibt Zeugnis vom inneren Wandlungsprozess eines Psychotherapeuten, der sein eigenes Denken unter Verzicht auf hergebrachte Grenzen neu ordnet und damit seinen Patienten besser gerecht werden kann. Für *Claas-Hinrich Lammers* stellt die Borderline-Persönlichkeitsstörung *die* Herausforderung zur Überwindung traditionellen Denkens in engen Schulengrenzen dar. Wie bereichernd dieser Prozess auch für die eigene Persönlichkeitsentwicklung sein kann, ist eine Erfahrung, die beide Autoren teilen.

Michael Broda stellt als letzter Autor dieses Kapitels die für Kenner der deutschen Psychotherapieszene lange Zeit rhetorische Frage, ob solche wissenschaftstheoretisch fundamental unterschiedlichen Ansätze, wie sie in den verhaltenstherapeutischen und psychoanalytisch begründeten Methoden bestehen, nicht »integrationsimmun« seien. Broda, der große Erfahrungen mit Integrationsprojekten hat – hier sei nur an das sehr erfolgreiche Lehrbuch »Praxis der Psychotherapie« erinnert –, schlägt ein mehrstufiges Integrationsmodell vor, dessen Umsetzung bereits hier und dort auf der Tagesordnung steht.

Der zweite Teil des Buches versucht, die *»Grenzen ökonomischen Denkens in der Psychotherapie«* zu bestimmen. Unser traditionell christlich-abendländisch geprägtes, auf einer personalen Auffassung vom Menschen ruhendes Berufsbild, das den Menschen in seiner Würde und Einzigartigkeit sieht, die von ökonomischen Interessen nur bedroht werden kann, erfährt im Zeitalter der Globalisierung schwere Erschütterungen. Die Medizin repräsentiert den wesentlichen Kernbereich eines gigantischen Gesundheitsmarktes, und dessen Gesetzmäßigkeiten können sich auch Psychotherapeuten nicht entziehen.

Friedhelm Lamprecht und Bernd Sprenger – exzellente Kenner und als Klinikdirektoren auch Mitgestalter des »Psychotherapiemarktes« – belassen es nicht nur bei der Beschreibung bedrohlicher *Grenzüberschreitungen der Ökonomie*, wie sie vielen von uns aus alltäglichen Auseinandersetzungen mit den »Ökonomen« vertraut sind und denen sich Psychotherapeuten im Interesse ihrer Patienten und ihrer Arbeit entgegenzustellen haben. Sie öffnen uns auch den Blick auf Handlungsfelder, die Chancen eröffnen, wenn wir sie offensiv besetzen. Sie liegen nicht nur in einer erhöhten Reputation unseres Fachgebietes, wenn die Gesellschaft zur Kenntnis

nehmen würde, welchen volkswirtschaftlichen Gewinn die ange-
messene Anwendung von Psychotherapie verspricht.

Wie sehr sachfremde Marktinteressen selbst in den Binnenbe-
reich psychotherapeutischen Selbstverständnisses eingedrungen
sind, lässt sich nicht nur in der Versorgung, sondern auch dort zeigen, wo es eher nicht vermutet wird: der Forschungsmethodologie.
Cornelia Albani und Michael Geyer demonstrieren Gefahren für
die Versorgungspraxis, wenn die Ergebnisse dieser Forschung in
keinem vernünftigen Verhältnis mehr zur Versorgungswirklichkeit
stehen.

»*Grenzen und Grenzüberschreitungen in der Psychotherapie*«
stehen im Mittelpunkt des dritten Teils. Vielfältige Grenzsetzungen
und -überwindungen bestimmen die therapeutische Situation nicht
nur im stationären Setting. *Frank Bartuschka* nähert sich dem
Thema »*Grenzen setzen in der stationären Psychotherapie...*« mit
der Metaphorik einer Insel im stürmischen Umfeld, zu der für eine
begrenzte Zeitdauer die Psychotherapiestation für den Patienten
wird. Zahlreiche Fallvignetten dienen der Illustration eines permanenten Prozesses der Auseinandersetzung mit Grenzen. *Inge
Rieber-Hunscha* und *Christian Reimer* setzen – jeweils unterschiedliche – Schwerpunkte auf Grenzen, die die *Zeitdimension
psychotherapeutischen Handelns* hervorbringt. Während *Rieber-
Hunscha* die subjektiven Aspekte des Zeiterlebens beim Patienten
in unterschiedlichen Phasen der Therapie betrachtet, fokussiert
Reimer die Grenzüberschreitungen, die ein Therapeut begeht, wenn
er einem Patienten eine zeitlich unangemessene Therapiedauer zu-
mutet. Zum Schutz des Patienten vor Übergriffen des Therapeuten
fordert *Sebastian Krutzenbichler* mehr Offenheit bei der Diskussion über »*Liebe und Abstinenz im psychoanalytischen Prozess*«.

Die »... eigentümliche Form der Verbindung, ja der Vermischung und Verschlingung ...« (Behrendt) von Recht und
Psychotherapie beschäftigen *Hans-Joachim Behrendt* und *Vera
Walter-Moog* in ihren Aufsätzen über »*Juristische Grenzen der Psychotherapie*«. Sie besichtigen und analysieren diese Grenzen mit
beträchtlichem Einfühlungsvermögen in das Wesen von Psychotherapie gleichsam von außen wie von innen. Im Kontext dieser
Begegnung zweier Welten ergeben sich brisante Einblicke in das

Verhältnis zwischen Gesellschaft und Individuum im Zeitalter der Globalisierung.

In der Zusammenschau scheint in diesem Band zu gelingen, was doch eigentlich Maxime unserer Arbeit mit Patienten ist, in der Beschäftigung mit uns selbst und unserem Berufsstand jedoch schmerzlich vermisst wird. Indem wir die Grenzen im eigenen Denken und Handeln zum Gegenstand des Diskurses machen, besinnen wir uns unserer Möglichkeiten. Wir sind – so könnten die Beiträge zu verstehen sein – zumindest auf dem Weg, jenes Selbstverständnis (wieder) zu erlangen, das uns als handelnde Subjekte des globalen gesellschaftlichen Veränderungsprozesses ausweist.

Michael Geyer und Bernhard Strauß

Grenzüberschreitende Theorien

Diether Höger

Hat die Bindungstheorie die Psychotherapie verändert?

Anlässlich eines Workshops zur Bindungstheorie kam ich vor nicht allzu langer Zeit mit einem Psychotherapeuten (psychodynamische Richtung) ins Gespräch über die Bedeutung der Bindungstheorie für die therapeutische Beziehung. Der Kollege vertrat dabei vehement die Position, dass der ideale Therapeut kein sicheres, sondern ein unsicher-vermeidendes Bindungsmuster habe. Seine Begründung: Ein sicheres Bindungsmuster lege die Rolle der »guten Mutter« nahe, und die sei für den therapeutischen Prozess überhaupt nicht förderlich, denn die gute Mutter erfülle alle Wünsche und gehe auf jedes Bedürfnis des Kindes ein.

Ich war verwundert. Nach den Ergebnissen der Bindungstheorie ist die gute Mutter feinfühlig. Nach Ainsworth, die den Begriff geprägt hat, ist eine feinfühlige Mutter sensibel für die Signale des Kindes, interpretiert sie richtig und geht angemessen und prompt auf sie ein (Ainsworth et al. 1974). Der Schlüssel liegt in dem Wort »angemessen«. Es bedeutet, wiederum nach Ainsworth, dass die Mutter ihre Reaktionen so gestaltet, dass diese a) den Signalen und damit den Bedürfnissen des Kindes, b) der Situation und c) seinem Entwicklungsstand und damit den Kompetenzen des Kindes gerecht wird. Die feinfühlige Mutter wird dem hilflosen Säugling gegenüber ihre eigenen Bedürfnisse weitgehend zurückstellen. Je weiter das Kind jedoch in seiner Entwicklung voranschreitet, wird sie zunehmend ihre eigenen Bedürfnisse ins Spiel bringen und Kompromisse finden, die dem Kind wie auch ihr selbst gerecht werden.

Das Fazit für Ainsworth ist – und hier wird die Analogie zur psychotherapeutischen Beziehung deutlich –, dass sie dem Kind die

Möglichkeit bietet, sich mit einem wohlwollend zugewandten, zugleich aber eigenständigen Sozialpartner auseinander zu setzen und damit nicht zuletzt auch seine Kompetenzen zur Lebensbewältigung zu erweitern.

Wenig feinfühlige Mütter bzw. Psychotherapeuten werden dieser Aufgabe nur schwer gerecht.

All das war meinem Gesprächspartner offenbar nicht bekannt, seine Vorstellungen von Psychotherapie waren durch die Bindungstheorie nicht wirklich beeinflusst. Aber ein Einzelbeispiel erlaubt noch keine allgemeinen Aussagen. Suchen wir also nach stichhaltigeren Daten.

Ein Anhaltspunkt für den Einfluss der Bindungstheorie auf die Psychotherapie könnte die Anzahl der Publikationen sein, die in ihrem Titel zugleich die Begriffe »Bindungstheorie« und »Psychotherapie« enthalten. Ich habe daher im Juni 2005 in der Datenbank PSYNDEX, in welcher die wichtigen deutschsprachigen psychologischen Fachzeitschriften dokumentiert sind, eine entsprechende Recherche durchgeführt. Sicherlich entgehen einem bei diesem Verfahren einige relevante Titel, aber einen gewissen Anhaltspunkt dürfte es doch bieten.

Das Ergebnis war (vgl. Tabelle 1): 23 514 Titel befassen sich in irgendeiner Form mit Therapie oder Psychotherapie. Unter ihnen enthalten 87, also ein Anteil von 0,4 %, zugleich Begriffe mit dem Wortstamm »Bindung« (Bindung, Bindungstheorie, Bindungsverhalten, Bindungsmuster usw.). Zum Vergleich: 316 (= 1,4 %), also gut dreimal so viel, befassen sich mit Therapie/Psychotherapie und Essstörungen (bzw. Bulimie oder Anorexie). Nimmt man anstelle der Titel die Schlüsselwörter der Artikel (»Descriptors«), so sind die Verhältnisse nicht wesentlich anders: Von den 41 877 Fundstellen für Psychotherapie bzw. Therapie enthalten 249 (= 0,6 %) zugleich den Wortstamm »Bindung«, hingegen befassen sich 544 (= 1,3 %), also das Doppelte, mit Essstörungen.

Speziell für die Verhaltenstherapie finden sich insgesamt 1.738 Titel, von denen 4, also 0,23 %, zugleich etwas mit Bindung zu tun haben. Über Essstörungen findet man dort hingegen 42 Titel (= 2,41 %), also gut das Zehnfache. Ähnlich verhält es sich bei den Schlüsselwörtern: Von 3 544 Fundstellen enthalten 10 (= 0,3 %)

zugleich »Bindung«, 103 (= 2,9 %), also auch hier praktisch das
Zehnfache, befassen sich mit Essstörungen.

Tabelle 1: Ergebnisse von Suchanfragen in der Datenbank PSYNDEX (Juni
2005)

Suchanfrage	Anzahl Fundstellen	davon zusammen mit Bindung	Anteil	davon zusammen mit Essstörung[a]	Anteil
(therap* or psychotherap* im Titel)	23 264	87	0,4 %	316	1,4 %
in Schlüssel- wörtern	41 877	249	0,6 %	544	1,3 %
(verhaltensthe- rap* im Titel)	1 738	4	0,2 %	42	2,4 %
in Schlüssel- wörtern	3 544	10	0,3 %	103	2,9 %

a) Suchanfrage: essstoerung* or bulimi* or anorexi*

Der Schluss erscheint gerechtfertigt, dass sich Psychotherapeuten
mit Essstörungen deutlich mehr beschäftigen als mit der Bindungstheorie. In besonderem Maße trifft das auf die Verhaltenstherapeuten zu. Oder anders gesagt: Die Bindungstheorie scheint in
der Forschung und Praxis der Psychotherapie kein besonders drin-
gendes Thema zu sein.[1]

　　Zugegeben, diese Argumentation ist rein formal und mag deshalb ihre Schwächen haben. Wir haben uns deshalb zusätzlich die
Inhalte der 87 Fundstellen näher angesehen, die ihrem Titel nach
beides, Psychotherapie bzw. Therapie und Bindung zugleich zum
Thema haben. Von ihnen waren 6 nicht relevant, weil sie sich nicht
auf die Bindungstheorie bezogen. Weitere 7 Titel befassten sich
zwar mit der Bindungstheorie, waren aber für unsere Fragestellung,

---

1　In der internationalen psychologischen Datenbank PsycINFO sind die
　Verhältnisse nicht grundlegend anders: 55 854 Titel befassen sich mit
　Therapy bzw. Psychotherapy, 5 570 mit Attachment. Die Schnittmenge bil-
　den 201 Titel. Das sind, bezogen auf Therapy bzw. Psychotherapy 0,53 %,
　bezogen auf Attachment 3,61 %.

inwieweit die Bindungstheorie die Psychotherapie beeinflusst hat, nicht wirklich bedeutsam. Sie behandelten Themen wie die Therapie von Bindungsstörungen, Auswirkungen von Psychotherapie auf die Bindungsrepräsentationen, die Operationalisierung von Bindungsmustern oder Zusammenhänge zwischen Bindungsmustern und Symptombelastung. Alle diese Themen betreffen zwar die Bindungstheorie, nicht aber deren Bedeutung für das psychotherapeutische Handeln.

Es verbleiben 74 Titel, die sich zumindest in Teilen mit der Anwendung der Bindungstheorie auf die Psychotherapie befassen. Betrachtet man die Autoren dieser Arbeiten, dann bilden diese Veröffentlichungen drei bzw. vier Gruppen:

– 11 Arbeiten stammen von Angehörigen des Regensburger Arbeitskreises um Karin und Klaus Grossmann. Sie haben dort dazu beigetragen, die Bindungstheorie in Deutschland im Kontext der Entwicklungspsychologie zu etablieren. Danach widmeten sie ihre berufliche Tätigkeit der Beratung (Scheurer-Englisch, Suess).

– Bei 10 der Titel ist Brisch beteiligt, 8-mal als alleiniger Autor, 1-mal als Koautor und 1-mal gemeinsam mit Klaus Grossmann als Herausgeber eines Sammelbandes.

– 24 Veröffentlichungen stammen von Mitgliedern des von Strauß und Eckert geleiteten »Arbeitskreises Stationäre Gruppenpsychotherapie« sowie deren Doktoranden oder Diplomanden (außer den beiden Leitern des Arbeitskreises Eckert und Strauß sind dies Biermann-Ratjen, Boeddeker, Daudert, Höger, Lobo-Drost, Mestel, Mosheim, Schauenburg, Schmidt und Seidler).

– Sechs weitere Arbeiten stammen aus dem Bereich der »tiefenpsychologischen Körpertherapie«, einer vor allem in der Schweiz und den Niederlanden tätigen Autorengruppe, die in der Zeitschrift »Energie & Charakter« veröffentlicht. Meines Wissens hat sie kaum Verbindung zur übrigen psychotherapeutischen Forschung und Praxis und dürfte sie daher kaum nennenswert beeinflussen.

Von den 74 Titeln bleiben 23 übrig, also ein knappes Drittel, die von Autoren stammen, die keiner dieser genannten Gruppierungen angehören und die als Indiz für die Verbreitung bindungstheoretischer Vorstellungen gelten können. Angesichts der recht geringen Anzahl erscheint die Breitenwirkung der Bindungstheorie nicht sonderlich groß.

Unser Fazit ist: Es gibt eine begrenzte Zahl von Autoren bzw. engagierten Gruppen von Autoren, die eine lebhafte Aktivität bei der Verbreitung der Bindungstheorie in die therapeutische Forschung, Theorie und Praxis entfaltet haben. Ihre Wirkung auf die Kollegenschaft ist jedoch recht spärlich. Die Bindungstheorie ist offenbar kein Thema mit einer besonderen Breitenwirkung in der Psychotherapie.

Aber selbst dort, wo die Bedeutung der Bindungstheorie für die Psychotherapie ausdrücklich Thema ist, bleibt zu fragen, inwieweit sie mit ihrem spezifischen paradigmatischen Ansatz rezipiert wurde. Bowlbys Art des Vorgehens und des Einordnens seiner Beobachtungen war maßgeblich von Robert A. Hinde geprägt worden, einem namhaften Biologen und Vertreter der vergleichenden Verhaltensforschung. Er hatte Bowlby auf die Ethologie aufmerksam gemacht, und Bowlby hatte diese Anregung lebhaft begrüßt und angenommen. Die Ethologie als Teildisziplin der Biologie pflegt eine elaborierte Kultur der direkten und detaillierten Beobachtung und Beschreibung von Verhaltensweisen, wie sie in der Psychologie (ebenso in der Medizin) absolut unüblich ist. Es war diese Methodik, die der Bindungstheorie und ihren grundlegenden Ergebnissen den besonderen Charakter gegeben hat. Typisch dafür ist das Vorgehen von Ainsworth (1967) bei ihren Beobachtungen zur Interaktion zwischen Mutter und Kind in Uganda, ebenso die Methodik von Ainsworth et al. (1978), als sie bei Kleinkindern die Bindungsmuster entdeckten, das bisher am weitesten bekannte und benutzte Ergebnis der Bindungstheorie, dessen Zustandekommen aber in der klinischen Psychologie kaum bekannt ist.

Um diese Art des Vorgehens zu illustrieren, sei auf ein Detail aus Main (1982) zurückgegriffen, einer Arbeit, die als ein eindrucksvolles Lehrstück für die Methodik der klassischen Bindungsforschung gelten kann. Main befasst sich dort mit dem »Vermeiden im Dienst von Nähe« bei Kleinkindern. Ihr geht es geht dabei u. a. um die Frage, ob und inwieweit Kinder in der Fremde-Situa-

tion (Ainsworth et al. 1978) beim Wiedersehen mit der Mutter bzw.
dem Vater Vermeidungsverhalten mit dem Ziel einsetzen, eine zumindest relative Nähe zu ihrer Bindungsperson herzustellen. Bei
dieser Beobachtungsstudie war zu bestimmen, woran man bei
Kleinkindern in ihrer Interaktion mit erwachsenen Sozialpartnern
vermeidendes Verhalten als solches erkennen kann. Eine der dafür
relevanten Verhaltensweisen ist das »Blickvermeiden«. Aber wie
kann man unterscheiden, wann ein Kind von jemandem *weg*schaut,
also den Blick vermeidet, und wann es lediglich woanders *hin*-
schaut? Main bezieht sich auf Waters et al. (1975), die bei wieder-
holtem Betrachten von Videobändern festgestellt hatten, dass ein
Kind, wenn es seinen Blick von einem Objekt weg und zu einem
anderen hinwendet, während des Übergangs meistens mit den Au-
genlidern zwinkert. Dieses Zwinkern fehlt hingegen meistens beim
aktiven Wegschauen. Main interpretiert das Zwinkern als Zeichen
für die Verlagerung der Aufmerksamkeit, die im Fall des aktiven
Vermeidens nicht erfolgt. In solchen Fällen, in denen ein Kind beim
Vermeiden dennoch die Augen schließt, geschieht dies auffallend
langsam.

Daran anschließend formuliert Main noch einen vorläufigen
Eindruck: Wenn Kinder sich in einer solchen Situation in einer gewissen räumlichen Distanz zu ihrer Bindungsperson befinden,
können sie das Blickvermeiden allein nicht lange aufrechterhalten.
Häufig schauen sie den Elternteil doch wieder an und begrüßen ihn
vielleicht, oder aber sie drehen sich ganz um und entfernen sich.
Manchmal suchen sie auf eine recht unorganisierte Weise etwas,
womit sie ihre Hände beschäftigen können, und greifen dann nach
einem unbelebten Objekt.

Die Frage ist: Wo gibt es analoge Untersuchungen über Vermeidungsverhalten von Patienten (und Therapeuten!) in der Psychotherapie? Und falls es sie geben sollte: Wer hat von solchen Studien Kenntnis genommen? Hält man so etwas gar für unwichtig?

In einem Artikel stellte Strauß (2000) die Frage, ob die therapeutische Arbeitsbeziehung eine Bindungsbeziehung sei. Die empirischen Studien, die er zu diesem Thema heranzieht, handeln
zum größten Teil von den von Ainsworth et al. (1978) bei Kindern
entdeckten und von Main und Goldwyn (1985) auf Erwachsene

übertragenen Bindungsmustern. In der Regel geht es in diesen Arbeiten um Zusammenhänge zwischen a) den Bindungsmustern der Patienten einerseits und b) der therapeutischen Beziehung, dem therapeutischen Prozess und dem Ergebnis der Therapie andererseits. Aber was kann ein Psychotherapeut, dem ein Patient gegenübersitzt, damit anfangen, wenn er beispielsweise gelesen hat, das Ausmaß an Bindungssicherheit sei ein guter Prädiktor für den Behandlungserfolg? Soll er den Patienten auf seine Bindungssicherheit hin prüfen und ihn, falls das Ergebnis zu schwach ausfällt, wieder wegschicken? Wenn er klug ist, wird er es nicht tun. Denn er wird wissen, dass statistisch begründete Aussagen Wahrscheinlichkeitsaussagen sind und kein Urteil über einen Einzelfall erlauben. Haben solche Forschungsergebnisse dann überhaupt einen Wert?

Sie können ihn haben! Denn solche Zusammenhänge zeigen, dass es sich lohnt, hier näher nachzuschauen, ähnlich der Expertise eines Geologen, nach der es an einer bestimmten Stelle erfolgversprechend ist, nach Öl zu bohren. Man wird aber bestimmt kein Öl gewinnen, wenn derselbe Experte oder viele seiner Kollegen an derselben Stelle wiederholt zu dem gleichen Ergebnis kommen. Es muss erst gebohrt werden! So gesehen zeigen Ergebnisse wie sie Strauß (2000) erwähnt, dass und wo es sich auf der Grundlage der Bindungstheorie lohnt, detaillierter nachzuforschen, um das Geschehen in der Psychotherapie besser zu verstehen. Einige Anregungen greift Strauß in der abschließenden Diskussion seines Artikels auf, wenn er vorschlägt, u. a. zu prüfen, ob die therapeutische Beziehung als Bindungsbeziehung bezeichnet werden kann, um darauf aufbauend ein Konzept der therapeutischen Beziehung und ihrer Gestaltung zu erarbeiten, die auf die Bindungsmuster der Patienten und der Therapeuten eingeht.

Um aber ein solches Konzept nicht nur empirisch zu begründen, sondern auch praxisnah zu formulieren, müsste man bei der Forschung auf der Ebene des konkreten Geschehens ansetzen. Und hier wäre die ethologische Methodik der ursprünglichen Bindungstheorie, das Beobachten (und Beschreiben), das Kategorisieren und die theoretische Interpretation zusammen mit dem ständigen Wechsel zwischen diesen drei Ebenen ein geradezu ideales

Vorbild. Ausgehend von der aus der Bindungstheorie abgeleiteten Grundannahme, dass die Psychotherapie eine bindungsrelevante Situation ist, weil sich der Patient in einem Zustand von Kummer und Not befindet, in der sein Bindungssystem aktiviert ist, könnten wir dann Fragen stellen, von denen hier nur einige kurz angerissen seien:

– Woran erkennt man am Verhalten eines Patienten, dass sein Beziehungsangebot auf eine Bindungsbeziehung gerichtet ist? Tun Patienten dies auf unterschiedliche Weise, wenn ja, auf welche? Lassen sich dabei Ähnlichkeiten zwischen bestimmten Patienten feststellen und aufgrund solcher Ähnlichkeiten Gruppen bilden? Spielen Bindungsbeziehungen in bestimmten Phasen der Therapie eine größere Rolle als in anderen? Gibt es Patienten, die während der gesamten Therapie keinen Wert auf eine Bindungsbeziehung legen?

– Wie reagieren Therapeuten auf die unterschiedlichen Beziehungsangebote der Patienten? Reagieren sie unterschiedlich auf verschiedenartige Beziehungsangebote der Patienten? Bestehen diesbezüglich Unterschiede zwischen den Therapeuten? Gibt es Ähnlichkeiten zwischen einigen von ihnen?

– Lassen sich wiederkehrende Interaktionsmuster Patient – Therapeut beschreiben und klassifizieren? Welchen Einfluss haben sie auf den Prozess und das Ergebnis der Therapie?

Ein solches Vorgehen würde allerdings die übliche Methodik der Psychotherapieforschung auf den Kopf stellen – oder, wie man wohl besser sagen sollte, vom Kopf auf die Füße. Denn die gegenwärtige Psychotherapieforschung folgt – und dies weitgehend unreflektiert – der in der akademischen Psychologie zurzeit etablierten Methodik. Und diese Methodik ist an dem nomothetischen Prinzip mit dem Primat der allgemein gültigen Aussagen orientiert. Dieses wird in der Tradition zumeist als Alternative dem idiografischen Prinzip, das heißt dem Beschreiben und Verstehen des Einzelfalles, gegenübergestellt. Demgegenüber betont und begründet Grossmann (1986), dass das wechselseitige Ausschließen dieser beiden Prinzipien durch deren wechselseitige Ergänzung zu ersetzen ist: Der idiografische Ansatz des sorgfältigen Beschreibens und Untersuchens von Einzelfällen bildet dabei den Anfang. Und das Vergleichen vieler Einzelfälle ermöglicht es, übergeordnete Regelmäßigkeiten zu identifizieren. Denn, so Grossmann, nach Allport sei jeder Mensch in gewisser Hinsicht a) wie alle Menschen, b) wie einige andere Menschen und c) wie kein anderer Mensch. Gleiches gilt für Psychotherapiepatienten, für Therapeuten und für therapeutische Beziehungen.

Jedoch, anstatt dieses Vorgehen der ursprünglichen Bindungstheorie aufzugreifen und zu nutzen, wurden ihr unreflektiert die gebräuchlichen methodischen Routinen der Psychologie übergestülpt. Und was die Inhalte der Bindungstheorie betrifft, so wurden sie meistens von den Rezipienten an die bei ihnen bereits vorhandenen theoretischen Vorstellungen angeglichen, seien sie psychoanalytisch-tiefenpsychologischer oder verhaltenstherapeutischer Art. Konfrontiert mit neuen Informationen nehmen Menschen vorzugsweise das wahr, was sie ohnehin schon zu kennen meinen und ordnen es, so lange es irgend geht (und es geht sehr lange), in die bereits bekannten Schemata ein, ähnlich einer Schülerin, die, im Musikunterricht aufgefordert, den Namen »Vivaldi« an die Tafel zu schreiben, »wie Waldi« schrieb.

Wenn wir abschließend fragen, ob die Bindungstheorie die Psychotherapie verändert hat, dann müssen wir feststellen: Viel eher haben die Psychotherapiekonzepte und die etablierten Methoden der psychologischen Forschung die Bindungstheorie verändert und dabei unversehens deren innovatives Potenzial neutralisiert.

Damit sind wir unverhofft bei dem Thema dieses Kongresses gelandet, der Identität in Zeiten der Globalisierung. Das Andere überhaupt als anders zu erkennen, bedeutet, die vorhandene Grenze überhaupt wahrzunehmen. Dazu gehört das Erleben der Diskrepanz, das heißt zu erkennen, dass die gewohnten Denkschemata nicht ausreichen, um das Andere wirklich zu verstehen. Diese Grenzen zu kennen und die Andersartigkeit des Anderen wahrzunehmen ist aber notwendig, um die eigene Identität zu bilden. Das Andere nicht als anders zu erkennen, sondern es einfach globalisierend sich »einzuverleiben« und dann als das Eigene zu beanspruchen, verhindert die Weiterentwicklung der eigenen Identität und führt letztlich zu deren steriler Erstarrung.

Kriz (1996) zitiert eine These von Heider, wonach die Kenntnisse der wissenschaftlichen Psychologie so gut wie nichts zur Lösung von Problemen in zwischenmenschlichen Beziehungen beigetragen haben und schreibt dazu: »Vielleicht wird sich diese Situation erst dann ändern, wenn nicht mehr die Theorie die Empirie dominiert (oder umgekehrt), sondern wenn den *Problemen* der Vorrang gegeben werden kann. Dies setzt jedoch voraus, dass nicht mehr Theorien und Methoden die Forscher, sondern die Forscher die Theorien und Methoden beherrschen« (Kriz 1996, S. 166).

Literatur

Ainsworth, M. D. S. (1967): Infancy in Uganda: Infant care and the growth of love. Baltimore.

Ainsworth, M. D. S.; Bell, S. M.; Stayton, D. J. (1974): Infant-mother attachment and social development: »socialisation« as a product of reciprocal responsiveness to signals. In: Richards, M. P. M. (Hg.): The integration of a child into a social world. London, S. 99–135.

Ainsworth, M. D. S.; Blehar, M. C.; Waters, E.; Wall, S. (1978): Patterns of attachment. A psychological study of the strange situation. Hillsdale.

Grossmann, K. E. (1986): From ideographic approaches to nomothetic hypotheses. Stern, Allport, and the biology of knowledge, exemplified by an exploration of sibling relationships. In: Valsiner, J. (Hg.): The individual subject and scientific psychology, S. 37–69.

Kriz, J. (1996): Wissenschafts- und Erkenntnistheorie. 3. Auflage. Opladen.

Main, M. (1982): Vermeiden im Dienst von Nähe: Ein Arbeitspapier. In: Immelmann, K.; Barlow, G.; Petrinovich, L.; Main, M. (Hg.): Verhaltensentwicklung bei Mensch und Tier. Berlin, S. 751–793.

Main, M.; Goldwyn, R. (1985): Adult Attachment Classification System. Unpublished manuscript, University of California, Berkley.

Strauß, B. (2000): Ist die therapeutische Arbeitsbeziehung eine Bindungsbeziehung? Verhaltenstherapie u. Verhaltensmedizin 21: 381–397.

Waters, E.; Matas, L.; Sroufe, L. A. (1975): Infants reactions to an approaching stranger: Description, validation and functional significance of wariness. Child Dev. 46: 348–356.

Eva-Maria Biermann-Ratjen

Hat die Säuglingsforschung die Psychotherapie verändert?

Natürlich hatte ich die Antwort »ja« im Kopf, als ich begann, der Frage nachgehen, ob die Säuglingsforschung die Psychotherapie verändert hat. Ich erwartete herauszufinden, dass die Säuglingsforschung eine Psychotherapie ermöglicht hat, die »grenzüberschreitend« ist in dem Sinne, dass in den Weiterentwicklungen der verschiedenen Psychotherapietheorien ein gemeinsames Wissen über die frühkindlichen Entwicklungen, die tatsächlich stattfinden, Berücksichtigung gefunden hat mit entsprechenden Auswirkungen auf die Praxis und ihre Darstellung in der Literatur. Ich hatte die Hoffnung, eine Übereinstimmung in wesentlichen Grundannahmen bezüglich dessen, was die Erfahrungen des Menschen konstituiert und was sie beinhalten auf der Grundlage der Rezeption der Ergebnisse der systematischen Säuglingsbeobachtung nachzeichnen zu können.

Immerhin haben schon vor 20 Jahren Thomä und Kächele in der Einführung zu ihrem Lehrbuch der psychoanalytischen Therapie von »Konvergenzen« gesprochen, »die sich zwischen den psychoanalytischen Schulen, aber auch in der Beziehung zwischen der Psychoanalyse und ihren Nachbardisziplinen abzeichnen« (Thomä u. Kächele 1985, S. 45), und diese mit den Ergebnissen der Säuglingsforschung in Beziehung gesetzt.

Sie erwähnten speziell:

- die den unterschiedlichen Theorien gemeinsame zunehmende Anerkennung des Subjekts und der Intersubjektivität in der analytischen Situation, was sich deutlich in der Erweiterung des Übertragungsbegriffes zeige,
- die Betrachtung des Analytikers als neues Objekt, das heißt die

gemeinsame Erkenntnis, dass der Patient sich mit den Funktionen des Analytikers in der Interaktion mit diesem identifiziere,
– was zu der ebenfalls zunehmend geteilten Auffassung führe, dass die Entstehung des inneren Objekts an die Introjektion nicht des Objektes, sondern von Interaktionen gebunden sei.

Auch die Rezeption der Bindungsforschung ausgehend von Bowlby mache die Bedeutung des interaktionellen Kontextes in der Psychotherapie deutlich.

Thomä und Kächele fassten die Forschungsergebnisse, die zur Entwicklung von veränderten Modellen der Kindheit und der frühen Entwicklung als Grundlagen der Psychotherapie – und damit zu einer neuen Psychotherapie – aufforderten, so zusammen (S. 46):
– »Das Kind ist von Anfang an für soziale Interaktionen ausgestattet, und es nimmt am wechselseitigen Austausch mit den Pflegepersonen teil. Wir können die Mitmenschen nicht als statische Triebziele betrachten ...« (Emde 1981, S. 218).
– Bei diesen interaktionellen Prozessen spielen Affekte eine hervorragende Rolle (...) Die Libidotheorie deckt diese Prozesse affektiver Wechselseitigkeit nicht ab.
– Der Mensch konstruiert affektiv und kognitiv, reizhungrig und schöpferisch seine Welt von Geburt an.

Ich hatte vor allem Säuglingsbeobachtungen wie die folgenden im Sinn:

DeCasper und Carstens (1981) spielten drei Tage alten Säuglingen den Gesang einer weiblichen Stimme vor. Das Tonband war mit einem Schnuller verbunden und so konstruiert, dass die Säuglinge es durch eine bestimmte Saughäufigkeit einschalten konnten. Der Gesang wurde ausgelöst, wenn die Pause zwischen zwei Saugbewegungen mindestens zwei Sekunden oder länger war. Die Säuglinge erkannten diesen Zusammenhang von Saugmuster und Anspringen des Tonbandes – die Kontingenz – schnell und wiederholten das Saugmuster dann immer wieder. Wie gesagt, sie waren drei Tage alt! Wenn diese Kontingenz nicht mehr wahrgenommen werden konnte, das Tonband nicht mehr nach zwei Sekunden Saugpause ansprang, verstärkten die Säuglinge zunächst ihre Aktivität, bewegten beispielsweise den Kopf hin und her und gaben Töne von sich. Wenn das nichts nützte, fingen sie an zu grimassieren und schließlich zu schreien.

In einem ähnlichen Experiment zeigten Papoušek und Papoušek (1975, S. 247 f.), dass nach dem Schreien Zeichen von Dekompensation zu beobachten sind: Die jüngeren (unter zwei Monaten) der von ihnen beobachteten Babys schrumpften zusammen, zeigten einen glasigen Blick und blieben mit schlafähnlicher Atmung unbeweglich liegen; die über zwei Monate alten Säuglinge zeigten aktive Vermeidungs- und Abwendungsreaktionen, die sich deutlich von zufälligen Abwendungs- und einfachen Ermüdungserscheinungen unterschieden (vgl. Dornes 1993, S. 237 f.).

Ich wollte anhand solcher Experimente zeigen, in wie hohem Maße Säuglinge von Geburt an vor allem daran interessiert sind, Zusammenhänge – man nennt das Kontingenz – zwischen dem, was sie tun und sind, und dem, was in der Außenwelt passiert, zu entdecken, ein, wie es heißt, Effektanzgefühl zu haben.

Ich dachte, es würde sich herausstellen, dass in den psychotherapeutischen Metatheorien, den Therapieprozesstheorien und in der Darstellung der therapeutischen Praxis zunehmend nicht nur die große Bedeutung von Intersubjektivität, Affektivität und Bindung betont werden, sondern vor allem das existenzielle Angewiesensein des Menschen von Geburt an darauf, dass er sich – und das geschieht im Rahmen von Intersubjektivität, Affektivität und Bindung – ein Bild von den Regelmäßigkeiten in der Welt und vor allem ein Bild von sich selbst machen und aufrechterhalten kann – und dass dieses Bedürfnis, das wir Gesprächspsychotherapeuten die Selbstaktualisierung nennen, allen anderen Wünschen und Bedürfnissen übergeordnet ist.

Ich nehme es vorweg: Meine Hoffnung hat sich nicht erfüllt. Die Konvergenz der verschiedenen Therapietheorien ist nicht über das hinausgewachsen, was schon vor 20 Jahren zu beobachten war: eine Gemeinsamkeit in der Betonung der Intersubjektivität im psychotherapeutischen Prozess, der großen Bedeutung speziell affektiver Austauschprozesse, der primären Getrenntheit von Subjekt und Objekt und der Aktivität bei der Konstruktion eines Welt- und Selbstbildes von Geburt an.

Ich werde dennoch im Folgenden:
- die Säuglingsforschung und ihre Ergebnisse exemplarisch beschreiben und
- die Auswirkungen, die sie auf die Theorie der Psychotherapie
  haben sollten.
- Dann werde ich, als Gesprächspsychotherapeutin, auf die Gesprächspsychotherapie zu sprechen kommen und darauf hinweisen, dass der durch die Ergebnisse der Säuglingsbeobachtung eigentlich nötig gewordene Perspektivenwechsel in den
  Psychotherapietheorien eine Anerkennung der Therapietheorie
  von Carl Rogers beinhalten würde.
- Zum Schluss werde ich das Ergebnis einer ganz kleinen Untersuchung mit der Frage darstellen, ob und in welchem Ausmaß
  die Säuglingsforschung in der Darstellung der Psychotherapeutischen Praxis heute eine Rolle spielt.

Was ist die Säuglingsforschung und was sind ihre Ergebnisse?

Martin Dornes hat dem Buch, in dem er 1993 die Säuglingsforschung und ihre Ergebnisse darstellt, den Titel »Der kompetente
Säugling« gegeben. Dieser Titel entspricht seiner Interpretation
dieser Ergebnisse.

Ich werde im Folgenden die Darstellung dieser Forschung und
ihrer Ergebnisse nicht immer ordentlich von der Darstellung ihrer
Interpretation trennen können.

Dornes nennt diese Forschung übrigens meistens die systematische Säuglingsbeobachtung oder die Säuglingsdirektbeobach-
tung. Das tut er auch in Abgrenzung von der psychoanalytischen
Tradition, die Daten für die Konstruktion einer Entwicklungspsychologie – und die psychoanalytische Metatheorie ist eine Entwicklungspsychologie – aus der freien Assoziation von Patienten
in der Therapie und der Übertragungsanalyse zu beziehen. Die Erforschung der *präverbalen* Zeit sei aber mit diesen Mitteln nicht
möglich. Sie könnten zwar aufklären, wie die frühe Kindheit dem
erwachsenen Patienten heute erscheint, aber die Frage, wie es –

das Innenleben – damals wirklich war, sei damit nicht beantwortet.

Der Titel »Der kompetente Säugling« wirft auf der anderen Seite ein Schlaglicht auf den Unterschied zwischen dem eben kompetenten Säugling, wie er sich in der systematischen Beobachtung zeigt, und dem Säugling der früheren klassischen psychoanalytischen Metatheorie, der z. B. so beschrieben worden ist (vgl. Fenichel 1945,1983, S. 55):

– von den Erregungen durch die Umwelt überflutet
– nach Entspannung in der Form von Befreiung von Bewusstheit strebend
– nicht zwischen Ich und Nicht-Ich unterscheidend
– primär die Realität nicht wahrnehmend und vor allem nicht wahrnehmen wollend

Die Säuglingsforscher, die, wie gesagt, den Patienten auf der Couch nicht fragen wollen, wie er als Säugling die Realität erlebt hat und wie er sich dabei gefühlt hat, und den Säugling nicht direkt fragen können, haben verschiedene Methoden entwickelt, den Säugling eben ohne den Gebrauch von Worten zu befragen:

Sie zeigen ihm beispielsweise zwei Gesichter gleichzeitig oder nacheinander – dann natürlich in dem gleichen Zustand von Wachheit, Aufmerksamkeit und Sättigung – und beobachten, ob er das eine länger anschaut als das andere. Sie fragen ihn: Machst du Unterschiede in deinem Wahrnehmungsfeld? Magst du das eine lieber als das andere? (Präferenzparadigma).

Oder sie beobachten, wie lange und unter welchen Bedingungen der Säugling etwas fixiert oder bei seinem Anblick aufgeregt an seinem Schnuller saugt (Habituierungsparadigma). So lässt sich zeigen, dass das Erlahmen der Aufmerksamkeit nicht ein rein physiologisches Ereignis ist und vielmehr unterschiedliche Reize unterschiedlich viel und unterschiedlich anhaltend Aufmerksamkeit im Säugling erregen.

Mit wieder anderen Versuchsanordnungen hat man herausgefunden, »ob der Säugling feststehende Erwartungen hat und Abweichungen von diesen bemerkt« (Überraschungsparadigma) (Dornes 1993, S. 36).

Die Säuglingsbeobachter haben sich, wie vor allem auch die Affektforscher, der neuen visuellen Aufzeichnungstechniken und ihrer Verfeinerungen bedient und z. B. davon profitiert, dass man Videoaufnahmen gleichzeitig von zwei Gesichtern machen, beliebig schnell ablaufen lassen und an jeder Stelle anhalten und erneut anschauen kann.

Auf diesem Weg konnten folgende wichtige Erkenntnisse gewonnen werden:

Das Baby erwartet, dass ein Stimmlaut aus dem sich entsprechend bewegenden Mund kommt und nicht aus einer Ecke oberhalb des Gesichtes. Die Wahrnehmung von Abweichungen von solchen Erwartungen ist mit eindeutig negativen Affekten verbunden und bedeutet Unruhe, Erregtheit, unter anderem Pulsfrequenzveränderung.

Das vielleicht am besten bekannte dieser Experimente ist das mit dem »stillen Gesicht«: Die Mutter reagiert anweisungsgerecht nicht mimisch auf die Annäherungsgesten ihres Säuglings. Das mag der Säugling gar nicht und strengt sich ungeheuer an, die Mutter zu bewegen.

Schon bei Säuglingen im Alter von Wochen kann man beobachten, dass sie visuelle Exploration zur Selbstberuhigung einsetzen: Wenn sie unruhig und nervös sind, wenden sie sich einem Objekt in ihrem Gesichtsfeld zu und werden im Verlauf seiner Betrachtung ruhiger (Demos u. Kaplan 1986).

Den besten Eindruck von der Bedeutung der Ergebnisse der derart systematischen Säuglingsbeobachtung gewinnt man, indem man sich die neueren psychoanalytischen Entwicklungstheorien anschaut, die unter Einbeziehung eben dieser Ergebnisse formuliert worden sind, z. B. die von Daniel Stern (1985).

Ich will an dieser Stelle nur einige weitere Erkenntnisse auf der Grundlage der systematischen Säuglingsbeobachtung exemplarisch erwähnen: Die Wahrnehmungsorganisation – zu der die Farbwahrnehmung, die Musterwahrnehmung, die kreuzmodale Wahrnehmung gehören – ist so, dass das Baby schon im Alter von zwei bis vier Monaten richtige Gesichter von solchen unterscheiden kann, in denen Mund, Auge und Nase falsch angeordnet sind (Maurer u. Barrera 1981; Maurer 1985) (referiert nach Dornes 1993).

»Zeigt man Kindern im Alter von fünf bis sieben Monaten ein Gesicht frontal und danach von der Seite, so behandeln sie beide Gesichter richtig als Transformationen eines Gesichtes und nicht als zwei verschiedene Gesichter. Ebenso verhält es sich, wenn sie ein freudiges Gesicht sehen und danach dasselbe mit ärgerlichem Ausdruck ...« (Fagan 1976; Stern 1985, S. 97f.; Nelson 1985, 1987; zitiert nach Dornes 1993, S. 40).

Auch die Affekte sind von Anfang an differenziert: Der Gesichtsausdruck für die meisten Affekte ist im Alter von drei bis vier Monaten vorhanden. Im Alter von drei bis fünf Monaten können auch verschiedene Gesichtsausdrücke wie Überraschung, Freude und Traurigkeit unterschieden werden (Barrera u. Maurer 1981a) und ebenso verschiedene Ausprägungen ein und desselben Ausdrucks (Kuchuk et al. 1986) (referiert nach Dornes 1993).

Ursprünglich werden Ganzheiten wahrgenommen (z. B. die Gemeinsamkeit von Bild und Ton). Auch im Bereich der Affekte existieren angeborene Fähigkeiten, die eine einheitliche, holistische Welt- und Selbsterfahrung von Lebensbeginn an ermöglichen.

Regelmäßigkeiten werden in der Form von zeitlichen Strukturen, Intensitäten, Gestalten, Rhythmen, dynamischen und kinetischen Mustern empfunden.

Objekte werden als Ganze wahrgenommen und als solche unterschiedlich erlebt.

Die kreuzmodale Wahrnehmung – die in den verschiedenen Sinnesqualitäten gemachten Wahrnehmungen ein und desselben Objekts werden als zueinander gehörend erlebt, die physiognomische Wahrnehmung – die in den verschiedenen Sinnesqualitäten gemachten Wahrnehmungen lösen ein und denselben Affekt aus – und die Vitalitätsaffekte – die bei der Wahrnehmung von Intensitätskonturen empfunden werden: als »schneidend«, »aufbrausend«, »verblassend«, »flüchtig« z. B. – machen es möglich, dass Gemeinsamkeiten in verschiedenen Bereichen festgestellt bzw. empfunden werden.

Die Gemeinsamkeiten und Regelmäßigkeiten in der Selbst- und Objektwahrnehmung bewirken, dass eine Selbstwahrnehmung und davon deutlich unterschieden Objekte im Wahrnehmungsfeld auftauchen.

Die Objektvorstellung in den ersten 1 $^1/_2$ Jahren ist kein Bild, sondern ein Schema – eine Vielfalt von zunehmend miteinander koordinierten Sinneseindrücken eines Objekts.

Und die Wahrnehmung der Selbstorganisation oder Selbstgestalt ist immer über einen Affekt mit der Wahrnehmung eines Objekts verbunden: Der Tonfall und die Bewegungen der Mutter passen z. B. zu den Selbstempfindungen in der vitalen Dimension, die in der Situation mit ihr erlebt werden.

Folgerungen aus den Ergebnissen der systematischen Säuglingsbeobachtung

Dornes kommt nach einer kritischen Würdigung der Ergebnisse der Säuglingsbeobachtung im Hinblick auf ihre Kompatibilität mit dem früheren psychoanalytischen Bild des Säuglings zu den folgenden Schlüssen:

Das Konzept einer normalen autistischen Phase sollte aufgegeben werden, denn alle Befunde der Säuglingsforschung stünden im Gegensatz zu psychoanalytischen Hypothesen über den Autismus oder primären Narzissmus des Neugeborenen, über seine beständigen Versuche, Reize loszuwerden, und sein Leben in einer Symbiose.

Die Interaktion zwischen Mutter und Kind sei von Geburt an »einfach zu differenziert, um angemessen mit dem Konzept der symbiotischen Beziehung erfasst zu werden« (Dornes 1993, S. 69).

Die Ergebnisse der Säuglingsforschung legten auch nahe, davon auszugehen, »dass die Repräsentanzenwelt hauptsächlich aus Alltagsereignissen aufgebaut wird und nicht aus außergewöhnlichen Ereignissen« (Stern 1985, S. 192), während vor allem in der psychosexuellen Entwicklungslehre angenommen werde, dass die hohen, spektakulären Spannungszustände im Mittelpunkt stünden.

Denken, Handeln, Fühlen und Wahrnehmen existierten am Anfang nicht als solche unterscheidbaren Aktivitäten.

»Die Theorie der Teilselbste und Teilobjekte ist ebenfalls problematisch. Es gibt in diesem Zeitraum (zwischen dem sechsten und achtzehnten Lebensmonat), und schon früher, normalerweise kein multiples Selbst- und Objektempfinden, sondern eher ein einheitliches (keine Gespaltenheit/Spaltung)« (Dornes 1993, S. 100f).

Die Ich-Entwicklung sollte weniger mit der Trieb-, sondern in erster Linie mit der Affektentwicklung in Zusammenhang gebracht werden, wobei von einer Differenziertheit des affektiven Erlebens von Geburt an auszugehen ist.

Affekte seien als die primären Motivationssysteme anzusehen, die die Interaktion mit der Umwelt überwachen und adaptive Verhaltensweisen motivieren (Emde 1988a, 1988b) (nach Dornes 1993, S. 150).

Das Bedürfnis nach Intersubjektivität, nach dem (Mit)-Teilen von inneren – und das sind immer auch affektive – Erfahrungen, sei vermutlich mindestens so zentral wie die Triebe bzw. das Konzept eines Bedürfnisses nach Intersubjektivität und könnte das Triebkonzept entbehrlich machen.

Meines Erachtens gehören zu den Ergebnissen der Säuglingsforschung auch die Ergebnisse der *Bindungsforschung*. Sie weisen ebenfalls auf die hohe Bedeutung der affektiven Interaktionen zwischen dem Kind und seinen Pflegepersonen für die Selbstentwicklung hin bzw. darauf, dass zunächst nicht Objekte, sondern Interaktionen, in denen das Subjekt sich und das Objekt fühlt, internalisiert werden. Auch die mütterliche Feinfühligkeit, die empirisch nachweisbar maßgeblich zur Entwicklung von Bindungssicherheit beiträgt, wird vom Kind gefühlt, das heißt wahrgenommen, und zusammen mit dem Selbstgefühl, das damit zusammen auftritt, internalisiert.

Das Modell der Selbstentwicklung von Daniel Stern betont, dass nach der Entwicklung einer affektiven Repräsentation des Erlebens in der auftauchenden Selbstempfindung und der Empfindung des Kernselbst in der Interaktion mit dem Objekt eine sekundäre Repräsentation entwickelt wird, ein Wissen von der affektiven Repräsentation, welches das Kind wiederum mit seinen Bezugspersonen zu teilen versucht. In Abhängigkeit davon, was es von diesem Wissen mit anderen teilen konnte, kann es sich dessen nach dem Erwerb der Sprache auch als Selbsterfahrung bewusst werden.

Ich denke, diese Beispiele genügen zur Verdeutlichung der
Grundlagen für die eingangs referierte zusammenfassende Interpretation der Ergebnisse der Säuglingsforschung im Hinblick auf
die psychoanalytische Metatheorie durch Thomä und Kächele.

Die Ergebnisse der Säuglingsforschung und die Gesprächspsychotherapie

Andere Autoren, wie Oskar Frischenschlager (1999), der der
Selbstpsychologie von Kohut nahe steht, haben aus dem Bild des
psychoanalytischen Säuglings, wie es noch von Fenichel gezeich-
net worden ist, die folgende implizite Therapietheorie herausgele-
sen, die nach den Ergebnissen der systematischen Säuglingsbeobachtung nicht mehr aufrecht zu erhalten sei:
- Der Patient hat keine Kontrolle über seine unbewussten Konflikte und deren Bewusstwerdung, weil unbewusste Prozesse
  vorwiegend automatisch nach dem Lustprinzip ablaufen.
- Das stärkste unbewusste Motiv ist die Suche nach der Befriedigung infantiler Wünsche, denn sie bedeutet Spannungsabfuhr.
- Das psychoanalytische Behandlungsangebot und Setting inten-
  sivieren die infantilen Wünsche und entsprechend die Abwehr.
- Die Frustration der infantilen Wünsche wird erneut als der Mo-
  tor der Entwicklung erachtet.
- Die Bewusstmachung der Wünsche durch Deutung führt aus
  dem Dilemma heraus, denn:
- Infantile Wünsche verlieren durch Bewusstmachung an patho-
  gener Kraft.

Dieses Therapiekonzept sei im Kern ein kognitives. Der wesentliche Wirkfaktor sei die Einsicht auf der Grundlage der Deutung.
Der Rolle der affektiven Austauschprozesse in einer Therapie werde
dieses Konzept nicht gerecht. Frischenschlager hält auf der Grundlage der systematischen Säuglingsbeobachtung eine »rundum er-
neuerte Metapsychologie« für unerlässlich mit dem folgenden
anthropologischen und mit diesem zusammenhängenden Therapiekonzept (das ich etwas umformuliert habe):

- Von Geburt an finden Selbst- und wechselseitige Regulation statt, auch wenn sie nicht als solche wahrgenommen werden. Das Neugeborene braucht zu Beginn noch eine externe Unterstützung für seine Selbstregulation, um seine physiologischen Prozesse an die neuen Umgebungsbedingungen nach der Geburt anzupassen. Die physiologische Regulation wird an die Interaktion zwischen dem Selbst des Säuglings und der Betreuungsperson delegiert. Sie läuft auf einer noch sehr körpernahen Verhaltensebene ab. Diese Interaktion wird zu einem Vorläufer des Selbst des Kindes.

- Damit sind bereits zwei Verbindungen etabliert: die zwischen Selbst- und wechselseitiger Regulation und die zwischen physiologischer und psychologischer Regulation bzw. die Verbindung zwischen innen und außen.

- Dabei ist Empathie von zentraler Bedeutung. Es gibt ein »intuitive parenting« (Papoušek u. Papoušek 1987), so wie andererseits das Kind über eine »integrative competence« verfügt.

- Unterbrechungen der Bezogenheit können oft innerhalb einer kurzen Zeitspanne repariert werden (Lachmann u. Beebe 1989). Dies ist für das Effektanzgefühl des Säuglings von großer Bedeutung.

- Affektive Kommunikation kann bald vom Säugling initiiert werden, unter anderem durch seine Fähigkeit, Gesichtsausdrücke zu imitieren (Meltzoff et al. 1989). Der Gesichtsausdruck eines beliebigen Affektzustandes ist automatisch mit bestimmten neurophysiologischen Vorgängen gekoppelt. Das kann möglicherweise eine Vorstellung davon liefern, wie die kommunikative Verbindung zwischen Menschen funktioniert.

- Das Erleben in den frühesten Entwicklungsstadien ist nicht unbewusst, sondern noch nicht auf Symbolebene.

- Das Erleben enthält immer ein Selbst, einen Anderen, eine Handlung, einen Affekt und eine physiologische Reaktion. Mit zunehmendem Gedächtnis bilden sich Erwartbarkeiten heraus, die auf diesen Erlebensebenen repräsentiert sind.

- Es gibt eine angeborene Neigung, sich an die Betreuungspersonen zu binden.

- In den ersten sechs Lebensmonaten bilden sich Bindungsmus-

ter, die auf der Ebene des Erlebens aus Wahrnehmungs- und Er-
wartungsprädispositionen bestehen, den »inneren Arbeitsmo-
dellen«. Diese sind wiederum als geschichtete (aus Schichten
aufgebaute) Strukturelemente zu verstehen, die aus physiologischen, interaktiven, bis hin zu hochsymbolisierten Elementen
zusammengesetzt sind. Zum Beispiel zeigen Kinder mit einem
unsicher-vermeidenden Bindungsstil dieselben physiologischen
Reaktionen wie Kinder mit einem unsicher-ambivalenten Bindungsstil, jedoch ein völlig anderes Verhalten.
– Affekte sind die Währung des kommunikativen Austauschs.
– Selbst hochsymbolisierte kognitive Vorgänge beinhalten Affekte, in Szenen eingebundene Handlungen und Verbindungen
  zu physiologischen Prozessen (nach Frischenschlager 1999,
  S. 43).

Die therapeutische Situation, in der es um das Verstehen und Verändern der Struktur und des Erlebens des Klienten gehe, müsse vor
dem Hintergrund des Wissens, das durch die Säuglingsbeobachtung gewonnen worden ist, so aussehen, dass alle Schichten des Erlebens – auch die realen affektiv-regulatorischen in der Interaktion
mit dem Therapeuten – ständig aktiviert bleiben, auch wenn sie gegenüber den auch der Sprache zugänglichen Ebenen im Hintergrund abzulaufen scheinen.
   Die therapeutische Situation ist dann so definiert:
– *»Therapeutisch* heißt vor allem einmal, dem Patienten für seine
  Äußerungen und Inszenierungen Raum zu geben (vermittels
  bestimmter Haltungen wie Zuhören, Aufmerksamkeit, Wertschätzung, Verlässlichkeit, Stabilität etc.).
– (Der Therapeut ist empathisch im Hier und Jetzt, das heißt, er
  betreibt), eine sorgfältige analytische Untersuchung der spezifischen Bedeutungen der Auswirkungen der Handlungen oder
  Nicht-Handlungen des Analytikers auf den Patienten (Stolorow
  et al. 1987, S. 10, deutsche Übersetzung O. F.).
– Der (Therapeut wird) in ein interaktives Geschehen hineingezogen (und dabei) laufend unbewusst getestet (Weiss u. Sampson,
  1986). Es kommt darauf an, dass er auch in seinem Unbewussten den unbewussten Erwartungen bzw. Befürchtungen des Pa-

tienten real nicht entspricht. Noch deutlicher: darin besteht überhaupt die Voraussetzung für Bewusstwerden.

– Der Patient muss aber andererseits spüren, dass sich der Analytiker real zu einem Teil der unbewussten Szene hat machen lassen. Der Analytiker muss in affektiven Kontakt mit den Erwartungen/Befürchtungen des Patienten gekommen sein, die zugeteilte Rolle zu übernehmen und ihr entsprechend zu reagieren. Er muss sich anstecken lassen, sonst wird sein Reagieren emotional nicht relevant für das Erleben des Patienten. Erst wenn der Analytiker mit allen Affekten ein Teilnehmer der Szene geworden ist – in Videoaufnahmen konnte man das z. B. an seinem Gesichtsausdruck ablesen –, kann er verstehen und dazu beitragen, dass sich der Patient neue Szenen zu Eigen macht.

– Was hier wie ein einziger Vorgang beschrieben ist, erfolgt tatsächlich in vielen kleinen Sequenzen von Verführung, diskordanter Reaktion bis hin zur Verarbeitung der Reaktion.

– Erst wenn der Patient bereit ist, sich auf die Reaktionen des Analytikers ein wenig einzulassen, kann er erinnern. Denn Erinnern setzt voraus, in emotionale Distanz zur Vergangenheit zu gehen.

– Erst dann folgen die mehr sprachlich-kognitiven Vorgänge wie die gemeinsame Rekonstruktion von Modellszenen, Deutung, Durcharbeiten, etc. So werden Schritt für Schritt Gefühle mit den höheren Orientierungsfunktionen in Verbindung gebracht« (Frischenschlager 1999, S. 48f.).

Diese Neudefinition der Interaktion im psychotherapeutischen Prozess auf der Grundlage einer unter anderem durch die Säuglingsforschung empirisch fundierten Entwicklungspsychologie ist in hohem Maße mit der Abstraktion der Bedingungen für den therapeutischen Prozess, die Rogers empirisch ermittelt hat, kompatibel:

Rogers (1957) nennt sechs Bedingungen für den interaktionellen Prozess, der persönliche Weiterentwicklung in der Form ermögliche, dass bisher nicht mit dem Selbstkonzept zu vereinbarende (inkongruente) Erfahrungen in die bewusste Erfahrung integriert werden können:

– zwei Personen haben einen psychologischen Kontakt, in dem

− die eine Person, der Klient, inkongruent ist, und
− die andere Person, der Therapeut, kongruent ist.
− Der Therapeut erlebt, dass er den Klienten empathisch versteht
  und
− fühlt, dass er ihn unbedingt wertschätzt.
− Der Klient nimmt zumindest in Ansätzen wahr, dass ihn der
  Therapeut empathisch versteht und unbedingt wertschätzt.

Um diese sechs Bedingungen zu erläutern, werde ich sie nun mit
den sieben Punkten der Neuformulierung der therapeutischen Situation unter Berücksichtigung der Ergebnisse der Säuglingsforschung durch Frischenschlager zusammenfügen.

− Zwei Personen haben *einen psychologischen Kontakt*, in dem
  der einen Person, dem Klienten, vermittels bestimmter Haltungen der anderen Person, des Therapeuten, wie Zuhören, Aufmerksamkeit, Wertschätzung, Verlässlichkeit, Stabilität etc. für
  seine Äußerungen und Inszenierungen Raum gegeben wird.
− Der Therapeut ist *empathisch* im Hier und Jetzt, er fühlt sich in
  das Erleben des Klienten ein, versteht ihn in seinem inneren Bezugsrahmen, betreibt vor allem »eine sorgfältige analytische
  Untersuchung der spezifischen Bedeutungen der Auswirkungen der Handlungen oder Nichthandlungen des Analytikers auf
  den Patienten« (s. o.).
− Dadurch wird der Therapeut dauernd in ein interaktives Geschehen hineingezogen und dabei laufend getestet. Es kommt
  zum einen darauf an, dass er auch in seinem Unbewussten den
  unbewussten Erwartungen bzw. Befürchtungen des Patienten
  real nicht entspricht. Ob er das nicht tut, kann er am besten
  daran ermessen, dass er dem Patienten gegenüber ein Gefühl
  der *unbedingten Wertschätzung* aufrechterhalten kann.
− Auf der anderen Seite muss der Patient spüren, dass sich der
  Therapeut durch sein empathisches Verstehen real (*kongruent*)
  zu einem Teil der unbewussten Szene hat machen lassen. »Der
  Analytiker muss in affektiven Kontakt mit den Erwartungen/Be-
  fürchtungen des Patienten gekommen sein, um die zugeteilte
  Rolle zu übernehmen und ihr entsprechend zu reagieren. Er
  muss sich anstecken lassen, sonst wird sein Reagieren emotio-

nal nicht relevant für das Erleben des Patienten. Erst wenn der Analytiker mit allen Affekten ein Teilnehmer der Szene geworden ist – in Videoaufnahmen konnte man das z. B. an seinem Gesichtsausdruck ablesen –, kann er verstehen und dazu beitragen, dass der Patient sich neue Szenen zuzeigen macht« (s.o.).

– Was hier wie ein einziger Vorgang beschrieben ist, erfolgt tatsächlich in vielen kleinen Sequenzen von Verführung, diskordanter Reaktion bis hin zur Verarbeitung der Reaktion. Der Therapeut fühlt sich wirklich in das Erleben des Patienten in seinem inneren Bezugsrahmen ein, bleibt dabei aber *kongruent*, das heißt ist in der Lage zur Reflexion der eigenen emotionalen Reaktion auf das Erleben des Patienten bzw. kann durch eine Reflexion der eigenen Abweichung von der *unbedingten Wertschätzung* des Patienten diese wiederherstellen.

– Erst wenn der Patient bereit ist, sich auf die Reaktionen des Therapeuten ein wenig einzulassen, *wenn er zumindest in Ansätzen wahrnehmen kann, dass er empathisch verstanden und unbedingt wertgeschätzt wird in seiner Erfahrung*, kann er sich erinnern. Denn Erinnern setzt voraus, in emotionale Distanz zur Vergangenheit zu gehen und den eigenen inneren Bezugsrahmen zu sehen bzw. auch die Erfahrungen, die bisher *Inkongruenz und die zu ihr gehörenden Gefühle* ausgelöst haben.

– Erst dann folgen die mehr sprachlich-kognitiven Vorgänge wie die vollständige Symbolisierung von Erfahrung bzw. gemeinsame Rekonstruktion von Erfahrungen, Deutung, Durcharbeiten etc. So werden Schritt für Schritt Gefühle mit den höheren Orientierungsfunktionen in Verbindung gebracht (s. o.).

Spielen die Ergebnisse der Säuglingsforschung in der Darstellung der psychotherapeutischen Praxis eine Rolle?

Auf der Suche nach einer Antwort auf die Frage, ob die Säuglingsforschung die Darstellung der Praxis der Psychotherapie in der Literatur verändert hat, habe ich unter anderen die letzten 32 Hefte der Zeitschrift »Psychotherapeut« durchgesehen. In diesen wird bei der Darstellung der Behandlung von Patienten in der Rubrik »Behandlungsprobleme« kein einziges Mal explizit auf die Ergebnisse der Säuglingsbeobachtung Bezug genommen.

Das beherrschende Thema in den letzten fünf Jahren ist in dieser Zeitschrift das Thema Trauma. Es überwiegen die Darstellungen von Problemen in der Behandlung von Patienten mit den unterschiedlichsten belastenden Erfahrungen, vor oder nach Organtransplantationen über die Entdeckung von Missbildungen des Kindes in einer sehr späten Schwangerschaftswoche und einer Totgeburt bis hin zu Einsätzen von Feuerwehrleuten.

Im letzten Heft wurde sehr eindrücklich über die Behandlung von Kindern und ihren Angehörigen aus Beslan berichtet, die zur medizinischen Behandlung nach Göttingen gekommen waren.

Auch die Auswirkungen von Erfahrungen des Abgelehntwerdens in der frühen Kindheit auf das Erleben so genannter makrosozialer Belastungen werden besprochen und die Auswirkungen der Traumata der Eltern auf ihre Kinder, nicht nur die Auswirkungen der Traumata der Eltern aus der Zeit des Naziregimes auf ihre Nachkriegskinder, sondern auch auf die Enkelgeneration, die Kinder der 68er, die wiederum als Kinder autoritärer Väter traumatisiert seien.

In diesem Zusammenhang werden auch Bindungsstile als mögliche Formen maladaptiver Schemata erwähnt, und es wird auch auf die Abhängigkeit der Förderung des Kindes durch die Interaktion mit den Eltern von deren Zugang zu ihrem eigenen Erleben als Kleinkinder hingewiesen und auf die Bedeutung der so genannten Repräsentanzenschwäche.

Ein Einfluss der Ergebnisse der Säuglingsforschung auf die Definition dessen, was die therapeutische Situation zu einer solchen macht, wird aber in keinem Beitrag erwogen, und es wird auch nicht darüber nachgedacht, welche Vorstellungen von Möglichkeiten und Grenzen der Bewältigung traumatischer Erfahrung und ihrer Integration in die kontrollierbare Erinnerung die Ergebnisse der Säuglingsforschung nahe legen.

Dabei gibt es keine Erfahrung, an der so deutlich wird wie bei einem Trauma, in dessen Kern immer eine Erfahrung von Ohnmacht steckt, wie sich der Zusammenbruch des Effektanzgefühls auswirkt bzw. was alles die Menschen zu sein, zu tun und zu denken bereit sind, um sich der Erfahrung der Kontingenz zwischen ihrem Verhalten und ihrer Umwelterfahrung zu vergewissern.

Literatur

DeCasper, A.; Carstens, A. (1981): Contingencies of stimulation: Effects on learning and emotion in neonates. Infant Behav. Dev. 4: 19–35.

Demos, V.; Kaplan, S. (1986): Motivation and affect reconsidered: Affect biographies of two infants. Psychoanalysis a. contempory thought 9: 147–221.

Dornes, M. (1993): Der kompetente Säugling. Die präverbale Entwicklung des Menschen. Frankfurt a. M.

Emde, R. (1980a): Toward a psychoanalytic theory of affect I: The organizational model and its proposition. In: S. Greenspan; G. Pollock (Hg.): The Course of Life: Psychoanalytic Contributions toward Understanding Personality Development. Vol. 1: Infancy and Early Childhood. Washington, S. 63–83.

Emde, R. (1980b): Toward a psychoanalytic theory of affect II: Emerging models of emotional development in infancy. In: Greenspan, S.; Pollock, G. (Hg.): The Course of Life: Psychoanalytic Contributions toward Understanding Personality Develement. Vol. 1: Infancy and Early Childhood. Washington, S. 85–112.

Emde, R. N. (1981): Changing models of infancy and the nature of early development. Remodeling the foundation. J. Am. Psychoanal. Ass. 29: 179–219.

Fagan, J. (1976): Infants' recognition of invariant features of faces. Child Dev. 447: 627–638.

Fenichel, O. (1945): Psychoanalytische Neurosenlehre, Band I. Frankfurt u. Wien. 1983.

Frischenschlager, O. (1999): Präsymbolische Ebenen des psychoanalytischen Diskurses. In: Bartosch, E.; Hinterhofer, H.; Pellegrini, H. (Hg.): Aspekte einer neuen Psychoanalyse: Ein selbstpsychologischer Austausch. New York u. Wien, S. 37–52.

Kuchuk, A.; Vibbert, M.; Bornstein, M. (1986): The perception of smiling and its experiential correlates in three-month-old infants. Child Dev. 57: 1054–1061.

Lachmann, F. M.; Beebe, B. (1989): Oneness fantasies revisited. Psychoanal. Psychol. 6: 137–149.

Maurer, D.; Barrera, M. (1981): Infants` perception of natural and distorted arrangements of a schematic face. Child Dev. 52: 196–202.

Maurer, D. (1985): Infants' perception of facedness. In: Field, T.; Fox, N. (Hg.): Social Perception in Infants. Norwood, NJ, S. 73–100.

Meltzoff, A.; Moore, K. (1989): Imitation in newborn infants: exploring the range of gestures imitated and the underlying mechanisms. Dev. Psychol. 25: 954–962.

Nelson, C. (1985): The perception and recognition of facial expressions in infancy. In: Field, T.; Fox, N. (Hg.): Social Perception in Infants. Norwood, NJ, S. 101–126.

Nelson, C. (1987): The recognition of facial expressions in the first two years of life: Mechanisms and development. Child Dev. 58: 889–909.

Papoušek, H.; Papoušek, M. (1975): Cognitive aspects of preverbal social interactions between infants and adults. In: Parent–Infant Interaction. Ciba Foundation Symposium 33. North Holland, S. 241-269.

Papoušek, H.; Papoušek, M. (1987): Intuitive parenting: A dialectic counterpart to the infant' s integrative competence. In: Osofsky, J. (Hg.): Handbook of Infant Development. 2. Edition. New York u. a., S. 139–179.

Rogers, C. R. (1957): The necessary and sufficient conditions of therapeutic personality change. J. consult. Psychol. 21: 95–103.

Stern, D. (1985): The Interpersonal World of the Infant. A View from Psychoanalysis and Developmental Psychology. New York.

Stolorow, R. D.; Brandschaft, B.; Atwood, G. E. (1987): Psychoanalytic Treatment. An Intersubjective Approach. Hillsdale, NJ.

Thomä, H.; Kächele, H. (1985): Lehrbuch der Psychoanalytischen Therapie, 1. Grundlagen. Berlin.

Weiss, J.; Samson, H. (1986): The Psychoanalytic Process. New York.

Ulrich Sachsse

Wie wirkt sich die Arbeit mit Traumatisierten auf meine therapeutische Identität aus?

Ursprünglich hieß der Titel meines Beitrages »Wie wirkt sich die Arbeit mit Traumatisierten auf die therapeutische Identität aus?« Diesem Thema hätte ich nicht gerecht werden können, weil dazu mein Erfahrungshorizont zu begrenzt ist und weil ich keine empirischen Arbeiten zu dieser Fragestellung kenne. Ich werde deshalb meinen Beitrag sehr persönlich halten. Weil ich meine ganz persönlichen Veränderungen darstelle, muss ich mit einigen Daten zu meiner beruflichen Entwicklung beginnen. Zwischen Oktober 1968 und Sommer 1973 habe ich in Göttingen Medizin studiert und dabei kontinuierlich Vorlesungen bei Heigl, Heigl-Evers, Leuner und Sperling besucht. Mir war bald klar, dass ich im Bereich der Psycho-Fächer arbeiten wollte. Von 1972 bis 1980 habe ich meine Doktorarbeit bei Leuner über den Themenbereich Katathym Imaginative Psychotherapie (KIP) in Gruppen geschrieben. Von 1976 bis 1982 war ich Assistenzarzt, die letzten beiden Jahre Oberarzt der Fachklinik Tiefenbrunn und bin im Wesentlichen von Karl König als Oberarzt und Franz Heigl als Direktor der Klinik geprägt worden. Von 1973 bis 1984 habe ich am Göttinger Psychoanalytischen Institut meine Weiterbildung zum Psychoanalytiker absolviert und bin seit 1993 Lehr- und Kontrollanalytiker (DGPT). Seit 1982 bin ich am Niedersächsischen Landeskrankenhaus Göttingen. Bis heute hat mich Ulrich Venzlaff stark beeinflusst, der in der Nachkriegszeit wesentliche Arbeiten zur nationalsozialistischen Verfolgung und zum bleibenden Persönlichkeitswandel nach Extremtraumatisierung geschrieben hat.

Bereits seit 1978 interessierte mich die mir damals unverständliche Symptomatik selbstverletzendes Verhalten. Bis 1994 habe ich diese Klientel nach den Empfehlungen Kernbergs und des interaktionellen Vorgehens von Heigl und anderen beziehungszentriert behandelt und meine Erfahrungen 1994 im Buch »Selbstverletzendes Verhalten« zusammengefasst (Sachsse 1994).

Die Bedeutung von Realtraumata für die Entwicklung schwer behandelbarer Symptomatiken und schwerer Persönlichkeitsstörungen wurde Anfang der 90er Jahre intensiv diskutiert, unter anderem in der Arbeitsgruppe »Artifizielle Störungen« des DKPM (Hirsch 1989). 1994 erlernte ich von Luise Reddemann die Psychodynamisch Imaginative Traumatherapie PITT (Reddemann 2001, 2004) und habe 1996 in unserer Klinik eine Spezialstation für komplex traumatisierte Frauen aufgebaut (Sachsse et al. 1998). Seit 1994 hat sich meine Beziehungsgestaltung zu den Patientinnen völlig verändert, und auch die Grundüberzeugungen und Glaubensannahmen, mit denen ich arbeite, sind völlig anders geworden (Sachsse 1995, 1996).

Denkkategorie »Opfer«

Je entschiedener ich Frauen mit Borderline-ähnlichen Störungen als komplexe posttraumatische Belastungsstörungen, als Opfer von Traumata also behandelte, umso deutlicher wurde mir, dass mir 20 Jahre lang die Denkkategorie »Opfer« praktisch gefehlt hatte. Mir ist noch eine Vorlesung von Anneliese Heigl-Evers aus dem Anfang der 70er Jahre im Gedächtnis. Es ging um die Macht des Unbewussten. Als kritischer 68er-Student wandte ich ein: »Aber es gibt doch auch Schicksalsschläge, es kann doch etwas einfach zufällig passieren, man kann Opfer eines Verkehrsunfalls oder eines Überfalles werden.« Und dann fragte Frau Heigl-Evers: »Ach ja, Sie glauben also an Opfer?« Wer Annelise Heigl-Evers kennen gelernt hat, und wer ihre Art zu fragen noch im Ohr hat, der weiß, dass ich die nächsten Jahrzehnte nicht mehr an Opfer geglaubt habe. Ich habe immer, fast reflexhaft, nach dem »eigenen Anteil« meiner Patientinnen an ihren Traumatisierungen gesucht, und ich habe danach geforscht, welche unbewussten Wünsche sie in der traumatischen Situation als Opfer möglicherweise befriedigt haben. Dafür mussten dann manchmal Konstruktionen wie der weibliche Masochismus oder die uns allen angeblich angeborene Sehnsucht nach sadistischer Unterwerfung zur Befriedigung unserer masochistischen Wünsche herhalten. Auch an diesem Konstrukt habe ich übrigens inzwischen ganz erhebliche Zweifel. Ich habe Abschied genommen vom Determinismus des psychoanalytischen Denkens, dass alles Wesentliche, was einem widerfährt, unbewusst gewünscht worden ist. Ich glaube inzwischen an die Macht des Schicksals, an die Macht des Zufalls und an die schreiende Ungerechtigkeit des Lebens.

Mitte der 90er Jahre mussten psychoanalytisch Sozialisierte die Denkkategorie »Opfer« neu entdecken. Ich unterstelle einmal, dass diesen Schritt alle Kolleginnen und Kollegen inzwischen genau wie ich vollzogen haben. Dabei stellte ich für mich fest, dass ich über zwei Jahrzehnte die Bedeutsamkeit von Realtraumata völlig ungenügend wahrgenommen hatte. Dieses kollektive gesellschaftliche und wissenschaftliche Wahrnehmungsskotom verstehe ich bis heute nicht ganz. Alles war doch eigentlich auch damals schon so offensichtlich. Ich bin mal gespannt, was wir uns in zwanzig Jahren vorwerfen werden, heute nicht wahrgenommen zu haben.

In Ergänzung zum bisher Gesagten ist mir wichtig darauf hinzuweisen, dass es für viele Patientinnen und Patienten sehr wesentlich ist, an der Unterscheidung von unbewusster Phantasie und Erinnerung zu arbeiten (Person u. Klar 1997). Dies ist ja eine aktuelle wissenschaftliche Diskussion, an der auch die Hirnforschung segensreich beteiligt ist. Die juristischen Folgen sind noch gar nicht absehbar, falls es gelingen sollte, unbewusste Phantasie, »Ein-Bildung« und Erinnerung durch bildgebende Verfahren verlässlich differenzieren zu können. Es gibt inzwischen mehrere fundierte wissenschaftliche Auseinandersetzungen mit den Phänomenen Erinnerung, Realerinnerung, Vorstellung, Synthese von Erinnerung in therapeutischen Situationen (ISTSS 2004). So wenig, wie ich daran glaube, dass jede Erinnerung erlebnisbasiert ist und dass alles, was meine Patientinnen erinnern, exakt so in ihrer Kindheit oder Jugend geschehen ist, so wenig glaube ich noch daran, dass die so genannten Rekonstruktionen in der psychoanalytischen

Situation stets eine Wiederentdeckung der Realität sind. Mindestens ebenso häufig werden es sinnstiftende Ergänzungen des persönlichen Narrativs sein, die zwar psychodynamisch stimmig sind, im historischen oder juristischen Sinne aber nicht unbedingt stimmen müssen.

Pathologie ist nicht identisch mit Regression

Bedeutsamer war für meine innere Haltung und meine therapeutische Identität aber der Abschied von der Überzeugung, dass Pathologie immer identisch ist mit Regression. Sigmund Freud hatte ja entdeckt, dass viele Symptome des Erwachsenenlebens gut verstehbar sind als unzeitgemäße Manifestationen von Erlebnis- und Verhaltensweisen, die in einer bestimmten Kindheitsphase einmal normal waren (Freud 1905). Diese zweifelsfrei richtige Entdeckung wurde zunehmend verabsolutiert. Es entwickelte sich eine schon axiomatische Glaubensgewissheit, dass alles das, was ein Erwachsener als Pathologie entwickeln oder erleben kann, irgendwann in der Kindheit einmal normal gewesen ist. Dies hat rückblickend zu grotesken Vermutungen darüber geführt, was ein Säugling in der präverbalen Zeit erlebt und empfindet. Verweisen kann ich hier auf den Beitrag von Biermann-Ratjen in diesem Band, in dem verdeutlicht worden ist, wie intensiv sich durch die Säuglingsforschung das Bild der Kindheit inzwischen verändert hat. Heute ist klar, dass es viele Symptome gibt, die immer schon primär pathologisch waren und sind und nicht Ausdruck einer Regression auf eine irgendwann einmal normale Entwicklungsstufe. Dazu gehören alle Symptome der akuten und chronifizierten posttraumatischen Belastungsstörung, dazu gehören aber auch die wesentlichen Symptome der schizophrenen oder der manisch-depressiven Psychosen.

Die im psychodynamischen Denken gängigen und lange Zeit gültigen Konstrukte sind heute nach meiner Einschätzung natürlich nicht widerlegt, sondern nur relativiert. Die Entwicklung eines Symptoms wird natürlich oft begleitet von einer Regression und einem regressiven Verhalten. Wesentlich ist es mir, dass mit dem

Reflex Schluss ist: Seelische Symptomatik und Pathologie ist stets regressiv, Ausdruck einer »frühen Störung«; je schwerer die Störung, umso früher. Diese Diskussion ist gegenwärtig noch nicht abgeschlossen. Es gibt hier eine neue Auseinandersetzung darüber, welchen Einfluss pränatale Erfahrungen auf die seelische Symptomatik eines erwachsenen Menschen haben können.

Zur Problematik einer Nachreifung in und an der therapeutischen Beziehung

Die entscheidende Konsequenz für mein therapeutisches Selbstverständnis und mein therapeutisches Handeln aus den bisher genannten theoretischen Wahrnehmungsveränderungen ist sicherlich, dass ich die Hypothese von der Nachreifung in der therapeutischen Beziehung sehr in Frage stelle (Sachsse 2004a). Auf der Basis der festen Überzeugung, dass Pathologie stets Regression ist, hat die Psychoanalyse gerade der Londoner Schule angestrebt, Regressionen in frühkindliche, evtl. sogar präverbale Prägungsphasen durch langfristige, hochfrequente Psychoanalysen zu ermöglichen. Durch solche Regressionen sollten die Ursprünge der Entwicklungsstörung in der therapeutischen Beziehung aktualisiert werden. Die Beziehungsverzerrungen und Beziehungstraumata sollten sich als Beziehungsstörung in der konkreten therapeutischen Beziehung zur Analytikerin oder zum Analytiker inszenieren und aktualisieren, um gedeutet werden zu können und danach eine Nachreifung in und an der Übertragung, besser noch der konkreten therapeutischen Beziehung zu ermöglichen (Ermann 1993). Erforderlich geworden war dieser Schritt, weil mit der traditionellen Deutungstechnik Persönlichkeitsstörungen, »Grundstörungen«, psychosomatische Erkrankungen und psychotische Erkrankungen unbehandelbar waren. Dieses Behandlungsexperiment war in den 50er, 60er und 70er Jahren uneingeschränkt indiziert und sinnvoll. Es ist bei großen Krankheitsgruppen aber gescheitert. Dies gilt sicherlich für die Psychosomatosen und Psychosen, meiner Überzeugung nach auch für die komplexen posttraumatischen Störungen.

Niemand hat heute mehr die Hoffnung, eine Colitis ulcerosa, ein Magengeschwür oder eine Allergie in eine Übertragungs-Psychosomatose umwandeln zu können, um etwa eine »allergische Objektbeziehung« aufzulösen und damit kausal die Allergie zu erreichen. Entwickelt hat sich vielmehr eine differenzierte, psychodynamisch reflektierte Coping-Therapie, die das Primat des Somatischen akzeptiert und eine möglichst fördernde, aber eben nicht auf kausale Symptomheilung abzielende Behandlung anstrebt. Erfahrungsgemäß ist mit diesem Vorgehen psychosomatisch Erkrankten sehr viel besser zu helfen, als wenn die therapeutische Beziehung übertragungsbedingten Belastungen ausgesetzt wird.

Gescheitert ist dieses Vorgehen ebenfalls bei den Psychosen. Heute arbeitet kaum noch jemand mit dem Konzept, psychotische Erkrankungen in Übertragungspsychosen zu verwandeln. Die Pionierarbeiten von Searles (1974), Rosenfeld (1981), Benedetti (1983) oder auch Laing (Sachsse 2004b) sind faszinierende Zeitdokumente. Die geniale Fähigkeit Benedettis, psychotisch Erkrankte so umfassend zu erreichen und zu fördern, wie er das beschrieben hat, war wahrscheinlich an persönliche Fähigkeiten und Begabungen gebunden. In den letzten Jahren seines Wirkens hat er übrigens ein Behandlungsmodell gelehrt, bei dem ausdrücklich mit einem dritten Raum gearbeitet wurde und die therapeutische Beziehung dadurch behandlungstechnisch bewusst entlastet wurde. Ich werde später darauf zurückkommen.

Für mich rational nicht nachvollziehbar hat die Erkenntnis, weder Psychosomatosen noch Psychosen übertragungszentriert erreichen und bessern zu können, bisher nicht dazu geführt, die Weiterbildung zum Psychoanalytiker infrage zu stellen. Der Schritt zur hochfrequenten Langzeitanalyse war geschichtlich eine Antwort auf die ersten Behandlungsergebnisse mit Neuroleptika bei Psychosen. Es wurde sehr bald unabweisbar, dass akut psychotisch Erkrankten mit dem Medikament Haloperidol um Klassen besser zu helfen war als mit einer analytisch reflektierten Psychotherapie selbst an sieben Tagen in der Woche. Diese Kränkung und Erschütterung wurde dahingehend beantwortet, dass folgende Forderung erhoben wurde: »Selbstverständlich können wir floride Psychosen durch die psychoanalytische Beziehung bessern und heilen. Wir können es nur dann nicht, wenn wir selbst Angst haben, in der Gegenübertragung in unseren psychotischen Kernen mobilisiert zu werden. Wir müssen unsere psychotischen Kerne kennen, ertragen und für die Entwicklung der Patienten zur Verfügung stellen können. Das geht nur in einer hochfrequenten, langjährigen Psychoanalyse mit sehr tiefen regressiven Zuständen.« Wenn diese Hoffnung 30 Jahre später begraben werden muss (spätestens!), dann bleibt zu fragen: Wem, bitte, werden die heutigen, jahrelangen hochfrequenten Lehranalysen einmal zugute kommen? Was hindert daran, den Vorschlag Kernbergs aufzugreifen, die Lehranalyse auf 260 Sitzungen zu begrenzen – von mir aus auch auf 270? Zunehmend frage ich mich: Was ist die psychotherapeutische Indikation für eine hochfrequente Langzeitanalyse? Für wen ist sie indiziert, für wen ist sie kontraindiziert? Als die DPG ihre Weiterbildungsrichtlinien verbindlich veränderte und sich damit der DPV kaum noch unterscheidbar annäherte, bin ich aus der DPG ausgetreten. Meine wissenschaftlichen Zweifel an wesentlichen Axiomen der psychoanalytischen Theorie und meine Erfahrungen mit der traumazentrierten Psychotherapie haben dazu geführt, dass ich mich auch von der Denkkategorie analytisch versus unanalytisch verabschiedet habe. Diese Kategorie ist für mein wissenschaftliches und mein therapeutisches Arbeiten inzwischen irrelevant.

Glaubensinhalte einer traumazentrierten Psychotherapie

Die Psychotherapieforschung hat uns gezeigt, dass eine wirksame Psychotherapie immer mit Überzeugungen, Mythen, Glaubenssystemen arbeitet, die der Behandlungsstrategie und den konkreten Interventionen als Theorie zugrunde liegen. Ich kann meiner Patientin und mir nicht einfach sagen:»Zentrale Elemente meiner bisherigen Wirksamkeitsüberzeugungen sind für mich nicht mehr gültig. Ich bin von diesen Elementen in der Arbeit mit Ihnen nicht mehr überzeugt. Neue Überzeugungen habe ich noch nicht. Aber wir können ja trotzdem mal so vor uns hin arbeiten.« Ich brauche Theorien, Überzeugungen und Leitlinien als innere Richtschnur,

um therapeutisch konsistent handeln und intervenieren zu können.
Nur so kann ich wirksam werden. Was sind meine neuen, meine
aktuellen Überzeugungen, Behandlungsmythen und therapeutischen Glaubensinhalte?

Psychotherapie erfordert eine stabile, erwachsene Arbeitsbeziehung

Meine erste Überzeugung ist sicherlich nicht nur ein Glaubensin-
halt, sondern eine empirisch gesicherte Tatsache: Psychotherapie
ist ein komplexes Geflecht von erwachsener Arbeit in einer erwachsenen Arbeitsbeziehung an teils regressiven, teils primär pathologischen Persönlichkeitsanteilen, Verhaltensweisen und Sympto-
men. Eine gute therapeutische Beziehung ist für den Therapieerfolg unverzichtbar. Sie bedingt etwa die Hälfte der Wirksamkeit
einer erfolgreichen Psychotherapie. Mehrere Beiträge dieses Buches sind implizit der Frage gewidmet: Welche therapeutische Beziehungsgestaltung und welche Bindungsstruktur einer Therapeutin hilft welchem Patienten am besten?

Nicht nur in einer Psychotherapie sind wir mit einer erstaunli-
chen Tatsache konfrontiert: Eine gute Beziehung provoziert die Inszenierung und Aktualisierung unguter früherer Beziehungserfahrungen. Jede Beziehung ist ein Beziehungstrigger für die bisher
gespeicherten Beziehungserfahrungen. Dies gilt zum Beispiel,
wenn ein Kind in eine Adoptivfamilie kommt. Es hat vorher unter
seinem Heimaufenthalt gelitten und sich eine Familie gewünscht
oder es hat vorher unter seinen leiblichen Eltern sehr gelitten und
kommt jetzt in eine relativ intakte Familie hinein. Die ersten Wochen und Monate verlaufen paradiesisch, völlig problemlos, und
dann bekommen plötzlich die armen Pflegeeltern alles das ab, was
sie selbst gar nicht verursacht haben, sondern was durch die früheren Beziehungserfahrungen verursacht worden ist. – Genauso ist
es vielleicht mit einer Partnerschaft. Ein Mensch hat mehrere un-
glückliche Partnerschaften durchlaufen, und hat nun eine Partnerschaft, in der sie oder er sich verstanden und geborgen fühlt. Und
wie aus heiterem Himmel bekommt plötzlich der neue Partner

alles das ab, was die alten Partner angerichtet haben. – In einer Psychotherapie rechnen wir sogar damit. Nach den so genannten »Flitterwochen« der Psychotherapie inszenieren sich die früheren Beziehungserfahrungen, Bindungstraumata und prägenden Familienstrukturen. Und genau an dieser Stelle scheiden sich die Geister: Wie sollte mit diesem ubiquitären Phänomen in einer Psychotherapie umgegangen werden?

Wenn ich stringent psychoanalytisch im traditionellen Sinne arbeite, begrüße ich diese Entwicklung, stelle mich nicht nur als Übertragungsobjekt, sondern als Beziehungspartner zur Verfügung, mit und an dem diese alten Beziehungsmuster aktualisiert und noch einmal durchlebt werden. Für die meisten jener Patientinnen, die ich in den letzten 25 Jahren behandelt habe, ist dieses Angebot, die therapeutische Beziehung selbst als Bühne zur Bearbeitung von Pathologie und zur Nachreifung anzubieten, unfunktional bis kontraindiziert. Nicht nur meine Erfahrung ist es, dass Patientinnen und Patienten mit komplexer posttraumatischer Belastungsstörung und/oder Borderline-Persönlichkeitsstörung ihre vertrauten Muster zwar sehr rasch und sehr intensiv inszenieren, dass diese Interaktionen dann aber oft nicht bearbeitbar und nicht auflösbar sind (Sachsse 2004c).

»Die ich rief, die Geister, die werd ich nicht mehr los«, klagt Goethes Zauberlehrling. Es entwickeln sich Beziehungsgeflechte, in denen Realbeziehung, therapeutische Arbeitsbeziehung und Erwachsenenebene einerseits von regressiven bzw. pathologischen Beziehungsmustern aus Kindheit und Jugend andererseits nicht mehr unterschieden werden können, so dass es keine Metaebene, keinen Dritten, keine Möglichkeit der therapeutischen Ich-Spaltung mehr gibt. Die erste Konsequenz ist es dann häufig, die Sitzungsfrequenz zu erhöhen, die zweite, die Supervisionsfrequenz der Behandlungsfrequenz anzunähern. Auch dann enden viele solcher Therapien in Therapieabbrüchen, die beim Patienten die Erfahrung hinterlassen, selbst für Therapeuten unerträglich zu sein, und beim Therapeuten Selbstwertzweifel und Insuffizienzgefühle hinterlassen. Sind solche Entwicklungen unabwendbar?

Arbeit mit einem fest etablierten Übergangsraum

Nach meiner Überzeugung sind andere Gestaltungen der Arbeitsbeziehung erfolgreicher (Reddemann u. Sachsse 1998). Es gibt
viele therapeutische Methoden, die eine strikte Trennung zwischen
Arbeitsbeziehung und einem therapeutischen Übergangsraum vor-
nehmen, in den Pathologie und Nachreifung »verortet« werden
(Reddemann 2001). Ich bezeichne innerseelische Abläufe beim
Patienten als »ersten Raum«, die konkrete therapeutische Beziehung als »zweiten Raum«, und Übergangsräume wie die Imagination, das Spiel, den Tanz, die Bewegung als »dritten Raum«. Übergangsräume, dritte Räume, sind zum Beispiel das Spiel wie in der
Spieltherapie mit Kindern und jungen Jugendlichen, das Psycho-
drama und die Gestalttherapie, sind zum Beispiel Imaginationen
wie bei der PITT oder der KIP, ist der Körper als Körper und Leib
bei der KBT, der FE, bei Feldenkrais, Yoga, Shiatsu, Bioenergetik
oder Tanz oder sind zum Beispiel kreative Medien wie bei der Ge-
staltungstherapie oder der Kunsttherapie. Dieses Vorgehen kommt
der natürlichen menschlichen Entwicklung viel näher als das Vorgehen, die therapeutische Beziehung selbst zur Bühne der Pathologie zu machen. Auch Kinder lösen sehr viele Beziehungsproble-
me zunächst im dritten Raum der Phantasie oder des Spiels, bevor
sie wieder in die direkte Beziehung zu den Geschwistern, Spielge-
fährten oder gar Eltern gehen. Therapeutische Methoden, die eine
Trennung von Arbeitsbeziehung und Therapiebühne durch ihre
ritualisierten Arbeitsbedingungen erleichtern, sind für die meisten
strukturell gestörten Patientinnen und Patienten viel einfacher zu
handhaben und viel besser erträglich als therapeutische Vorgehensweisen, die immer wieder die therapeutische Beziehung selber belasten und dann überlasten. Ich glaube inzwischen auch
nicht mehr daran, dass jeder Psychoanalytiker durch eine genügend lange, hochfrequente, hochgradig regressive Lehranalyse in
die Lage versetzt wird, jede psychotische Übertragung, jede projektive Identifizierung, jedes dissoziale Verhalten, jede pathologische Idealisierung und Dämonisierung aushalten und therapeutisch sinnvoll nutzen zu können, ohne dabei selbst Schaden an seiner Seele zu nehmen. Eine kontinuierliche Arbeit mit diesem

Behandlungsangebot laugt die Psychoanalytiker aus und ist nach meinen Erfahrungen der letzten zehn Jahre für die Patienten nicht hilfreicher als andere Vorgehensweisen – vorsichtig formuliert (Kernberg et al. 2005).

Bekanntlich empfiehlt die PITT, unangemessene Idealisierungen oder Dämonisierungen, die im Rahmen der therapeutischen Arbeit geschehen, möglichst umgehend in einen dritten Raum zu verorten und dort zu bearbeiten. Schlagworte hierfür sind »Arbeit mit dem inneren Kind«, »Arbeit mit Täterintrojekten«, »Arbeit mit wechselnden Ego States«. Voraussetzung für diese Art der Psychotherapie ist allerdings, dass es einen erwachsenen Selbstanteil bei der Patientin oder dem Patienten gibt, mit dem ein Arbeitsbündnis möglich ist. Und die zweite Voraussetzung ist: Die Patientin muss exakt diese Arbeit wollen. Wenn die Patientin darauf besteht, sich durch projektive Identifizierungen im sozialen Feld zu stabilisieren und dies intensiv durch ihre Handlungsmitteilungen vermittelt, dann ist diese Arbeit nicht möglich. Dann ist eine Behandlung indiziert wie diejenige in Hamburg (Dulz u. Schneider 1995), in der es zwar akzeptiert wird, dass sich unerträgliche Interaktionsmuster inszenieren und darstellen, diesen Interaktionsmustern aber nicht der Raum gegeben wird, die therapeutische Beziehung zerstören zu dürfen, sondern stringent an einer Verhaltensänderung auf der Basis von Einsicht gearbeitet wird.

Psychotherapie als state dependent learning

Erste Forschungsergebnisse bei Tieren legen die Vermutung nahe, dass zumindest bei Tieren sehr traumatische Erfahrungen nicht so einfach zu löschen oder zu korrigieren sind. Bei Nagetieren, aber auch bei einfachen Primaten scheint es so zu sein, dass traumatische Erfahrungen überhaupt nie wieder ganz verschwinden, sondern als Warnsignal abrufbereit bleiben. Wenn sich überhaupt etwas löschen oder korrigieren lässt, dann allerdings nur in dem Zustand (state) und in dem Kontext, in dem das belastende Ereignis stattgefunden hat. Es gibt eine breite Literatur dazu, dass viele Lernschritte, aber auch viele Veränderungen zustandsabhängig sind, state dependent. Psychotherapie ist also möglicherweise state dependent learning. Wenn wir in der Psychotherapie etwas ändern wollen, kommen wir also wahrscheinlich um eine Problem-Aktualisierung im Sinne Grawes nicht umhin: entweder um eine Traumaexposition oder eine Übertragungsinszenierung im Hier und Jetzt der Therapie.

Auf diesem Hintergrund betrachtet gibt es veränderungsfördernde States, aber auch States, in denen keinerlei Veränderung möglich erscheint. Ein fördernder Zustand ist sicherlich die Anwesenheit eines vertrauten Menschen. Gerald Hüther verweist hier gerne auf ein ursprünglich pharmakologisch intendiertes Experiment, bei dem die beruhigende Wirkung von Medikamenten gegen diejenige von vertrauten, befreundeten Affen getestet wurde: Ein befreundeter Affe ist jedem Medikament außer Heroin überlegen. Als Herdentiere, als biologische Sozialwesen ist die Anwesenheit eines befreundeten, vertrauten Menschen für die Schimpansenart Homo sapiens eines der besten Beruhigungsmittel überhaupt. Ein Therapeut, der von seinen Patienten öfter mal hört »Es ist für mich immer gut, wenn Sie Urlaub machen oder eine Sitzung ausfällt. Dann geht es mir gleich besser« sollte sich fragen, ob er den richtigen Beruf gewählt hat. Ein ebenfalls therapiefördernder State ist sicherlich das Hypnoid und die Trance. Und therapiefördernd kann auch eine kontrollierte und dosierte Regression in Übertragungszustände mit Kind-States sein. Aus heutiger Sicht ist Freuds Vermutung, dass man seinen Vater nicht in absentia at effigie umbringen könne, zuzustimmen. Problematisch werden alle diese States immer dann, wenn sie zu einem so weitgehenden Realitätsverlust führen, dass ein reflektierendes Ich, eine Metaebene nicht mehr erreichbar ist. Dann wird Regression maligne.

Bekannt sind seit langem auch die therapieresistenten States. Dazu gehören neben den akuten, floriden Psychosen auch Zustände der Intoxikation mit Alkohol oder Drogen. Früher waren auch posttraumatische States mit Intrusionen, Flashbacks oder Dissoziation häufig therapieresistent. Hier hat sich in den letzten 20 Jahren etwas grundlegend verändert (Streeck-Fischer et al. 2001; Özkan et al. 2002; Sachsse et al. 2002; Sachsse 2004d).

Arbeit im veränderungsfördernden Stresslevel

Als Therapeut muss ich aber nicht nur im Auge behalten, ob mein Patient denn grade in einem inneren State ist, in dem ich ihn erreichen und bei ihm etwas in Bewegung setzen kann, sondern ich muss auch abschätzen, ob er zurzeit in einem Stresslevel ist, der für Veränderung optimal ist. Mit diesem Aspekt hat sich insbesondere die Dialektisch-Behaviorale Therapie DBT nach Marsha Linehan befasst (Bohus 2002; Unckel 2004a, 2004b). Sie teilt das subjektive Stresslevel in den Zustand meditativer Gelassenheit (0–30 %) ein, in dem Achtsamkeit und Beruhigung ebenso wie Auftanken geschehen, aber wenig Veränderung. Der sozioemotionale Zustand (30–70 %) ist jener Zustand, in dem genügend Stress ist, um Lernen und Veränderung anzuregen und zu ermöglichen, aber eben auch nicht zu viel. In diesem Mittelbereich wird verändernde Psychotherapie wahrscheinlich am wirksamsten. Überschreiten wir auf dieser subjektiven Skala die 70 %, dann befinden wir uns im Hochstressbereich, im Hyperarousal. In diesem Zustand haben wir Menschen nur noch ein Ziel: Der Stress soll aufhören! Es greifen primitive Bewältigungsmechanismen wie Kampf-Flucht-Schemata, averbale Panik-Signale an die Umgebung mit Hilfsappellen oder Erstarrung und Totstellreflex. Ein Lernen, eine Veränderung ist nicht mehr möglich. In diesem Zustand kann ich meinen Patienten nur beruhigen, ihn aus dem Hochstress herausholen, aber ihn nicht verändern und schon gar nicht differenziert deuten.

Arbeit am veränderungsrelevanten Gedächtnissystem

Darüber hinaus muss ich als Therapeut entscheiden, in welchem für die Veränderung relevanten Gedächtnissystem ich arbeiten sollte. Die Gedächtnisforschung hat eine ganze Reihe von abgegrenzten Gedächtnissystemen lokalisiert und identifiziert (Markowitsch 2002). Wichtig für die Psychotherapie sind sicherlich insbesondere das episodische Gedächtnis und das prozedurale Gedächtnis. Im episodischen Gedächtnis sind wichtige Einzelereignisse unseres Lebens wie der erste Sprung vom Drei-Meter-Brett

oder die erste Tanzstunde. Es ist zu hoffen, dass unsere Fähigkeiten, vom Sprungbrett zu springen, mit der Zeit ins prozedurale
Gedächtnis gelangt sind, ebenso wie unsere Fähigkeit zu tanzen.
Im prozeduralen Gedächtnis sind unsere Fähigkeit zu schwimmen,
Fahrrad zu fahren, Auto zu fahren, zu lesen, zu schreiben, zu laufen und vieles mehr. Leider sind dort wahrscheinlich nach häufiger Anwendung auch viele Symptome, die teils suchtartigen, teils
zwanghaften, teils reflexhaften Charakter angenommen haben. –
Wir Therapeuten arbeiten zumeist gerne am episodischen Gedächtnis. Es ist interessant, spannend und anregend, und dort sind
auch schnell einige Umbewertungen, neue Aspekte und interes-
sante Entdeckungen vornehmbar. Das episodische Gedächtnis ist
flüssiger, flexibler als das sture, starre, mechanische prozedurale
Gedächtnis. Die Frage ist nur, ob wir dadurch, dass wir im episodischen Gedächtnis etwas anstoßen, verändern oder umbewerten,
automatisch im prozeduralen Gedächtnis auch etwas verändern.
Aufgrund jahrzehntelanger Erfahrung bezweifle ich das sehr. Es
bleibt uns wohl nichts anderes übrig, als den dysfunktionalen oder
pathologischen Prozeduren und Ritualen von Symptomcharakter
funktionale und fördernde Prozeduren und Rituale vom Charakter
der Ressourcen und Fähigkeiten entgegenzusetzen oder aber solche völlig neu zu entwickeln (Sachsse 2004d). Diese Art von Psychotherapie ist ähnlich spannend wie das Üben von Etüden beim
Spiel eines Instrumentes. Hier handelt es sich um den Erwerb von
Alltagsritualen, um den Erwerb neuer Reflexmuster und neuer
Prozeduren, um eher langweilige Hausaufgaben.

   Es sieht so aus, als ob wir im Hochstress nur jene Fähigkeiten
zur Verfügung haben, die uns inzwischen im prozeduralen Gedächtnis zur Verfügung stehen. Wenn wir also neue Bewältigungs-
formen erlernen wollen, dann bleibt uns nichts anderes übrig, als
uns diese im Zustand relativer Stabilität und Gelassenheit anzeig-
nen und einzuschleifen wie einen Fingersatz, damit wir darauf in
der Krise auch sicher zurückgreifen können.

   Dies hat dazu geführt, dass ich in der Psychotherapie daran
glaube, dass die Vermittlung guter Rituale hilfreich ist. Gestützt
wird diese Überzeugung durch hirnphysiologische Ergebnisse, die
beweisen, dass unsere alltäglichen Aktivitäten somatisch die Land-

karte unserer Großhirnrinde verändern. Es gibt unter Hirnforschern heute keinen Zweifel mehr, dass es unsere Großhirnrinde messbar verändert, je nachdem, ob wir uns jeden Tag zwei Stunden Goldfische im Aquarium betrachten oder einen Horrorfilm ansehen. Unsere alltäglichen Gewohnheiten beeinflussen die Größe verschiedener Kortexareale messbar. Gute Alltagsrituale werden dies sicherlich auch tun.

Optimal finde ich es deshalb ebenso für meine Patientinnen wie auch für mich und meine Selbstfürsorge, wenn ich in den Tagesablauf täglich dreimal gute Rituale einbauen kann: Morgens 10 bis 15 Minuten Körpererfahrung (Qi-Gong, Feldenkrais, Yoga), nachmittags nach der Arbeit 10 bis 15 Minuten Imaginationsübungen (sicherer innerer Ort, innere Helfer, Baumübung) und abends 30 Minuten regressive Arbeit mit einem Inneren-Kind-Zustand (Saunalandschaft mit Solebad, Schwimmen oder Joggen, Fernsehfilm mit Käpt'n Blaubär oder Spaghetti mit Tomatensoße).

Gegenwärtig überprüfen wir mit einem Ressourcen-Fragebogen von Grawe die Hypothese, ob Psychotherapie bei komplex traumatisierten Patientinnen nicht möglicherweise in folgender Form wirkt: Am Anfang sind die Werte für Pathologie hoch und für Ressourcen niedrig. Dann bleiben die Werte für Pathologie hoch, aber die Werte für die Ressourcen bessern sich. Erst im nächsten Schritt sinken auch die Werte für Pathologie, wenn die Werte für Ressourcen zuvor gewachsen sind. Der erste Therapieschritt wäre dann also die Förderung von Stabilität, Ressourcen und Fähigkeiten, erst danach würde die Pathologie absinken können. Diese Entwicklung wird von allen klinischen Erfahrungen nahe gelegt.

Für alle Facetten der Psychotherapie gibt es sehr unterschiedliche Methoden, Vorgehensweisen, Wirksamkeitsüberzeugungen, Mythen und empirische Belege. Niemand kann heute mehr vertreten: »So ist Psychotherapie eben.« Psychotherapie ist inzwischen eine Sache von Entscheidungen. Damit wächst die Verantwortung von Psychotherapeuten dafür, Patienten zu informieren und für ihr therapeutisches Vorgehen eine gut informierte Zustimmung einzuholen. Alles andere wäre standesrechtlich und ethisch unvertretbar.

Mit unseren Therapie-Vorschlägen tragen wir Therapeuten inzwischen die Verantwortung für folgende Therapieelemente:

- die Gestaltung der therapeutischen Beziehung,
- die Wahl der veränderungsrelevanten States,
- die Aktivierung und die Kontrolle regressiver oder pathologischer States (Zauberlehrling-Syndrom),
- die Modulation des optimalen Stresslevels,
- die Arbeit im und am veränderungsrelevanten Gedächtnissystem,
- die Wahl der therapeutischen Bühne für Prozesse der Aufarbeitung von Pathologie und der Nachreifung,
- die therapeutischen Rituale.

Wir leben in einer interessanten, anregenden Zeit der psychotherapeutischen Diskussion, die unsere Arbeit sicherlich weiter verbessern wird.

Literatur

Benedetti, G. (1983): Todeslandschaften der Seele. Psychopathologie, Psychodynamik und Psychotherapie der Schizophrenie. Göttingen.

Bohus, M. (2002): Borderline-Störungen. Göttingen.

Dulz, B.; Schneider, A. (1995): Borderline-Störungen: Theorie und Therapie. Stuttgart u. New York.

Ermann, M. (Hg.) (1993): Die hilfreiche Beziehung in der Psychoanalyse. Göttingen.

Freud, S. (1905): Drei Abhandlungen zur Sexualtheorie. G. W. Bd. V. Frankfurt a. M., S. 27–145.

Hirsch, M. (1989): Der eigene Körper als Objekt. Zur Psychodynamik selbstdestruktiven Körperagierens. Berlin u. a.

ISTSS (2004). Kindheitstraumata - erinnert: ein Report zum derzeitigen wissenschaftlichen Kenntnisstand. In: Sachsse, U. (Hg.): Traumazentrierte Psychotherapie. Stuttgart, S. 413–436.

Kernberg, O. F.; Dulz B.; Eckert, J. (Hg.) (2005): WIR: Psychotherapeuten über sich und ihren »unmöglichen« Beruf. Stuttgart u. New York.

Markowitsch, H. J. (2002): Streßbezogene Gedächtnisstörungen und ihre möglichen Hirnkorrelate. In: Streeck-Fischer, A.; Sachsse, U.; Özkan, I. (Hg.): Körper, Seele, Trauma: Biologie, Klinik und Praxis. Göttingen, S. 72–93.

Özkan, I.; Streeck-Fischer, A.; Sachsse, U. (Hg.) (2002): Trauma und Gesellschaft. Vergangenheit in der Gegenwart. Göttingen.

Person, E. S.; Klar, H. (1997): Diagnose Trauma: Die Schwierigkeit der Unterscheidung zwischen Erinnerung und Phantasie. Z. Psychosom. Med. Psychoth. 47: 97–107.

Reddemann, L. (2001): Imagination als heilsame Kraft. Zur Behandlung von Traumafolgen mit ressourcenorientierten Verfahren. Stuttgart.

Reddemann, L. (2004). Psychodynamisch Imaginative Traumatherapie. PITT - Das Manual. Stuttgart.

Reddemann, L.; Sachsse, U. (1998): Welche Psychoanalyse ist für Opfer geeignet? Forum Psychoanal. 14: 289–294.

Rosenfeld, H. (1981): Zur Psychoanalyse psychotischer Zustände. Frankfurt a. M.

Sachsse, U. (1994): Selbstverletzendes Verhalten. Psychodynamik-Psychotherapie. Göttingen.

Sachsse, U. (1995): Die Psychodynamik der Borderlinepersönlichkeitsstörung als Traumafolge. Forum Psychoanal. 11: 50–61.

Sachsse, U. (1996): Die traumatisierte therapeutische Beziehung. Projektive Identifizierung in der Psychotherapie als Kommunikation und Konfliktentlastung. Gruppenpsychother. Gruppendyn. 32: 350–365.

Sachsse, U. (2004a): Arbeit in und an der Übertragung bei Traumatisierten: Indikation oder Kontraindikation? In: Borkenhagen, A. (Hg.): Sisyphus - Jahrbuch Colloquium Psychoanalyse. Band 1: Trauma und Film. Frankfurt a. M., S. 131–152.

Sachsse, U. (2004b): Ronald D. Laing: Erinnerungen an einen demagogischen Wissenschaftler. Kontext 35: 194–197.

Sachsse, U. (2004c): Traumazentrierte Psychotherapie als angewandte Psychoanalyse. In: Staats, H.; Kreische, R.; Reich, G. (Hg.): Innere Welt und Beziehungsgestaltung. Göttinger Beiträge zu Anwendungen der Psychoanalyse. Göttingen, S. 97–116.

Sachsse, U. (2004d): Traumazentrierte Psychotherapie. Stuttgart.

Sachsse, U.; Özkan, I.; Streeck-Fischer, A. (Hg.) (2002): Traumatherapie - Was ist erfolgreich? Göttingen.

Sachsse, U.; Schilling, L.; Eßlinger, K. (1998): Ein stationäres Behandlungsprogramm für Patientinnen mit selbstverletzendem Verhalten (SVV). In: Streeck-Fischer, A. (Hg.): Adoleszenz und Trauma. Göttingen, S. 213–223.

Searles, H. F. (1974): Der psychoanalytische Beitrag zur Schizophrenieforschung. München.

Streeck-Fischer, A.; Sachsse U., Özkan, I. (Hg.) (2001): Körper, Seele,
    Trauma: Biologie, Klinik und Praxis. Göttingen.
Unckel, C. (2004a): DBT-Skills für Innere Kinder. In: Sachsse, U. (Hg.):
    Traumazentrierte Psychotherapie. Stuttgart, S. 247–253.
Unckel, C. (2004b). Dialektisch-behaviorale Therapie (DBT). In: Sachs-
    se, U. (Hg.): Traumazentrierte Psychotherapie. Stuttgart, S. 178–183.

Claas-Hinrich Lammers

Wie wirkt sich die Arbeit mit Borderline-Patientinnen auf die therapeutische Praxis aus?

Nach meiner persönlichen Veränderung durch die therapeutische Arbeit mit Borderline-Patientinnen befragt, fällt mir als Erstes auf, dass es mir außergewöhnlich schwer fällt, über mich persönlich zu sprechen und nicht wissenschaftliche Ergebnisse zu präsentieren.

Schon beim Ausarbeiten dieses Beitrages stellte sich immer wieder ein Gefühl von Peinlichkeit ein, verbunden mit der Frage, ob die an dieser Stelle von mir zu berichtenden persönlichen Erlebnisse überhaupt von Interesse und Bedeutung sein können. Und ich habe beim Verfassen dieses Beitrages immer wieder ein ganz klein wenig der grundlegenden Selbstwertproblematik von Borderline-Patientinnen bei mir selbst erlebt: Während die Patientinnen jedoch ein abgrundtiefes und kaum zu ertragendes Schamgefühl haben, erlebte ich bei mir in abgemilderter Form ein Gefühl einer leichten Minderwertigkeit, über die ganz persönliche Entwicklung zu sprechen. Wenn es mich schon Überwindung kostet, die Aufmerksamkeit auf mich als Individuum zu lenken, wie mag es dann erst den Borderline-Patientinnen in der Therapie ergehen? Und vielleicht ist dies bereits eine der ersten Veränderungen, die sich aus meiner Arbeit mit Borderline-Patientinnen ergeben hat, dass ich nämlich offener und mutiger im Umgang mit mir selbst und auch mit meiner Umgebung geworden bin. Deswegen habe ich mich dieser Aufgabe letztlich auch gerne gestellt, auch wenn ein deutlicher Zweifel an meiner Berechtigung bzw. der Sinnhaftigkeit, mich zu offenbaren, bleibt.

Doch bevor ich auf mich selbst zu sprechen komme, möchte ich von einer grundlegenden Erfahrung berichten, die ich bei der Arbeit mit den Patientinnen gemacht habe, eine Erfahrung, die ge-

wissermaßen supraindividuell ist. Ich spreche von der Erfahrung
der Arbeit in einem Team, da ich meine therapeutischen Erfahrungen mit Borderline-Patientinnen im Wesentlichen aus der Position
eines Oberarztes einer Borderline-Spezialstation heraus gewonnen
habe. Ich möchte deswegen an dieser Stelle zuallererst das therapeutische Team meiner Station erwähnen, ohne das ich kaum etwas über Borderline-Patientinnen zu berichten hätte, zumindest
nicht in dieser Form. Ich bin gewissermaßen ein Team, und wenn
ich mir die intensive und leidenschaftliche Arbeit meines Teams
anschaue, dann verspüre ich eine wirklich tiefe Dankbarkeit und
auch Stolz auf unsere gemeinsame Arbeit. Und hierzu gehören
nicht nur die ärztlichen und psychologischen Therapeutinnen und
Therapeuten, sondern zu gleichem Maße auch die Kotherapeuten,
früher auch Krankenschwester und Krankenpfleger genannt. Die
psychotherapeutische Kompetenz meines Teams hat in meinen Augen mittlerweile ein wirklich beeindruckendes Niveau erreicht,
und ohne diese Kompetenz wäre eine stationäre Arbeit mit den
Borderline-Patientinnen nicht vorstellbar. Vielleicht ist dies eine
grundlegende Veränderung, die ich in der Arbeit mit Borderline-
Patientinnen erfahren habe, dass nämlich die Teamarbeit nicht nur
eine Floskel ist, sondern eine real zu erfüllende Forderung, die Zeit
und Mühe kostet – und die mich auch verletzbar macht. Aber wenn
ich dann die Station und ihre Mitarbeiter erlebe, wenn ich erlebe,
mit welcher Kompetenz und welchem Geschick sie alle zusammen
ihre schwierige Arbeit durchführen, dann bin ich wirklich stolz auf
mein Team.

Nun aber zu mir. Zunächst möchte bzw. muss ich mich nicht nur
als Mediziner, sondern, schlimmer noch, als langjährig neurobio-
logisch tätigen Psychiater zu erkennen geben, und wen wundert es
da noch, dass meine psychotherapeutische Ausrichtung vor der Arbeit mit Borderline-Patientinnen die Verhaltenstherapie war. Ich
benutze hier die Vergangenheitsform, nicht weil ich mich nicht
mehr zu meiner verhaltenstherapeutischen oder neurobiologischen
Seite bekennen mag, sondern weil es vor meiner Begegnung mit
den Borderline-Patientinnen mehr oder minder meine einzige Ausrichtung war. Das hat sich durch die Arbeit mit diesen Patientinnen
grundlegend geändert, und wenn ich heute Workshops zum Thema

»Therapeutische Arbeit mit Emotionen« gebe und mich die Kursteilnehmer für einen Psychologen halten, dann ist das für mich ein großes Kompliment.

Als ich vor mehr als vier Jahren dazu aufgefordert wurde, eine Spezialstation für Borderline-Patientinnen aufzubauen, war mein erstes Gefühl Angst. Es handelte sich primär weniger um eine durch bewertende Kognitionen ausgelöste Angst, sondern eine Angst, die tief aus dem implizit-emotionalen Gedächtnis kam. Mein implizit-emotionales Gedächtnis war durch passagere, gewissermaßen frühe Bindungs- bzw. eben Nichtbindungserfahrungen mit Borderline-Patientinnen, insbesondere durch Begegnungen im psychiatrischen Nacht- und Notdienst, geprägt und reagierte erst einmal mit einer ängstlichen Anspannung. Und alleine durch dieses Gefühl Angst angesichts meiner bevorstehenden Aufgabe fing schon der Einfluss meiner zukünftigen Arbeit mit Borderline-Patientinnen an, denn nicht nur, dass sie starke Gefühle beim Therapeuten hervorrufen, sondern die therapeutische Auseinandersetzung mit Emotionen an sich ist das, was einen als Therapeuten beim Umgang mit Borderline-Patientinnen erwartet. Bis dato waren Emotionen ein eher störender Faktor in meinen Therapien, der so schnell wie möglich beendet, bearbeitet oder per Exposition zur Habituation getrieben werden musste. Wie kann es sein, frage ich mich aus meiner heutigen Perspektive, dass ich mir über Emotionen in meiner damaligen therapeutischen Arbeit so wenig Gedanken gemacht habe bzw. bei mir selbst so wenig wahrgenommen habe? Nun, vielleicht liegt es daran, dass ich als Verhaltenstherapeut sozialisiert worden bin und nicht Psychologie, sondern Medizin studiert habe? Vielleicht lag es auch an mir als der Mensch, der ich war? Vielleicht haben andere Patienten in der Vergangenheit es mir erlaubt, Therapie aus einer gewissen Distanz heraus zu machen, meine emotionale Distanz zu wahren? Vielleicht mag es auch eine Rolle spielen, dass ich aus Hamburg komme und Gefühle nicht unbedingt die wertvollste Handelsware der hanseatischen Kommunikation sind? Oder lag es vielleicht daran, dass man zwar von der zentralen Bedeutung des emotionalen Erlebens für den Menschen generell und psychisch kranke Menschen speziell weiß, aber sich diesem Problem immer eher indirekt und häufig ohne ausreichend

ausgearbeitete therapeutische Konzepte nähert? Diese grundlegende Veränderung im Umgang mit Emotionen in der Psychotherapie hat sich bei mir u. a. dadurch gezeigt, dass ich früher erstaunt
und etwas betroffen war, wenn Patienten bei mir in der Therapie
weinten. Heutzutage ist es genau umgekehrt, ich bin erstaunt und
betroffen, wenn meine Patienten nicht hin und wieder weinen müssen bzw. mir bei bestimmten Situationen in der Therapie nicht die
Tränen in den Augen stünden.

Wie auch immer, ich hatte Angst vor meiner neuen Aufgabe, die
mich aber dennoch reizte, vielleicht zunächst auch nur aus einem
psychotherapeutischen Ehrgeiz heraus, mit diesen überaus schwierigen Patienten kompetent arbeiten zu können. Schließlich gilt die
Therapie mit Borderline-Patientinnen als die größte psychotherapeutische Herausforderung. Damit war bei mir aber auch die Vorstellung verbunden, dass, hat man diese Hürde genommen, es eigentlich keine therapeutische Aufgabe mehr gäbe, vor der man
sich zu fürchten hätte. So, mehr oder minder, meine damaligen
Gedanken. Und als ich mich dann propädeutisch mit dem Thera-
piemanual der Dialektisch-Behavioralen Therapie von Marsha
Linehan beschäftigte, kam etwas Neues für mich hinzu. Ich wurde
auf einmal ärgerlich, fing an, dieses Konzept zu kritisieren, wohl-
gemerkt, bevor ich die erste therapeutische Erfahrung hiermit hatte
machen können. Warum bzw. woher aber dieser Ärger? Nun, ich
hatte an mir selbst ein Grundproblem nicht nur der Borderline-Störung, sondern auch vieler anderer psychischen Erkrankungen erfahren. Eine unangenehme Emotion, auch primäre Emotion genannt, wird durch eine sekundäre Emotion verdrängt. Aus Angst
vor der Aufgabe wurde Ärger über die Aufgabe. Und ich hatte an
mir selbst erlebt, was so viele Borderline-Patientinnen quält, nämlich die Unmöglichkeit, sich mit meinen grundlegendsten Gefüh-
len konstruktiv auseinander zu setzen und diese zu regulieren. Ich
konnte mich also mit meiner Angst vor meiner zukünftigen Aufgabe zunächst nicht direkt auseinander setzen, sondern versuchte
sie intuitiv hinter Ärger und Gereiztheit zu verbergen. Auch wenn
mir das damals schon zu dämmern begann, so fehlte mir noch eine
tiefere Einsicht in diese Konfliktsituation. Später sollte ich mehr
davon erfahren, vor allem mehr über die grundlegende emotionale

Problematik von Borderline-Patientinnen. Dass nämlich im Kern
dieser Erkrankung extrem aversive und kaum auszuhaltende Emotionen liegen, nämlich das Schamgefühl, dem ständige und intensive Selbstabwertungen und eine extreme Trennungs- bzw. Verlas-
senheitsangst zugrunde liegen bzw. das mit Selbstabwertungen
einhergeht. Ich habe durch diese Erfahrung auf einmal meine eigene Abwehr von Minderwertigkeitsgefühlen kennen gelernt, habe
mich gewissermaßen besser kennen gelernt, indem ich sensibler
für meine eigenen Emotionen geworden bin. So kann bzw. muss
ich meinen Beitrag über meine persönlichen Erfahrungen, der sich
an ein psychotherapeutisch erfahrenes Publikum richtet, als zumindest potenziell peinlich empfinden, da mich die Frage nicht
loslässt, was ich eigentlich Neues zu sagen habe?

Durch die Arbeit mit Borderline-Patientinnen habe ich also die
Bedeutung von Emotionen für psychische Erkrankungen eindrucksvoll erlebt und begriffen. Und ich habe die hiermit untrennbar verbundene Bedeutung von selbstabwertenden Prozessen und
hier insbesondere dem Schamgefühl bzw. Minderwertigkeitsge-
fühl für diese Patientinnen, aber auch Menschen mit anderen psychischen Problemen kennen gelernt.

Wo ich hier jedoch von mir sprechen muss, darf ich auch von
meinem Stolz darüber berichten, dass wir mit einer durchschnittlichen Belegung von 20 Borderline-Patientinnen bis auf zwei Ausnahmen in der turbulenten Gründerzeit der Station 5 an der Klinik
für Psychiatrie und Psychotherapie der Charité vor mittlerweile
5 Jahren keine Patientin jemals auf eine geschlossene Station ver-
legen mussten. Und ich bin auch stolz darauf, dass wir keine
Benzodiazepine und andere Beruhigungsmittel oder die berühmte
»Bedarfsmedikation« für unsere Arbeit mit den Patientinnen brauchen. Natürlich bekommt eine gewisse Zahl unserer Patientinnen
auch Medikamente, aber dies nur als dauerhafte Einstellung, so
dass wir die Aufs und Abs der Stimmungen und Anspannungen
nicht mit einer akuten Medikation, sondern auf psychotherapeuti-
schem Wege zu lösen versuchen. Und auch hier hat mich die Erfahrung mit Borderline-Patientinnen so sehr beeinflusst, denn ich
bin viel mutiger geworden im Umgang mit diesen Patientinnen.
Meiner Erfahrung nach sind viele dysfunktionale Verhaltenswei-

sen der Patientinnen iatrogen bedingt, indem der Ausdruck für ihre seelische Not in Form von Suizidgedanken leider immer noch zur Verabreichung von Beruhigungsmitteln und zu sog. Krisenaufnahmen oder gar rechtlichen Unterbringungen führt. Und dass durch die kustodiale Orientierung des therapeutischen Personals allzu häufig Patientinnen bei Äußerung von Selbstmordgedanken nicht psychotherapeutisch behandelt werden, wozu auch die Aufforderung nach einer Distanzierung, nicht Aufgabe von diesen gehört, sondern diese suizidalen Äußerungen zu einer längeren Verwahrung in der Psychiatrie oder aber auch Abbruch von ambulanten Psychotherapien führen. Wir müssen aufhören, unsere Patienten unwillentlich hilflos in Bezug auf ihre seelische Not zu machen, indem wir sie in allen Notlagen sofort mit aktiven Hilfen wie z. B. Akutmedikation oder Krisenaufnahme mit anschließenden lang anhaltenden stationären Aufenthalten überschütten und sie damit nur noch weiter in die Passivität und Hilflosigkeit zu treiben.

Aber bevor ich zu sehr in einen gewissen therapeutischen Stolz verfalle, so muss ich gleich anmerken, dass mich die Arbeit mit den Patientinnen auch dahingehend beeinflusst hat, dass ich an meinem therapeutischen Erwartungshorizont nicht eine weite Unendlichkeit, sondern eine nahe, scheinbar unbezwingbare Bergkette sehe. Unsere 3-monatige stationäre psychotherapeutische Arbeit ist nur ein kleiner Baustein in einer langen therapeutischen Betreuung dieser chronisch kranken Patientinnen und zwingt einen zu einer letztlich gesunden Bescheidenheit. Manche Patientinnen profitieren von der Therapie und manche nicht. Bei einigen glaubt man zu wissen, worauf der Erfolg beruhte, bei anderen ist man vom Erfolg oder Misserfolg überrascht und verwirrt. Manchmal frage ich mich, ob nicht das Zusammengehörigkeitsgefühl und die gegenseitige Unterstützung der Borderline-Patientinnen auf unserer Station die wirksamen therapeutischen Faktoren sind. Manchmal frage ich mich, ob nicht der Anstieg des Selbstwertgefühls der Borderline-Patienten der wirksame therapeutische Faktor ist, sie auf einer so genannten Spezialstation behandelt werden, wo sie als ehemals gefürchtete und ungeliebte Patientinnen willkommen sind. Seitdem ich mit diesen komplexen Patientinnen arbeite, bin ich unsicherer darüber geworden, was letztlich der wirksame

Faktor in der Therapie mit diesen Patientinnen ist. Aber ich bin viel weniger skeptisch als vor dem Beginn meiner Arbeit mit Borderline-Patientinnen, dass es wirksame Therapien für diese Patientinnen gibt.

Die therapeutische Arbeit mit Borderline-Patientinnen hat mir weiterhin eine Reihe von blinden Flecken in meiner therapeutischen Arbeit aufgezeigt, die es zu schließen galt. Wenn ich mich vor meiner Arbeit mit diesen Patientinnen noch als Verhaltenstherapeut begriffen habe, so möchte ich jetzt dieses Etikett für mich nicht mehr ausschließlich beanspruchen, ohne dass ich meine verhaltenstherapeutischen Kenntnisse und Praktiken deswegen missen oder gar diskreditieren würde. Im Gegenteil, ohne die klar strukturierenden Vorgaben und Interventionen der Verhaltenstherapie könnte ich mir eine Arbeit mit schwer erkrankten Borderline-Patientinnen nicht vorstellen. Ich habe aber auch z. B. die zentralen Annahmen und Forderungen der Gesprächspsychotherapie kennen und schätzen gelernt: dass Empathie, Wertschätzung und Kongruenz die Grundpfeiler eines therapeutischen Kontaktes sind, die conditio sine qua non sind, wenn man emotionale Prozesse beim Patienten bearbeiten will; dass die aktive Ausübung dieser Techniken der Gesprächspsychotherapie überhaupt erst den Boden für eine Veränderung seitens der Patienten bereitet und dass ich diese Wegbereitung in der Vergangenheit allzu leichtfertig als selbstverständlich vorausgesetzt hatte.

Und ich habe mich zunehmend mit emotionsfokussierten Ansätzen und Techniken beschäftigt, die, aus der Gesprächspsychotherapie und Gestalttherapie kommend, mittlerweile immer mehr an eigenem Gewicht gewinnen und die ich aus meiner psychotherapeutischen Arbeit auch mit anderen Patienten nicht mehr wegdenken kann.

Und ich habe einen neuen Zugang zu psychoanalytischen Theorien gefunden, indem ich unter anderem die Grundlegung dieser Erkrankung, insb. im Sinne der Selbstabwertung und des Schamgefühls auf die frühe Bindungsstörung, mir habe deutlicher machen können. Wie dankbar bin ich immer wieder über meine grundsätzlich positiven frühen Bindungserfahrungen, wie glücklich muss ich sein, nicht Ähnliches wie die Borderline-Patientin-

nen erfahren zu haben! Sonst könnte ich bei weiterhin bestehenden
Zweifeln an der Bedeutung meiner Erlebnisse für andere einen
derartigen Beitrag aus lauter Schamgefühlen gar nicht abfassen.

Borderline-Patientinnen zeigten mir durch ihr vielfältiges Stö-
rungsbild also deutlich, warum integrative Therapiekonzepte so
wichtig sind. Wie kann man im instabilen Zustand mit den Patientinnen arbeiten, ohne nicht verhaltenstherapeutisch und direktiv zu
sein? Wie kann man die Patientinnen überhaupt zu den mühsamen
Versuchen einer Veränderung bewegen, ohne nicht empathisch und
validierend tätig zu sein? Wie kann man das emotionale Leiden bearbeiten, ohne emotionsfokussierte Techniken zu beherrschen? Und
wie kann man die innere Welt dieser Patientinnen verstehen und
verändern, ohne psychodynamische Konzepte zu kennen? Ist es
nicht so, dass die therapeutische Arbeit mit den Patientinnen einem
die Methoden aufzeigt, mit denen man zu arbeiten hat und nicht
umgekehrt? Zwingen einen die Patienten bei einer intensiven Arbeit nicht nahezu, verschiedenste psychotherapeutische Konzepte
zu integrieren? Welcher Verhaltenstherapeut würde bei einer intensiveren Arbeit mit Borderline-Patientinnen nicht Gedanken und
Techniken der Gesprächspsychotherapie benutzen wollen, und welcher Psychoanalytiker könnte bei diesen Patientinnen auf grundlegende Strategien der Verhaltenstherapie verzichten? Und ist es
nicht vorstellbar, dass die Arbeit bei den schwer erkrankten Patientinnen mit einer Betonung der Verhaltenstherapie beginnen muss
und bei fortschreitender Besserung die therapeutische Arbeit an
Emotionen und noch weiter im Zeitverlauf die Betonung von ge-
sprächspsychotherapeutischen Techniken sinnvoll ist? Dass eine se-
quenzielle Anwendung verschiedener psychotherapeutischer Techniken der Entwicklung und Komplexität der Borderline-Störung
erst angemessen Rechnung trägt?

Und noch etwas hat mich die Arbeit mit diesen Patientinnen gelehrt, nämlich selbst mehr Mut im Umgang mit schwierigen Situationen zu haben, was damit einhergeht, mehr und mehr Verantwortung von den Patientinnen zu fordern. Es gab viele Situationen, wo
Patienten instabil oder gar suizidal waren, sich verzweifelt oder
sehr aggressiv zeigten, aber wir haben es eigentlich immer geschafft, dass die Patientinnen diese Krisen ohne medikamentöse

Zusatzbehandlung oder gar einen Aufenthalt auf einer geschlossenen Station gemeistert haben. Dank sei der psychotherapeutischen Kompetenz meines Teams! Und mit der Zeit habe ich mehr und mehr den Mut gefunden, solche krisenhaften Situationen zu akzeptieren und auszuhalten und den Patientinnen dadurch eine Verschlimmerung ihrer Probleme durch kontraproduktive therapeutische Interventionen (die ja weniger das Wohl der Patientinnen als das Gefühl der eigenen Sicherheit zum Ziel haben) zu ersparen. Und ich bin viel direkter im Umgang mit der Forderung nach Eigenverantwortlichkeit der Patientinnen geworden, also die Patientinnen dazu aufzufordern, aktiv an der Bewältigung der Krise zu arbeiten und nicht nur passiv nach einer Hilfe zu verlangen. Hierzu gehören z. B. auch kurze Therapiepausen, wo die Patientinnen die Station für einige Tage verlassen, damit man aus einer verfahrenen interaktionellen Situation herauskommt und die Patientin Zeit hat, über ihr Problem, ihre Wünsche oder ihre interaktionellen Probleme nachzudenken. Dies heißt natürlich auch, dass wir als Therapeuten auch über unsere eigenen Probleme und Schwierigkeiten mit der Patientin nachdenken. Dies ist auch ein Lernprozess für mich gewesen, dass ich mich bzw. das Team sich auch, wie heißt es noch so schön, *in Frage stellt.* Was für mich zuvor immer etwas kitschig klang, bekam auf einmal sinnvolle Gestalt. Ich bin nicht zuletzt dadurch aus einer eher distanzierten therapeutischen Haltung in eine direkte Auseinandersetzung mit den Patientinnen gekommen, wo ich gemeinsam um Veränderungen und den Schwierigkeiten auf dem Weg dahin mit den Patientinnen ringe. Vielleicht gibt diese Direktheit den Patientinnen auch das Gefühl, wirklich ernst genommen zu werden? Wirklich eine Bedeutung für den Therapeuten zu haben?

Aber ich muss auch gestehen, dass die Arbeit mit Borderline-Patientinnen bzw. mit einem stationären therapeutischen Team, das sich konstant mit 20 Borderline-Patientinnen beschäftigt, mir meinen ersten Anflug eines beruflichen Burn-outs eingebracht hat. Nach beinahe 5 Jahren Aufbau einer Spezialstation mit diesen schwierigen und fordernden Patientinnen, immer wieder neuen, unerfahrenen Assistenten, die in diese komplexe Materie eingearbeitet werden müssen, einem immens hohen zeitlichen Aufwand

im stationären Alltag, komme ich zum ersten Mal an meine Grenzen. Und wenn dann die Charité wieder mal eine Stelle streicht, so
dass wir zeitlich an unser Limit kommen, man finanziell vom Ein-
kommen und von den Sachmöglichkeiten auf einem niedrigen Niveau gehalten wird, man von den Patientinnen häufig so gar keine
freundliche Rückmeldung erhält und dann noch eine andere Belastung hinzukommt, dann gibt es Tage, wo ich mich am liebsten zu-
rückziehen und in einer eigenen kleinen Praxis die scheinbar net-
teren und viel weniger schwer erkrankten Patienten behandeln
möchte. Dies sind Tage, wo eine Patientin nach einem Aufnahme-
gespräch und einem Einzeltermin am ersten Tag sich abends bei
der Nachtwache beschwert, dass sich keiner mit ihr unterhalten
habe und eine andere Patientin im Gespräch mich als Therapeuten
ständig abwertet. Wenn dann noch in der Basisgruppe mit 20 Borderline-Patientinnen die Stimmung aufkommt, dass 6 wöchentli-
che Gruppen plus Einzeltermin mit dem Therapeuten und Einzeltermin mit dem Kotherapeuten absolut nicht ausreichend seien und
in anderen Kliniken mehr für die Versorgung von Borderline-Patientinnen getan würde, dann kann es mir passieren, dass ich mich
wirklich ärgere und leer fühle.

Auch das sollte hier nicht verschwiegen werden. Und dennoch,
diese Zustände halten nur kurz an, wobei die Enttäuschung über
die mangelnde finanzielle und personelle Unterstützung seitens
der Charité bleibt bzw. zunimmt, da sie mein Team und mich an die
Grenzen der Belastbarkeit führen. Und da hier von höherer Stelle
ganz offensichtlich darauf spekuliert wird, dass durch noch mehr
unbezahlte Überstunden und Freizeitengagement die gleiche Leistung aufrechterhalten bleibt, frage ich mich als Verhaltenstherapeut, der ich ja immer noch bin, ob das große Engagement meines
Teams wirklich ein gutes Kontingenzmanagement in Bezug auf
diese Haltung seitens der Verwaltung ist. Aber dann sind dann immer noch die Patientinnen, ihr immenser Bedarf nach Unterstützung und der Spaß an der gemeinsamen Arbeit.

Was wäre ich ohne diese Erfahrung der Arbeit mit Borderline-
Patientinnen geworden? Ich weiß es nicht, aber was ich weiß, ist,
dass ich sehr froh und dankbar für diese Erfahrung bin und sie
nicht aus meinem Leben wegdenken kann. Sie hat mir eine Inten-

sität, Stärke und Gelassenheit bei meiner psychotherapeutischen Arbeit gegeben, die ich zuvor zu haben glaubte, aber jetzt erst nach und nach bekommen habe und weiterentwickle. Mehr kann man kaum von Erlebnissen in seinem Leben erwarten.

Und zu guter Letzt frage ich mich natürlich immer noch, ob dies alles interessant ist? Könnte nicht jeder andere Psychotherapeut genau so gut von seinen eigenen Veränderungen berichten? Bei der Ausarbeitung dieses Beitrages habe ich mich immer wieder mit einem leichten Gefühl von Minderwertigkeit konfrontiert gesehen, als ich daran dachte, dass meine Erlebnisse mit und durch die Borderline-Patientinnen vielleicht banal sein könnten. Aber ich habe mir dabei etwas therapeutisch über die eigene Schulter geschaut und mich gefragt, was ich denn einer Borderline-Patientin sagen würde, die mit einem ähnlichen Problem zu mir käme.

Und so konnte ich mir selbst sagen, dass es vollkommen in Ordnung ist, das zu äußern, was man empfindet bzw. erlebt und es keinen Grund gibt, sich dafür minderwertig zu fühlen, sondern sich vielmehr selbst Mut zuzusprechen, indem man sich z. B. sagt: Das ist das, was du in diesem Augenblick bist. Etwas verbessern kannst du immer noch. Dafür gibt es die Zukunft.

Michael Broda

Die Grenzen der Integration von Psychotherapieschulen

Es war vermutlich kein Zufall, dass der Impuls, sich in die jahr-zehntelang verfestigten Grabenkämpfe zwischen den Psychothe-rapieschulen einzumischen, in einer Arbeitsgruppe des deutschen Kollegiums für psychosomatische Medizin entstand, die sich mit verschiedenen Behandlungskonzepten der stationären Psychothe-rapie befasste. Dort diskutierten ein Vertreter der Tiefenpsycholo-gie/Psychoanalyse und ein Vertreter der Verhaltenstherapie dar-über, was eigentlich im stationären Setting bei unterschiedlichen Therapieansätzen passiert. Die überraschende Erkenntnis war, dass nicht nur ein verbreitetes Unwissen über die einzelnen Thera-piebausteine der jeweilig anderen Grundorientierung vorherrschte, sondern dass etliche Therapiebausteine durchaus als kompatibel und ähnlich zu eigenem Vorgehen erkannt wurden.

Diese Begegnung fand statt im Herbst 1989, just an dem Tag, an dem Günter Schabowski den legendären Ausspruch tat, der zur Öffnung der innerdeutschen Grenze führte. Sicherlich nicht unab-hängig von den Bewegungen auf der großen politischen Ebene ver-festigte sich daraus der Wunsch, auch die vorhandenen Grenzen zwischen Therapieschulen und/oder zwischen Berufsgruppen kri-tisch zu beleuchten und auf ihre Adäquatheit hin zu überprüfen. Daraus entwickelte sich die Idee, zunächst die beiden großen The-rapieverfahren in einem gemeinsamen Lehrbuch darzustellen und somit dazu beizutragen, das jeweilige therapeutische Vorgehen an-deren Interessierten gegenüber transparent zu machen. Das, was heute, mehr als 15 Jahre später, eher unspektakulär klingen mag, hatte damals durchaus zu heftigen Kontroversen mit denen ge-führt, die auf eine Mitarbeit in einem solchen Lehrbuch angesprochen wurden. Vielfach kamen Kommentare, die eine Mitarbeit an einem Buch, in dem jemand von der anderen Grundorientierung schrieb, ablehnten. Manche hatten auch die Befürchtung, durch ihre Mitwirkung die Vertreter der anderen Therapieschule aufzuwerten, andere wiederum glaubten, dass für ein solches Projekt ohnehin kein Markt existierte. Das Lehrbuch (Senf u. Broda 1996, 2000, 2004) ist jedoch inzwischen zu einem Standardlehrbuch in der Psychotherapie geworden und traf damit offensichtlich auf ein Bedürfnis vieler praktisch arbeitender Kolleginnen und Kollegen, die zwar nach »Schulen« ausgebildet worden sind, denen jedoch offensichtlich dieser eingeengte Blickwinkel zur Ausübung ihrer Tätigkeit nicht ausreicht. Dieses Lehrbuch wird inzwischen ergänzt durch die Herausgabe der Zeitschrift »Psychotherapie im Dialog«, die in Themenheften den Diskurs und die Gemeinsamkeiten zwischen den einzelnen Grundorientierungen herauszufinden versucht sowie eine jährlich stattfindende Fachtagung, auf der der Dialog ganz praktisch und direkt geführt werden kann.

All diese Ansätze lassen jedoch auch die Frage aufkommen, ob wir uns wirklich hin zu einer völligen Integration von Therapieschulen bewegen oder welche Grenzen solchen Integrationsüberlegungen gesetzt sind.

Die traditionellen Gegensätze

Der Streit zwischen Verhaltenstherapie und Psychoanalyse war auch immer ein Streit zwischen wissenschaftstheoretischen Unvereinbarkeiten.

Das deduktiv-nomologische Vorgehen gilt in der Verhaltenstherapie als Leitlinie für die Wissenschaftlichkeit. Dieses ist evidenzbasiert, folgt dem Falsifikationsprinzip und ist abgeleitet aus dem Positivismus und kritischem Rationalismus. Es unterstellt vielen, auch psychischen Phänomenen eine Normalverteilung und trifft Einordnungen über den Vergleich zwischen verschiedenen Individuen (auch Gruppen).

Die Tiefenpsychologie und Psychoanalyse wählt ein hermeneutisches Vorgehen zum Erkenntnisgewinnen, bezieht sich dabei auf die philosophischen Ansätze des Konstruktivismus und bezieht diesen Konstruktionsprozess auf einen situativen und somit einmaligen Kontext.

Gesetzmäßigkeiten, Ähnlichkeiten zwischen Individuen auch im Gruppenvergleich sind diesem Ansatz fremd und verstoßen gegen wissenschaftstheoretische Grundüberzeugungen. Die mathematisch-statistischen Modelle der Verhaltenstherapie leiten sich von Gesetzmäßigkeiten mit einem weitgehend interpersonellen und transsituativen Anspruch ab. In der Psychoanalyse und auch der Tiefenpsychologie wird darauf fokussiert, was unter Nutzung eines therapeutischen Erfahrungswissens in der jeweiligen Situation dienlich erscheint unter Bezugnahme auf den einmaligen biografischen Kontext eines Individuums.

Verhaltenstherapie findet im Hier und Jetzt statt, bezieht alle realen Bezugspunkte unter dem Leitspruch »der Hilfe zur Selbsthilfe« in ihre therapeutischen Handlungen ein.

Psychoanalyse reinszeniert frühere Konflikte unter Zuhilfenahme der Übertragungs- oder Gegenübertragungsbeziehung.

Zwei solche fundamental unterschiedliche wissenschaftstheoretische Ansätze scheinen zunächst »integrationsimmun« zu sein. Ein genauer Blick auf die Geschichte der Verhaltenstherapie zeigt jedoch, dass schon sehr früh explizit die hochindividualisierte Betrachtungsweise der jeweiligen Störungseinbettung in der Berücksichtigung des jeweiligen situativen Kontextes eine Stärke der Verhaltenstherapie darstellte, die auch viele Berührungspunkte zu Einzelfallstudien oder narrativen Ansätzen fand. Der heutige Mainstream der rein gruppenstatistisch gewonnenen Erkenntnisbildung, der inzwischen ja auch von dem Lager der psychoanalytisch/tiefenpsychologisch orientierten Kolleginnen und Kollegen mitvertreten wird, verletzt in vielen Bereichen auch den Individualisierungsanspruch der Verhaltenstherapie. Dennoch erscheint die pragmatische Notwendigkeit einer Aussage über Wirkungsweise und richtiges oder falsches therapeutisches Vorgehen den Anforderungen der Praxis und somit auch der gestiegenen Bedeutung der Psychotherapie im Gesundheitswesen Rechnung zu tragen. Es werden von allen Grundorientierungen Aussagen verlangt, die zur Wirkungsweise von Methoden bei spezifischen Störungsbildern explizit Stellung beziehen. Insofern ist die Psychotherapie – egal ob verhaltenstherapeutisch oder psychodynamisch orientiert – in der Versorgungsrealität des Gesundheitswesen angekommen, in dem jede GKV finanzierte Leistung nach dem Kriterium des effizienzbasierten Wirknachweises beurteilt wird.

Die Unvereinbarkeit zwischen den beiden großen Grundorientierungen besteht jedoch nicht nur im wissenschaftstheoretischen Ansatz. Traditionell haben sich hieraus auch Berufsidentitäten herausgebildet und somit den Streit zwischen den beiden Grundorientierungen auch zu einer trefflichen Arena für berufspolitische Auseinandersetzungen gemacht. Nach den Zahlen der KBV (Bühring 2003) gab es über 12 000 niedergelassene Psychologen gegenüber 4 000 niedergelassenen Ärzten. Die Hälfte der Psychologen war verhaltenstherapeutisch orientiert, jedoch nur ein gutes $^1/_{10}$ der Ärzte hatte eine verhaltenstherapeutische Ausbildung. Psychodynamische Ansätze sind in der klinischen Psychologie an den Universitäten nicht mehr vertreten, andererseits werden Medizinstudenten in ihrer Ausbildung kaum mit verhaltensmedizinischen Inhalten konfrontiert (s. a. Köllner u. Broda 2005). Und da es unterschiedliche Motivationslagen für die Berufswahl zwischen Psychologen und Ärzten gibt, ist ein Streit, der sich dann auch in Grundorientierungen ausdrückt, kaum vermeidbar. Andererseits zeigt die Praxis nach Einführung des Psychotherapeutengesetzes, dass vor Ort die Zusammenarbeit in den meisten Fällen vollkommen unkompliziert stattfindet, dass gegenseitige Wertschätzung und Akzeptanz mehr und mehr die Regel wird und Abgrenzung oder Konkurrenzdenken nicht mehr an der Tagesordnung ist.

Es gab (und gibt) einige Versuche, das Problem der Grundorientierungen über die so genannte *differenzielle Indikation* zu lösen. Es wurde störungsorientiert untersucht, welche Patienten mit welchen Problemstellungen besser bei der Verhaltenstherapie und welche besser bei psychodynamischen Verfahren aufgehoben sind. Unter pragmatischen Gesichtspunkten können diese Überlegungen durchaus nachvollzogen werden. Unter theoretischen Erwägungen muss jedoch eine Grundorientierung letztendlich in der Lage sein, mit allen auftauchenden Störungsbildern arbeiten zu können oder sie muss daraus die Konsequenz ableiten, ihr eigenes

Theoriesystem zu erweitern und zu modifizieren. Die Verhaltenstherapie wurde bei den Überlegungen zu differenziellen Integration auch immer etwas vorschnell auf eine Therapietechnik reduziert, die bei vielen kleinen Problemstellungen hilfreich sein
kann, letztendlich aber kein Ersatz für eine »richtige«, sprich psychodynamische Therapie sein kann. Verhaltenstherapeutische Ansätze beschränken sich jedoch keineswegs auf die Behandlung
von Angst, Zwang, Zwangsstörungen oder Phobien.

Versorgungspolitisch geht es natürlich auch um ökonomisches
Überleben:

Nicht nur die knapper werdenden Ressourcen im Gesundheitswesen führen zu einem verstärkten Druck auf kürzere Behand-
lungsdauern und effektivere Methoden. Dass unter einem solchen
Außendruck nun nicht gerade zwischen dem langen Verfahren der
Psychoanalyse und mehreren Kurzansätzen in der Verhaltenstherapie Versöhnungsstimmung aufkommt, ist nachvollziehbar.

Dennoch scheint es notwendig, dieses ausdifferenzierte und
weltweit einmalige System der psychotherapeutischen ambulanten
und stationären Versorgung gegen Angriffe von außen zu sichern:

Die Gefahr, dass die ambulante Psychotherapie aus dem Leistungskatalog der GKV herausfällt, kommt bei jeder Spardiskus-
sion im Gesundheitswesen erneut auf. Eine interne, zum Teil
polemisch geführte Auseinandersetzung zwischen den einzelnen
Grundorientierungen macht nach außen angreifbar und gefährdet
die Psychotherapie insgesamt.

Es gibt eine Kluft zwischen Theorie und Praxis

Was wissen wir über die Versorgungsrealitäten der Praxis, wenn
wir über das Korsett der Psychotherapierichtlinien hinausblicken?

Die wenigen Untersuchungen, die dazu existieren, gelangen zu
einem Bild, das die Vertreter der reinen schulorientierten Ansätze
nachdenklich machen sollte:

Goldfried und Safran fanden schon 1986, dass Therapeutinnen
und Therapeuten aus Psychoanalyse und Verhaltenstherapie 10
Jahre nach Beendigung ihrer Ausbildung in 56 % ihrer Interven-

tionen übereinstimmende methodische Schritte hatten und nur 15 % der Interventionen als gegenseitig nicht kompatibel betrachteten.

Butollo et al. (1996) fanden, dass 99 % aller Therapeuten und Therapeutinnen mehr als eine Therapieausbildung absolviert hatten, 93 % einer Schulintegration positiv gegenüberstehen.

Anbühl und andere (1995) stellten fest, dass Therapeutinnen und Therapeuten schon zu Beginn ihrer Tätigkeit eine überraschend hohe Vielfalt an therapeutischen Orientierungen aufweisen. Ein Blick auf diese Situation, 9 Jahre später, zeigt eine weitere Verbreitung des theoretischen Bezugsrahmens. Eine aktuelle Studie von Schindler und v. Schlippe (im Druck) wird vermutlich diese Tendenz noch deutlicher auffinden. Daraus ergibt sich die Frage, ob die Grundorientierung hauptsächlich ein Resultat unserer Ausbildungsinstitute und Ausbildungsordnungen sind, die Realität sich jedoch von diesen reinen Vorgehensweisen schon lange entfernt hat. In vielen Gesprächen mit niedergelassenen Therapeuten und Therapeutinnen wird oftmals der restriktive Rahmen der Therapierichtlinien beklagt, nach dem eine Kombination von zugelassenen Verfahren (psychodynamisch und verhaltenstherapeutisch) ausgeschlossen wird. Viele Kolleginnen und Kollegen, die beispielsweise doppelt ausgebildet sind, beklagen diesen Umstand und arbeiten offensichtlich »heimlich« integrativ, müssen dies aber im Antrag dem Gutachter gegenüber verschweigen, da sie sonst eine Nichtbefürwortung riskieren.

Verbindungsstücke

Schon auf dem 10. Ärztlichen Kongress für Psychotherapie in Oxford, der sich mit der Zusammenarbeit der unterschiedlichen therapeutischen Schulen befasste, sagte Jung (zitiert nach Huber 1996): »unsere zugegebenermaßen lauwarmen und oberflächlichen Formulierungen brachten eine herzliche Zusammenarbeit zwischen Leuten zustande, die bis anhin meilenweit voneinander entfernt zu sein glaubten.«

Haben sich in den unterschiedlichen therapeutischen Orientierungen unterschiedliche Sprachsysteme für ähnliche oder dieselben Phänomene entwickelt, ist vieles in dieser Auseinandersetzung durch unterschiedliche Begrifflichkeiten erklärbar?

Haben wir nicht überhaupt schon Schwierigkeiten, Vertreter einer anderen Grundorientierung mit ihrem Begriffssystem zu verstehen und nachzuvollziehen, was unter einzelnen begrifflichen Dimensionen genau zu fassen ist?

Vielfach drängt sich der Eindruck auf, als sei manches bei den Kommunikationsschwierigkeiten zwischen den Schulen auf der Ebene der unterschiedlichen Begrifflichkeiten erklärbar. Schon Anfang der 80er Jahre haben Caspar und Grawe versucht, das Widerstandskonzept der psychodynamischen Theorien für die Verhaltenstherapie zu übersetzen. Auch das von Grawe (2000) vorgestellte Gedächtnismodell, das zwischen dem impliziten und dem expliziten oder konzeptuellen Gedächtnis unterscheidet, kann in einer solchen Brückenfunktion wahrgenommen werden:

Das explizite Gedächtnis ist demnach nur »top-down«, das implizierte nur »bottom-up« aktivierbar. Das implizite Gedächtnis beinhaltet hauptsächlich durch Erlebnisaktivierung und nicht bewusste Steuerung zugängliche Informationen. Hier wäre eine Diskussion interessant, ob psychodynamische Vertreter dies als eine Brücke zum Unbewussten akzeptieren oder wie Vogel (2005) vermutet, dies eher im Bereich des Vorbewussten ansiedeln würden. Schematheorien, Plananalysen oder automatisierte Prozesse durch Modelllernen sind jedoch Ausdruck des Bestrebens in der Verhaltenstherapie, vor- oder unbewusst ablaufende Informationsverarbeitung und Verhaltenssteuerung in ihr Theoriemodell zu integrieren. Dabei stützt sich die Verhaltenstherapie, anders als die psychodynamischen Theorien, auf Erkenntnisse der allgemeinen Psychologie (Lern- und Gedächtniswahrnehmungen, Emotion oder Neuropsychologie) ebenso wie auf Erkenntnisse der Psychoneuroimmologie oder Sozialwissenschaften. Sie grenzt sich damit von spekulativ empfundener Modellbildung ab, wie sie häufig der psychodynamischen Theorien gegenüber unterstellt wurde und fordert eine wissenschaftliche Herleitung. Mancherorts führt dies zu einem Phänomen, dass sich psychodynamisch ausgebildete Kollegen und Kolleginnen durch neueste Erkenntnisse der Psychoneuroimmologie in ihren Theorien bestätigt fühlen, durch die em-

pirische wissenschaftliche Herleitung es den Verhaltenstherapeuten aber auch leichter gemacht wird, ihre Modelle zu erweitern und
bislang als Spekulation abgetane Phänomene zu integrieren. Wir
wissen auch, dass Erlebnisaktivierung als fundamentale Voraussetzung für Veränderungsprozesse gilt und am leichtesten über In-
vivo-Übungen bei Konfrontationen oder Expositionen hergestellt
werden kann. Auch lassen sich korrigierende Beziehungserfahrungen in real erlebten Übungssituationen herstellen, wenn sich Therapeut oder Therapeutin anders verhält als die Personen des jeweiligen sozialen Umfeldes. Diese Stärken in der Verhaltenstherapie
werden durch die neueren Gedächtnismodelle ebenfalls unterstützt
und in ihrer hohen Wirksamkeit bestätigt. Wer als Therapeut schon
einmal einen Zwangspatienten in seinen Zwang hinein begleitet
hat und es mit ausgehalten hat, zu sehen, wie sich der Betreffende
quält, macht mehr als nur eine Konfrontationsübung:
  Er stellt die Möglichkeit zu einer korrigierenden Beziehungserfahrung dar, da sich die meisten Personen des sozialen Umfeldes
des Patienten einer solchen Konfrontation mit dem Symptom und
somit mit einem Teil des Patienten entziehen würden oder auf
schnelle Abhilfe drängen würden.
  Diese korrigierende Beziehungserfahrung ist möglicherweise
ein entscheidender Beitrag zur Veränderung der Symptomatik
beim Patienten. Auch wissen wir, dass über Einsicht, Information
und Modellbildung sehr nachhaltig wirkungsvolle Veränderungen
bei vielen Patienten und Patientinnen erzielt werden können (Prinzip der minimalen Intervention nach Kanfer et. al. 2000). Auch
kann die gezielte Veränderung von Kognitionen nachhaltige und
effektive Veränderungen auf allen anderen Verhaltensebenen (Physiologie, Emotionen oder Motorik) bewirken. Dies gilt ebenfalls
für die jeweiligen anderen Verhaltensebenen.
  Es besteht also eine durchaus *breite Schnittmenge* an Themen-
stellungen, die eine weitere Annäherung der großen Schulen beinhalten könnten. Versorgungspolitisch gesehen gibt es für die
Psychotherapie insgesamt gemeinsame Problemstellungen, die
eine solche Kooperation noch dringlicher werden lassen:
  In beiden Therapieverfahren muss diskutiert werden, ob Psychotherapie letztendlich weiter störungsspezifisch ausgebaut wird oder

ob nicht eine Rückkehr zu allgemeinen Therapiemethoden, die stö-
rungsübergreifend angewandt werden, sinnvoll ist. Auch stehen
beide Verfahren vor einer Entwicklung, in der die angewandten
Methoden den Erkenntnissen einer immer spezifischeren Diagnostik kaum mehr standhalten kann. Die Dauer von Therapien und die
zeitliche Grenzenlosigkeit (Rieber-Hunscha 2004) ist nicht nur
ein Thema der Psychoanalyse, sondern auch der Verhaltentherapie.
Dieses Thema kontrastiert mit der bestehenden Unterversorgung
und langen Wartelisten für einen ambulanten Psychotherapieplatz.
Ebenfalls als gemeinsames Thema ist die Dokumentation und
Qualititätssicherung in der ambulanten Psychotherapie zu sehen.

Versuch einer gemeinsamen Definition von Psychotherapie

Bevor jedoch zu stark auf gemeinsame Themen fokussiert werden
kann, sollte zunächst geprüft werden, ob psychodynamische Ansätze und verhaltenstherapeutische Ansätze unter dem, was sie
Psychotherapie nennen, etwas Ähnliches oder Übereinstimmendes
verstehen. Senf und Broda (2004) schlagen folgende Definition
vor. *Fachpsychotherapie* ist professionelles psychotherapeutisches
Handeln im Rahmen und nach den Regeln des öffentlichen Ge-
sundheitswesens:

– das wissenschaftlich fundiert ist mit Bezug auf wissenschaftlich
  begründete und empirisch gesicherte Krankheits-, Heilungs-
  und Behandlungstheorien,
– das mit theoretisch abgeleiteten und empirisch abgesicherten
  Verfahren, Methoden und Settings zielgerichtete Veränderungen im Erleben und Verhalten von Patienten bewirkt,
– das zum Zwecke der Behandlung von psychisch bedingten oder
  mitbedingten Krankheiten, krankheitswertigen Störungen und
  Beschwerden oder zu deren Vorbeugung eingesetzt wird,
– das eine qualifizierte Diagnostik und Differentialdiagnostik unter Einbezug und Nutzung aller verfügbarer Verfahren und Methoden voraussetzt,

– das durchgeführt wird mit a priori formulierten und a posteriori evaluierten Therapiezielen,
– von professionellen Therapeuten mit geprüfter Berufsqualifikation,
– unter Wahrung ethischer Grundsätze und Normen in Erfüllung der Maßnahmen zur Qualitätssicherung auch unter dem Gebot der Wirtschaftlichkeit.

Damit scheint es gelungen zu sein, erstmals eine gemeinsame Therapiedefinition zu versuchen, die über die Verfahren hinweg wichtige Dimensionen und Eckpunkte psychotherapeutischen Handelns definiert.

Bekommen Patienten die richtige Therapie?

Es darf bezweifelt werden, dass ein singuläres Behandlungsmodell für alle Störungen und Krankheiten oder Persönlichkeitsstile ein adäquates Erklärungs- und Handlungswissen bereitstellt. Dennoch erhalten die meisten Patienten und Patientinnen nur die Therapieform, die der meist zufällig ausgewählte Therapeut gelernt hat. Patienten selbst sind mit der Entscheidung über die Therapieform überfordert, naturgemäß wird der Therapeut oder die Therapeutin bevorzugt, der/die am schnellsten einen Therapieplatz zur Verfügung stellen kann. Weiterverweisung oder Durchlässigkeiten im System werden meist als Beleg für das Scheitern der jeweiligen anderen Orientierung gewertet. Eine Durchlässigkeit zwischen den Grundorientierungen scheint kaum gegeben zu sein, meist entsteht der Eindruck, dass Weiterverweisungen in der Regel mit Patienten vorgenommen werden, die nicht gerade zu den Yavis-Patienten (young, attractiv, verbal, intelligent, sociable) gehören. Häufig besteht auch das Problem, dass bei Empfehlung einer medizinischen Rehabilitationsmaßnahme von der Klinik im Anschluss explizit eine andere Therapieform weiterempfohlen wird als die, die der Einweiser praktiziert.

Die ökonomische Situation der Ausbildungsinstitute führt jedoch leider verstärkt dazu, dass Abgrenzung stattfindet und die

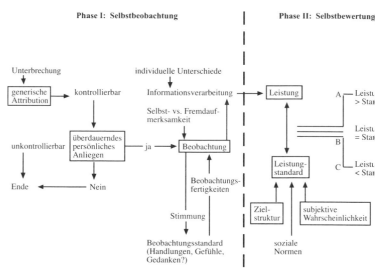

Abbildung 1: Beispiel für die Komplexität verhaltenstherapeutischer Modelle (aus Kanfer et al. 2000)

Überlegenheit des eigenen therapeutischen Verfahrens über die anderen Verfahren betont wird. Oftmals entsteht auch der Eindruck, als ob bei den Vertretern der anderen Grundorientierung, die inzwischen in die Lehrpläne der Ausbildungsinstitute integriert werden müssen, bewusst die Vertreter gewählt werden, die nicht selten zu den problematischen ihres Faches gehören.

Zur Integrationsfähigkeit der Grundverfahren

Verhaltenstherapie ist ein offenes und erweiterbares Systemmodell. Die Abbildung 1 zeigt, in welcher Komplexität verhaltenstheoretische Modellbildung sich befindet und wie viele Wissensdimensionen aus allgemeiner Psychologie oder klinischer Psychologie in dieses Modell integriert sind. Verhaltenstherapie ist auch korrekturfähig und kann Methoden anderer Ansätze ohne Schwierigkeiten übernehmen. Es findet jedoch mit analytischen Verfahren so gut wie kein Austausch statt.

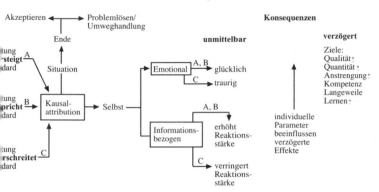

Psychoanalyse hat, wenn wir bei Freud nachschauen, auch schon »verhaltenstherapeutische« Grundelemente integriert: »... bei diesen letzteren (den Agoraphobikern) hat man nur dann Erfolg, wenn man sie durch Einfluss der Analyse bewegen kann, sich wieder wie ein Phobiker 1. Grades zu benehmen, also auf die Straße zu gehen, und während dieses Versuch mit der Angst zu kämpfen (...) noch weniger angezeigt erscheint ein passives Zuwarten bei den schweren Fällen von Zwangsstörungen« (Freud 1919 zitiert nach Vogel 2005).

Die Fokaltherapie oder psychoanalytische Kurzzeittherapien wurden in der Verhaltenstherapie kaum rezipiert. Auch die zunehmend stärkere Methodenkombination im stationären Setting und die Erfahrung in den tiefenpsychologischen Kliniken werden in der Verhaltenstherapie noch großteils ausgeblendet. Auch in der ambulanten Versorgung findet keine Kooperation statt.

Exportangebote

Dabei könnte die *Verhaltenstherapie* etliche Exportangebote unterbreiten wie beispielsweise die Erlebnisaktivierung durch Übungen und In-vivo-Konfrontationen. Die Verhaltenstherapie verfügt weiterhin über eine lange Tradition von psychoedukativen Elementen und therapeutischen Aufgabestellungen. Sie könnte auch einen gewissen Pragmatismus exportieren, der sich am machbaren, in der Aufwand-Nutzen-Relation und an Kostenüberlegungen orientiert.

Doch auch die *psychodynamischen Verfahren* haben Exportangebote:

Die Konzepte der Übertragung/Gegenübertragung sind äußert hilfreiche Sichtweisen dessen, was in therapeutischen Settings passiert, geben die Möglichkeit, aus einer Metaperspektive Phänomene und Prozesse zu betrachten und zu korrigieren. Auch das künstlerische und konstruktive Gestalten sind ein Exportangebot der psychodynamischen Theorien ebenso wie die Bindungstherorie und andere Entwicklungstheorien.

Die allgemeinen Wirkfaktoren von Psychotherapie

Aufgrund seiner umfangreichen Metaanalyse stellen Grawe et al. (1994) folgende Dimensionen als allgemeine Wirkfaktoren der Psychotherapie vor (für einen detaillierten Überblick siehe Strauß und Wittmann, 2004):

Ressourcenaktivierung, Problemaktualisierung, aktive Hilfe zur Problembewältigung und motivationale Klärung. Diese Dimensionen scheinen in den einzelnen therapeutischen Verfahren unterschiedlich betont zu werden, es gibt wohl kaum ein Verfahren, das eine Dimension völlig unberücksichtigt lässt.

Eckert (1996) sieht als allgemeine Wirkfaktoren die intensive emotional besetzte vertrauensvolle Beziehung, das Erklärungsprinzip bezüglich der Krankheitsursache und die Behandlungsmethode, die Vermittlung von Hoffnung, die Vermittlung von Erfolg sowie die Förderung des emotionalen Erlebens.

Jaeggi (1997) sieht das gemeinsame Symbolsystem, die Beziehung sowie Aktivität als allgemeine Wirkfaktoren.

Ein Stufenmodell der Integration

Wie könnte es nun vorstellbar sein, dass sich die unterschiedlichen Therapieverfahren aufeinander zu bewegen und gar integrieren?

Die erste Stufe scheint die der *Methodentransparenz* zu sein. In den meisten Fällen ist den Vertretern der unterschiedlichen Grundorientierungen nicht klar, was in der jeweiligen anderen Ausrichtung an Theoriebildung und Methodik vorhanden ist. Für viele Analytiker scheint Verhaltenstherapie immer noch mit Behaviorismus gleichgesetzt werden zu können, viele Verhaltenstherapeuten rezipieren weder empirische Befunde aus der Psychodynamik noch Theoriebildung wie die der Bindungstheorie. Durch entsprechende Publikationen (Senf u. Broda 2004; Zeitschrift: »Psychotherapie im Dialog«; Reimer et al. 1996; Vogel 2005) wird der erste Versuch gemacht, Gedanken und Vorgehensweisen der jeweiligen Therapieorientierungen untereinander transparent und nachvollziehbar zu machen.

Die *Methodenkombination* ist erst ansatzweise in einer Umsetzungsphase. Vor allem im stationären Bereich werden hier zuerst Erfahrungen gesammelt, im ambulanten Setting behindern die Psychotherapierichtlinien eine Erprobung unterschiedlicher Therapieverfahren. Denkbar ist dabei, dass parallel oder in Abfolge unterschiedliche Grundorientierungen beim gleichen Patienten von dem gleichen oder unterschiedlichen Therapeuten angewendet werden. Hierzu ist dringend Forschung notwendig, die klären hilft, ob eine kombinierte Anwendung unterschiedlicher Grundverfahren für bestimmte Patientinnen und Patienten und für bestimmte Störungsbilder möglicherweise einen Vorteil darstellen könnte.

Die *Methodenintegration* bezeichnet einen dialektischen Prozess, wobei im Zusammenfügen unterschiedlicher Systeme ein neues System entsteht, wobei das ursprüngliche System verändert bzw. angeschafft wird. Ob dies als Endpunkt des Aufeinanderzubewegens der therapeutischen Grundorientierungen gesehen wer-

den kann, bleibt zum jetzigen Erkenntnisstand unklar. Es kann
durchaus sein, dass es sich als sinnvoll erweist, unterschiedliche
Perspektiven beizubehalten und diese möglicherweise in Kombination anzuwenden und eben nicht alle wissenschaftstheoretischen
und methodischen Unterschiede in ein neues allgemeines System
zu integrieren. In der Regel ist die jetzige Diskussion jedoch noch
im Vorfeld der Methodentransparenz anzusiedeln, Vorurteile über
die jeweilige andere Grundorientierung dominieren in der Praxis,
Abgrenzungen sind an der Tagesordnung, und den meisten anderen Verfahren wird eine relative Wirkungslosigkeit unterstellt.

Ausblick

Auch wenn die Frage nach einer möglichen Integration von Psy-
chotherapiegrundorientierungen zum jetzigen Zeitpunkt noch
nicht entschieden werden kann, scheint es doch sinnvoll zu sein,
alle psychotherapeutisch Tätigen im möglichst engen Schulter-
schluss zu einer Verteidigung des *Verbleibs der Psychotherapie in
der GKV* zu bewegen. Gesundheitspolitisch fatal wäre ein Überwiegen der internen Auseinandersetzung zwischen den Grundorientierungen, die es denen erleichtern würde, Psychotherapie aus
dem Leistungskatalog der GKV zu entfernen, die psychische Symptome als Extrarisiko separat versichern lassen wollen. Es scheint
aber auch notwendig zu sein, die *Psychotherapieausbildung* an den
Ausbildungsinstituten gründlich zu reformieren, erhebliche Kenntnisse auch anderer Grundorientierung zu vermitteln und die Politik der Abgrenzung zu beenden. Auch im Bereich der ambulanten
Psychotherapie könnte durch eine Veränderung der Psychotherapierichtlinien diese Entwicklung unterstützt werden:
    Es ist nicht einzusehen, wieso sich *Stundenkontingente* in der
ambulanten Psychotherapie immer noch nach Methode und nicht
nach der Erkrankung richten. Außerdem ist es dringend erforderlich, Methodenkombinationen in der ambulanten Psychotherapie
zu fördern und zu genehmigen.
    In allen *Supervisionszusammenhängen* könnte überlegt werden,
ob nicht ein Supervisor der anderen Grundorientierung qualitativ

neue Erkenntnisse ermöglichen könnte. All diejenigen, die mit solchen Modellen Erfahrung gesammelt haben, bewerten diese fast ausschließlich positiv.

Die *Psychotherapieforschung* sollte weniger den Vergleich der verschiedenen Verfahren zum Inhalt haben als vielmehr deren Kombination. Auch könnte ein offeneres *Umgehen mit den Misserfolgen,* ein Beforschen dieser Phänomene in der Psychotherapie, ehrlicher sein als das übliche Austauschen von Erfolgsmeldungen. Dabei bleibt aber unerlässlich, dass Psychotherapie sich einen konsequenten Qualitätsnachweis und eine Therapieevaluation unterwerfen muss. Wenn unser in den letzten Jahren so ausgezeichneter Stand innerhalb des Gesundheitssystems gesichert werden will, sind solche Wirknachweise absolut unumgänglich.

Auch bei Überlegungen zu einer Integration scheint es sinnvoll zu sein, Identität einer therapeutischen Perspektive zu fördern und damit zum einen die Grenzen der eigenen Methode konsequenter bewusst werden zu lassen als auch die jeweiligen Vorteile anderer Orientierungen bei der zu lösenden Problemstellung zu verdeutlichen.

Literatur

Ambühl, H.; Orlinsky, D.; Cierpka, M.; Buchheim, P.; Meyerberg, J.; Willutzki, U. (1995): Zur Entwicklung der theoretischen Orientierung von Psychotherapeutinnen. Z. Psychosom. Med. Psych. 45: 109–120.

Bühring, P. (2003): Psychosoziale Versorgung in der Medizin. Deutsches Ärzteblatt 42. Jg. 100: A-2700.

Butollo, W.; Piesbergen, Ch.; Höfling, S. (1996): Ausbildung und methodische Ausrichtung Psychologischer Psychotherapeuten – Ergebnisse einer Umfrage. Report Psychologie 21: 26–137.

Eckert, J. (1996): Schulenübergreifende Aspekte der Psychotherapie. In: Reimer, C., Eckert, J.; Hautzinger, M.; Wilke, E.: Psychotherapie. Heidelberg, S. 324–339.

Goldfried, M. R.; Safran, J. D. (1986): Future Directions in Psychotherapy Integration. In: Norcross, J.C. (Hg.): Handbook of Eclectic Psychotherapy. New York.

Grawe, K. (2000): Psychologische Therapie. Göttingen.

Grawe, K.; Donati, R.; Bernauer, F. (1994): Psychotherapie im Wandel. Göttingen.

Jaeggi, E. (1997): Zu heilen die zerstoßenen Herzen. Hamburg.

Kanfer, F.; Reinecker, H.; Schmelzer, D. (2000): Selbstmanagement-Therapie. Heidelberg.

Köllner, V.; Broda, M. (2005): Praktische Verhaltensmedizin. Stuttgart.

Huber, W. (1996): Entwicklung der integrativen Therapie. In: Senf, W.; Broda, M. (Hg.): Praxis der Psychotherapie. Stuttgart. S. 228–230.

Senf, W.; Broda, M. (Hg.) (2004): Praxis der Psychotherapie. 3. Auflage. Stuttgart.

Strauß, B.; Wittmann, W. (2004): Psychotherapieforschung: Grundlagen und Ergebnisse. In: Senf, W.; Broda, M. (Hg): Praxis der Psychotherapie. 3. Auflage. Stuttgart, S. 760–781.

Reimer, C.; Eckert, J.; Hautzinger, M.; Wilke, E. (1996): Psychotherapie. Heidelberg.

Rieber-Hunscha, I. (2004): Das Beenden der Psychotherapie. Stuttgart: Schattauer

Schindler, H., v. Schlippe, A. (im Druck): Psychotherapeutische Ausbildungen und psychotherapeutische Praxis kassenzugelassener psychologischen PsychotherapeutInnen und Kinder- und JugendtherapeutInnen. Der Psychotherapeut.

Senf, W.; Broda, M. (2004): Was ist Psychotherapie? In: Senf, W.; Broda, M. (Hg): Praxis der Psychotherapie. 3. Auflage. Stuttgart, S. 2–9.

Vogel, R. (2005): Verhaltenstherapie in psychodynamischen Behandlungen. Stuttgart.

Grenzen ökonomischen Denkens in der Psychotherapie

Friedhelm Lamprecht

Kosten- und Nutzenerwägung in der Psychotherapie

In einer Zeit, in der die Patienten zu Kunden werden und die Ärzte vielerorts zu Lebensqualitätsmanagern, in der die so genannte Lifestyle-Medikamente die größten Zuwächse verzeichnen und die »Gesundheit«, die ja bekanntlich etwas anderes ist als Wellness, zu einer Ware verkommt, haben die Agenten der Evidenz das Sagen, so dass Experten und Bürokraten unter sich über die Reformprozesse im Gesundheitswesen entscheiden. In einer solchen Zeit nützt es aber nichts, über die so genannte ökonomischen Sachzwänge zu lamentieren, sondern wir müssen uns offensiv auch betriebswirtschaftlichen Überlegungen stellen, denn da wir als Psychotherapeuten keine machtvolle Lobby haben, müssen wir aktiv den Kontakt mit Krankenkassen, Rentenversicherern und Gesundheitspolitikern suchen, um bei der Weichenstellung im Rahmen der Ressourcenallokation etwas mitzuhelfen.

Ich versuche einige Argumente hinzuzufügen, denn die Datenlage ist unter allem Vorbehalt doch so, dass sie etwas hörbarer und nicht nur in Insiderkreisen argumentativ überzeugend vertreten werden kann. Man kann sich als Psychotherapeut nicht mehr nur auf die individuelle Freiheit im Umgang mit Patienten berufen, sondern muss auch die Interessen der Kostenträger im Auge haben, so ungewohnt, wie das für viele auch noch sei. Man kann nicht nur gegen »managed care« sein, ohne gleichzeitig effektive Verantwortung zu übernehmen. Die Frage, welche »Ressourcen-Allokation« den größeren öffentlichen Nutzen hat, verlangt zunehmend deutlicher von den gesundheitspolitischen Entscheidungsträgern nach Antworten. Es geht darum, wie die 240 Milliarden Euro mit 2 900 Euro/Einwohner in Deutschland, was etwa 11,3 % des Bruttosozialproduktes entspricht, auf die verschiedenen Segmente verteilt werden (Statistisches Bundesamt 2005).

Es werden Kosten-Nutzen-Analysen unterschieden, die die direkten und indirekten Behandlungskosten sowie die intangiblen Kosten, worunter die monetär bewerteten subjektiven Leidenssymptome verstanden werden (s. Tab. 1), zu den entsprechenden Parametern in dem Nachbeobachtungszeitraum nach der Intervention mit den entsprechenden Parametern im Vorbeobachtungszeitraum in Beziehung setzen. Wegen der Schwierigkeiten bei der monetären Bewertung von subjektiven Leidenszuständen favorisieren Gesundheitsökonomen nur die Einbeziehung von direkten und indirekten Kosten, so dass insgesamt nur die sekundären Folgewirkungen auf das Gesundheitsverhalten erfasst werden, und das, was mit der direkten Psychotherapiezielerreichung zu tun hat, nicht zum Tragen kommt und primär außer Acht gelassen wird. Obwohl der subjektive Nutzen häufig ausschlaggebend ist für den betroffenen Patienten, wird dieser nahezu vernachlässigt. Bei den Kosten-Effektivitäts-Analysen wird der Aufwand berechnet für eine therapeutische Intervention, um eine Veränderung innerhalb definierter Ergebniskriterien zu erreichen. In diesem Spektrum bewegen sich die meisten Untersuchungen. Zusätzlich werden noch Kosten-Nutzwert-Analysen durchgeführt, wobei aggregierte Ergebnismaße von Nutzwerten erfasst werden. Als Beispiel sei der QUALY erwähnt (quality adjusted life year). In einer solchen Untersuchung werden die Kosten pro gewonnenen qualitätskorrigierten Lebensjahr (Schöffski u. Greiner 2000) ermittelt. Jürgen Schmidt (2004) bemerkt dazu: »Zwischen der öffentlichen Beschwörung des Effizienzdenkens bei Allokations- und Maßnahmenentscheidungen und der geringen Anzahl vorhandener Kostenergebnisstudien existiert ein erklärungsbedürftiges Missverhältnis.« Dafür werden verschiedene Gründe ins Feld geführt:
– Interessenkonflikt und Ängste der Beteiligten,
– fehlende Ressourcen,
– fehlendes Know-how,
– uneinheitliche Methodik,
– Datenerfassungsprobleme,
– mangelnde Bereitschaft zur Transparenz.

Tabelle 1: Kostenkategorien (Greiner 2000; Hessel et al. 1999)

Direkte Kosten (K_{dir})	Indirekte Kosten (K_{ind})	Intangible Kosten (K_{int})
Alle monetär bezifferbaren Kosten, die unmittelbar im Zusammenhang mit der gesundheitsbezogenen Intervention stehen	Alle monetär bezifferbaren Kosten, die mittelbar durch die Intervention bzw. die Erkrankung verursacht wurden	Kosten, die normalerweise nicht monetär bezifferbar sind (z. B. Schmerz, Gefühl der Einsamkeit, Lebensqualität)
Direkte medizinische Kosten	Kosten des krankheits- und des interventionsbedingten Arbeitsausfalls (Produktivitätsausfälle)	
Direkte nicht-medizinische Kosten		

Neben den Kostenreduktionsstudien (cost offset studies) sind die ökonomischen Folgen von Fehlbehandlungen psychosomatischer und somatopsychischer Erkrankungen schwer zu ermitteln, aber auf jeden Fall besteht hier eine große Dunkelziffer (Lamprecht 1996). In der großen Diskussionsrunde (Williams et al. 2002) über die Frage, ob psychosoziale Interventionen auch den Verlauf von organischen Krankheiten verändern können, z. B. bei Krebs, Myocardinfarkt, Hypertonie, HIV-Infektionen, kommen Williams und Schneidermann zu einer positiven Schlussfolgerung, während Relman und Angell zu einer eher negativen Einschätzung kommen. Diese Diskussionsrunde gibt einen vertieften Einblick in die Pro- und Kontraargumentation für die Beeinflussbarkeit primär organischer Erkrankungen durch psychosoziale Interventionen. Aus dem Geschäftsbericht der BfA (2002) folgt, dass von den vier größten Krankheitsgruppen die Gruppe der psychischen und psychosomatischen Krankheiten (inklusive Suchtkrankheiten) in letzter Zeit den größten Anstieg verzeichnet (s. Abb. 1). Aber auch bei der GKV, hier am Beispiel der DAK, zeigen sich deutliche Zuwächse an psychischen Erkrankungen. Entgegen dem sinkenden Trend an Arbeitsunfähigkeitstagen (AU-Tage) stiegen die Fehlzeiten wegen Depression um 42 % und wegen Angsterkrankungen um 27 % von 1997 bis 2004 (DAK-Gesundheitsreport 2005). Führt man sich diese Zahlen vor Augen, dann zeigt sich die Bedeutung

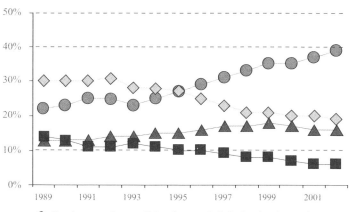

-⬤- Psych. u. psychosom. Erkrankungen (mit Suchterkrankungen)
-◇- Erkrankungen d. Bewegungsorgane
-▲- Neubildungen
-■- Herz-Kreislauf-Erkrankungen

Abbildung 1: Entwicklung verschiedener Krankheitsgruppen

erfolgreicher Behandlungen in diesem Indikationsgebiet schon aus ökonomischen Gründen.

Mumford et al. kommen in ihrer Metaanalyse von 58 kontrollierten Studien (1984) und von über 4 Millionen Regierungsangestellten aufgrund der Daten von Blue Cross und Blue Shield zu dem Ergebnis, dass Menschen mit psychischen Problemen (mental health problems) sich durch eine höhere Inanspruchnahme medizinischer Dienstleistungen auszeichnen und dass Interventionen psychiatrisch-psychotherapeutischer Art (mental health interventions) gefolgt sind von einer Reduktion der Inanspruchnahme in anderen medizinischen Bereichen. Besonders ausgeprägt sei dies bei Älteren. Die Reduktionskosten beziehen sich größten Teilen auf die stationären Behandlungskosten. Ältere Menschen gehen in der Regel mehr zum Arzt, sind häufiger krank und lassen somit auch mehr Raum für Kostenreduktion zu. Die Schwellensituation zur Nachberufszeit ist in vielerlei Hinsicht kritisch durch den Wegfall der Tagesstruktur, durch Verlust von Freunden oder Partnern, durch Einkommensreduktion und Wohnungsveränderung usw. Auf Seiten der Älteren könnte es auch eine Hemmschwelle geben, sich jüngeren Ärzten anzuvertrauen. Jedenfalls besteht ein großes Diskrepanzverhältnis zwischen Bedarf und Inanspruchnahme. Der sich über den Cost-offset-Effekt bei den stationären Behandlungsstrukturen ergebende Effekt wird heute vielfach in Frage gestellt, weil durch die Einführung der Disease-Management-Programme und der DRGs die stationären Liegezeiten sich ohnehin stark verkürzt haben, die für bis zu 80 % des Reduktionseffektes verantwortlich gemacht wurden. In einer Arbeit aus der gleichen Autorengruppe Mumford et al. (1998) klingen die Schlussfolgerungen viel vorsichtiger. Neben »Managed Care« und den DRGs, beides mit kürzeren Liegezeiten im Gefolge, fallen etwaige Langzeiterfolge auch nicht mehr ins Gewicht, da die Managed-Care-Organisationen und Versicherungsgesellschaften nur Jahresbudgets im Auge haben und das, was in das nächste Jahresbudget fällt, von relativ geringem Interesse ist (Mumford et al. 1998). Viele der Kostenreduktionsfaktoren wirken sich im außermedizinischen Bereich aus, wie verringerter Produktivitätsausfall und AU-Tage. Dies dürfte auch bei uns zu einer Abschwächung der Kostenreduktionseffekte führen, da sich die AU-Tage von 1990 bis 2004 von 25 auf 13 Tage verringert haben.

Gabbard et al. (1997) kommen in ihrer Metaanalyse bei 35 Studien zu der Aussage, dass sie bei 80 % mit und 100 % ohne Zufallszuweisung deutliche Hinweise für Kostenreduktion finden, die größtenteils außerhalb des medizinischen Dienstleistungsspektrums liegen. Die Autoren folgern weiter, dass die psychotherapeutisch-psychiatrischen Angebote nicht nur versuchen sollten, sich über ökonomische Rechtfertigungen zu legitimieren, sondern sie müssen im Lichte ihrer primären Zielsetzung gesehen werden, nämlich menschliches Leid zu lindern, und das fällt wieder in den Bereich der intangiblen Nutzwerte. Bei der Interpretation von Daten ist immer Vorsicht angezeigt, so kann z. B. durch eine psychotherapeutische Intervention der Patient sensibilisiert werden im Sinne einer besseren Selbstfürsorge für sich selbst und seinen Körper, so dass Vorsorge, Abklärung unklarer Symptome und Compliance, bezogen auf Medikamenteneinnahmen, ernster genommen werden und so die Gesundheitskosten für diesen Patienten wachsen.

Ein aktuellerer Review ist der von Chiles et al. (1999). Diese Metaanalyse untersuchte 91 Studien, die zwischen 1967 und 1997 publiziert wurden, darunter Chirurgie-Patienten, Substance-Abuse usw. Sie fanden quer über alle Studien, das heißt in 90 % als Folge der psychotherapeutischen Interventionen, die hier meistens in der Hand von Psychologen liegen, eine bis zu 30 %ige Kostenreduktion. In 7 % der Untersuchungen sind Angaben dazu gemacht, dass die Kosten der Interventionen die Spareffekte als Folge dieser Intervention übersteigen. Viele machen dazu aber keine Angaben. Die größten Spareffekte beziehen sich wieder auf stationäre Patienten und auf ältere Patienten. In einer 3-Jahres-Untersuchung (Schlesinger et al. 1983) an 700 Patienten mit Herzerkrankungen, Diabetes, Hochdruck und anderen Beschwerden, die eine psychologische Intervention erhielten (1–6 Sitzungen), verglichen mit 1 300 Patienten, die ausschließlich die traditionelle Behandlung erhielten auf dem gleichen Indikationsgebiet, ergab sich eine Kostenreduktion von 950 auf 570 $ pro Patient, was einer 40%igen Reduzierung entspricht. Nimmt man die Kosten für die Intervention ins Kalkül, schmilzt der Kostenreduktionseffekt auf 5 % zusammen. Indirekte Kosten sind in den meisten dieser Studien gar nicht enthalten. Wenn man die Entwicklung der AU-Tage pro Arbeitnehmer in Deutschland ansieht, die 1990 bei durchschnittlich 25 Tagen pro Arbeitnehmer lagen und 2004 bei 13 Tagen, dann sehen wir, dass es auch hier zunehmend schwerer wird, Spareffekte bei den indirekten Kosten nachzuweisen. Die Untersuchungen mit den größten Kostenreduktionseffekten wurden in den 80er Jahren bei hochselektierten Patientengruppen gemacht.

So fanden Gonick et al. (1981) in einem Rehabilitationsprogramm für psychologische Behandlung von »Stress related disabilities«, dass im 5-Jahres-Vergleich vorher und nachher jeder investierte Dollar in der psychologischen Behandlungsgruppe zu einer Ersparnis von 5 $ führte.

Bei chronischen Schmerzpatienten (Jacobs 1987) zeigte sich ein Jahr nach der Behandlung, dass die Inanspruchnahme für stationäre Einrichtungen um 70–80 % reduziert wurde und die Inanspruchnahme ambulanter Dienste um 40–50 %.

Die Somatisierungsstörungen machen einen großen Teil der psychosomatischen Patienten aus und da dort die Behandlungskosten bis zu 9-mal höher liegen, wirken sich psychosoziale Interventionen besonders kostenreduzierend aus. In einer randomisierten kontrollierten Studie (Smith et al. 1986) konnte der Effekt einer einmaligen psychiatrisch-psychosomatischen Konsultation mit Behandlungsempfehlung für den Primärarzt mit einer Senkung der Quartalskosten um 53 % nachgewiesen werden. Katamnestische Nachuntersuchungen zeigten, dass die Reduktion der Inanspruchnahme auch 18 Monate später noch anhielt, was umso erstaunlicher war, da die Patienten angaben, dass sich an ihrem Gesundheitszustand gar nichts verbessert habe. Offensichtlich schienen die Patienten durch das Konsultationsgespräch eine psychische Ursachenattribuierung zu akzeptieren, so dass sie auf weiter reichende Ursachenabklärung verzichteten. In einer Verlaufsuntersuchung Lupke et al. (1995) an Patienten mit Somatisierungsstörungen in einem Allgemeinkrankenhaus konnte durch einen psychosomatischen Konsiliar erreicht werden, dass bei einer Nachbefragung 47 % der konsultierten Patienten eine psychosomatische Nachbehandlung aufgenommen hatten und 62 % ihre Beschwerden als gebessert bezeichneten. Man könnte sich vorstellen, dass es auch hier deutliche Einspareffekte gibt, aber dazu werden hier keine Angaben gemacht. Generell scheint es so zu sein, dass 3 Jahre vor der Entscheidung, eine ambulante Psychotherapie zu beginnen, ein erheblicher Anstieg der Gesundheitskosten zu verzeichnen ist (Kraft et al. 2004), was man so interpretieren könnte, dass für die mit Konflikten einhergehende somatische Symptomatik erst einmal eine organmedizinische Abklärung verfolgt wird. Man kann diese Diskussion nicht nur unter dem Kosteneinsparungseffekt führen, ohne darauf hinzuweisen, dass es bei vielen Erkrankungen nur eine unzureichende Versorgung gibt. So stellte Wittchen (2000) fest, dass es beispielsweise bei Essstörungen eine besonders hohe Nichtbehandlungsquote von 63 % bei Erwachsenen und von 81 % bei Jugendlichen unter 18 Jahren gibt, so dass bei adäquater Behandlung die gesellschaftlichen Kosten für diese Erkrankungen bei weitem höher liegen würden, als von Krauth et al. (2004) für die Essstörungen berechnet, z. B. für Anorexie195 Millionen Euro pro Jahr und für Bulimia nervosa 127 Millionen Euro. Bei diesen Berechnungen wurden auch die ambulanten und anderen medizinischen Dienstleistungen nicht eingerechnet. Während bei Panikerkrankungen in der primärärztlichen Versorgung die Hinzuziehung eines Psychiaters mit im Schnitt zweimaligen Konsultationen zu einer deutlichen Zunahme der angstfreien Tage führte und zu einer Verringerung der ambulanten Kosten (Katon et al. 2002), zeigte sich bei depressiven Patienten, die diagnostiziert und antidepressiv ausschließlich in der Primärversorgung behandelt wurden, dass diese immer noch deutlich erhöhte jährliche Gesundheitskosten hatten, woraus die Autoren (Simon et al. 1995) schließen, dass das Erkennen und Behandeln von Depressionen nicht ausreicht, das Inanspruchnahmeverhalten zu reduzieren.

Hall et al. (2001) kommen in ihrer ökonomischen Analyse der Psychotherapie bei Borderline-Persönlichkeitsstörungen allerdings bei einer relativ kleinen Zahl (n = 30) in einem Prä-post-Design zu dem Ergebnis, dass insbesondere bei der Untergruppe mit extrem hohen Kosten es in den Nachbeobachtungszeiträumen zu substanziellen Einsparungen kommt. Untersuchungen bei Persönlichkeitsstörungen müssen längerfristig angelegt sein und multizentrisch durchgeführt werden, um zu verlässlichen Aussagen zu kommen, um in den Untergruppen auch eine hinreichende Anzahl für statistische Aussagen zu haben.

Am Rande der Psychotherapie liegen die mehr psychoedukativen Schulungsprogramme, die als Gruppenangebot bei eng definierten Zielgrößen Hinweise für gut investiertes Geld geben. Bei unspezifischen Rückenbeschwerden zum Beispiel weisen Walter et al. (2002) volkswirtschaftlich einen «return on investment» von 3,2 : 1 insbesondere auch durch die Arbeitsunfähigkeitstage mit Hilfe einer Evaluation ambulanter, sekundär-präventiver Rückenschulen nach. Auch spielen Schulungsprogramme in der stationären Rehabilitationsbehandlung bei Asthma (Albrecht et al. 2000a) und rheumatischen Erkrankungen (Krauth et al. 2005) eine immer größere Rolle. Gerade im Reha-Bereich wird von den Kostenträgern die ambulante Reha sehr gefördert. Wir haben für junge Mütter mit Vorschulkindern ein ambulantes Reha-Programm mit etwa gleicher Therapiedichte wie bei einer stationären Behandlung (Kersting u. Lamprecht 1996) entwickelt. Während es zunächst so aussah, dass bei gleicher Effektivität das ambulante Programm deutlich billiger ausfiel, als die stationäre Vergleichsgruppe (Albrecht et al. 2000b), ergab sich unter Einbeziehung der indirekten Kosten und Zeitkosten der ambulanten Rehabilitation (Krauth et al. 2000) eher eine umgekehrte Tendenz. Wie die nachfolgenden Einflussnahmen auf das Inanspruchnahmeverhalten medizinischer Dienstleistungen sich auswirkte, ist nicht aussagekräftig untersucht worden. In der stationären psychosomatischen Rehabilitation besteht eine lange Tradition von Evaluationsforschung (Wittmann 1987; Schmidt 1991; Zielke 1993). Letzterer hat eine neue Untersuchung vorgelegt (Zielke 2004). In einer sehr differenzierten Analyse werden die ökonomischen Auswirkungen einer psychosomatischen stationären Rehabilitationsbehandlung für die Rentenversicherungen, die Sozialversicherungen, den Arbeitgeber und natürlich auch für den Patienten (verändertes Krankheitsverhalten) dargestellt. Hierbei kommt Zielke in einer Kosten-Nutzen-Analyse des Vergleichs der Krankheitskosten 2 Jahre vor und 2 Jahre nach der Behandlung zu dem Ergebnis, dass den direkten Behandlungskosten von 5 676 Euro eine Reduktion der Krankheitskosten von 21 554 Euro gegenüberstehen, was einer Kosten-Nutzen-Relation von 1 : 3,79 entspricht. Wenn man bedenkt, dass die stationäre Psychotherapie im Verhältnis 1 : 8 (akut vs. Reha) in Reha-Kliniken stattfindet und man vergleichsweise direkte Behandlungskosten und Effektivität annimmt, kommt man schnell in den Milliardenbereich von Einsparungen.

Abschließend sei gesagt, dass in vielen Bereichen primär organische Erkrankungen, in denen psychosomatische Faktoren beteiligt sind, spezielle Interventionen noch gar nicht untersucht worden sind. Beispielsweise wie sich eine Stressreduktionsbehandlung auf den Verlauf von Autoimmunerkrankungen auswirkt (Segerstrom u. Müller 2004). Darüber hinaus gibt es psychosoziale Faktoren, die jenseits der Beeinflussbarkeit von Psychotherapeuten liegen. Hier ist die Politik gefordert. In Japan beispielsweise ist die Lebenserwartung unter den industrialisierten Ländern am größten, was unter anderem damit in Zusammenhang gebracht wird, dass dort die geringsten Gehaltsunterschiede bestehen, während bei uns die Schere zwischen Arm und Reich, ähnlich wie in den USA, immer weiter auseinander zu gehen scheint. Hier liegt das Potenzial für viele zu generierende qualitätsadjustierte Lebensjahre. Die angedeuteten Überlegungen zeigen, dass es sich lohnt, im wörtlichen und übertragenen Sinne, die Psychotherapieforschung auf weitere Bereiche von Interventionsmöglichkeiten auszudehnen.

Literatur

Albrecht, M.; Krauth, C.; Mühlig, S.; de Vries, U.; Petermann, F.; Schwartz, F.W. (2000a): Struktur und Kosten von Patientenschulungsprogrammen in der stationären pneumologischen Rehabilitation. Gesundheitsökonomie u. Qualitätsmanagement 5: 141–148.

Albrecht, M.; Krauth, C.; Rieger, J.; Lamprecht, F.; Kersting, A.; Schwartz, F. W. (2000b): Konzept zur gesundheitsökonomischen Evaluation kurz- und längerfristiger Kosten- und Wirksamkeitsparameter eines erweiterten ambulanten psychosomatischen Rehabilitationsprogramms. Das Gesundheitswesen 62: 156–160.

Bundesanstalt für Angestellte (BfA) (2002): Geschäftsbericht 2002. Berlin.

Chiles J.; Lambert, M.; Hatch, A. (1999): The impact of psychological interventions on medical cost offset: a meta-analytic review. Clin. Psychol.-Sci. Pr. 6: 204–220.

DAK-Gesundheitsreport (2005): Deutsches Ärzteblatt. Jg. 102, Heft 23.

Gabbard, G. O.; Lazar, S. G.; Hornberger, J.; Spiegel, D. (1997): The economic impact of psychotherapy: a review. Am. J. Psychiat. 154: 147–155.

Gonick, U.; Farrow, I.; Meier, M.; Ostmand, G.; Frolick, I. (1981): Cost effectiveness of behavioral medicine procedures in the treatment of stress-related disorders. American Journal of Clinical Biofeedback 4:16–24.

Hall, J.; Caleo, S.; Stevenson, J. (2001): An Economic Analysis of Psychotherapy for Borderline Personality Disorder Patients. Journal of Mental Health Policy Economics 4: 3–8.

Jacobs, D. F. (1987): Cost-effectiveness of specialized psychological programs for reducing hospital stays and outpatient visits. J. Clin. Psychol. 43:729–735.

Katon, W. J.; Roy-Byrne, P.; Russo, J.; Cowley, D. (2002): Cost-effectiveness and Cost Offset of a Collaborative Care Intervention for Primary Care Patients with Panic Disorder. Arch. Gen. Psychiat. 59:1098–1104.

Kersting, A.; Lamprecht, F. (1996): Ein integratives psychoanalytisches Behandlungskonzept zur Behandlung psychosomatisch erkrankter Mütter mit Kindern im Vorschulalter. Projektbericht. Die Psychotherapeutin 4:109–112.

Kraft, S.; Puschner, B.; Kordy, H. (2004): Inanspruchnahme medizinischer Gesundheitsleistungen vor Beginn einer ambulanten Psychotherapie. In: Vogel, H.; Wasem, J. (Hg.): Gesundheitsökonomie in Psychotherapie und Psychiatrie. Stuttgart, New York, S. 109–118.

Krauth, C.; Weihs, C.; Lamprecht, F.; Kersting, A.; Schwartz, F. W. (2000): Indirekte Kosten und Zeitkosten in der (ambulanten) Rehabilitation von psychosomatisch erkrankten Müttern mit Kindern im Vorschulalter. Das Gesundheitswesen 62: 457–462.

Krauth, C.; Buser, K.; Vogel, H. (2004): Die gesellschaftlichen Kosten von Essstörungen – Krankheitskostenanalysen zu Anorexia nervosa und Bulimia nervosa. In: Vogel, H.; Wasem, J. (Hg.): Gesundheitsökonomie in Psychotherapie und Psychiatrie Stuttgart, S. 153–173.

Krauth, C.; Rieger, J.; Bönisch, A.; Ehlebracht-König, I.; Schwartz, F. W. (2005): Gesundheitsökonomische Evaluation eines Patientenschulungsprogramms Spondylitis ankylosans in der stationären Rehabilitation. In: Peter, F. (Hg.): Prädiktion, Verfahrensoptimierung und Kosten in der medizinischen Rehabilitation. 2. Auflage. Regensburg, S. 103–143.

Lamprecht, F. (1996): Die ökonomischen Folgen von Fehlbehandlungen psychosomatischer und somatopsychischer Erkrankungen. Z. Psychosom. Med. Psychother. 46: 283–291.

Lupke, U.; Ehlert, U.; Hellhammer, D. (1995): Effekte psychologischer Behandlung im Allgemeinkrankenhaus: Verlaufsuntersuchung an Patienten mit Somatisierungsverhalten. Z. Psychosom. Med. Psychother. 45: 358–365.

Mumford, E.; Schlesinger, H. J.; Glass, G. V.; Patrick, C.; Cuerdon, T. (1984): A new look at evidence about reduced cost of medical utilization following mental health treatment. Am J. Psychiat. 141: 1145–1158.

Mumford, E.; Schlesinger, H. J.; Glass, G. V.; Patrick, C.; Cuerdon, T. (1998): A new look at evidence about reduced cost of medical utilization following mental health treatment. Journal of Psychotherapy, Practice a. Research 7: 65–86.

Schlesinger, H. J.; Mumford, E.; Glass, G. V.; Patrick, C.; Sharfstein, S. (1983): Mental Health Treatment and Medical Care Utilization in a

Fee-for-Service System: Outpatient Mental Health Treatment following the Onset of a Chronic Disease. Am. J. Public Health 73: 422–429.

Schmidt, J. (1991): Evaluation einer psychosomatischen Klinik. Frankfurt.

Schmidt, J. (2004): 3 Möglichkeiten und Grenzen von Kosten-Ergebnis-Analysen im Bereich Psychosomatik und Psychotherapie. In: Vogel, H., Wasem, J. (Hg.): Gesundheitsökonomie in Psychotherapie und Psychiatrie. Stuttgart, New York, S. 32–42.

Schöffski, O.; Greiner, W. (2000): Das QUALY-Konzept zur Verknüpfung von Lebensqualitätseffekten mit den ökonomischen Daten. In: Schöffski, O.; von der Schulenburg J. M. G. (Hg.): Gesundheitsökonomische Evaluation, 2. Auflage. Berlin, S. 367–399.

Segerstrom, S. C.; Miller, G. E. (2004): Psychological Stress and the Human Immune System: A Meta-Analytic Study of 30 Years of Inquiry. Psychol. Bull. 130: 601–630.

Simon, G.; von Korff, M.; Barlow, W. (1995): Health care costs of primary care patients with recognized depression. Arch. Gen. Psychiat. 52: 850–856.

Smith, G. R.; Monson, R. A.; Ray, D. C. (1986): Psychiatric Consulation in Somatization Disorder A randomized controlled study. New Engl. J. Med. 314: 1407–1413.

Statistische Bundesamt (2005) 2003. Gesundheitsausgaben je Einwohner bei 2 900 Euro. Versicherungsmedizin 57: 71.

Walter, U.; Hoopmann, M.; Krauth, C.; Reichle, C.; Schwartz, F. W. (2002): Unspezifische Rückenbeschwerden. Medizinische und ökonomische Bewertung eines ambulanten Präventionsansatzes. Deutsches Ärzteblatt 34-35/ Jg. 99: A2257–2261.

Williams, R.; Schneiderman, N.; Relman, A.; Angell, M. (2002): Resolved: Psychosocial Interventions Can Improve Clinical Outcomes in Organic Disease – Rebuttals and Closing Arguments. Psychosom. Med. 64: 549–570.

Wittchen, H. U. (2000) Bedarfsgerechte Versorgung psychischer Störungen – Abschätzung aufgrund epidemiologischer, bevölkerungsbezogener Daten. Expertise im Zusammenhang mit der Befragung von Fachgesellschaften durch den Sachverständigenrat für die Konzertierte Aktion im Gesundheitswesen, im Auftrag der Allianz psychotherapeutischer Fach- und Berufsverbände. In: Homepage des Sachverständigenrates für die Konzentrierte Aktion im Gesundheitswesen. http://www.syr-gesundheit.de/befragung/id-nummern/004.pdf (08.11.2003)

Wittmann, W. (1987): Zielsetzungen, Modelle und Bewertungsmöglichkeiten des Erfolgs rehabilitativer Maßnahmen der gesetzlichen Rentenversicherung. Bundeskongress für Rehabilitation, Arbeitsgruppe »Forschung«. Karlsruhe, S. 223–231.

Zielke, M. (1993): Wirksamkeit stationärer Verhaltenstherapie. Weinheim.

Zielke, M. (2004): Krankheitskosten für psychosomatische Erkrankungen in Deutschland und Reduktionspotentiale durch verhaltensmedizinische Interventionen. In: Vogel, H.; Wasem, J. (Hg.): Gesundheitsökonomie in Psychotherapie und Psychiatrie. Stuttgart, New York, S. 215–238.

Bernd Sprenger

Grenzen und Grenzüberschreitungen der Ökonomie in der stationären Psychotherapie

Die alltäglichen Erfahrungen von Grenzüberschreitung und Grenzziehungen in der stationären Therapie

Wenn man sich mit Grenzüberschreitungen der Ökonomie in der stationären Psychotherapie befassen will, kommt man nicht umhin, auch die »Grenzziehungen der Psychotherapie« zu benennen. Deshalb sollen zur Einleitung drei alltägliche Beispiele sowohl für das eine wie für das andere angeführt werden, die jedem geläufig sind, der im Rahmen einer stationären psychotherapeutischen Einrichtung arbeitet.

1. Grenzüberschreitung
Wenn wir die durchschnittliche Verweildauer in stationär-psychotherapeutischen Behandlungen anschauen, stellen wir fest, dass diese seit Jahren sinkt – und zwar quer über alle Indikationen hinweg und in allen Settings. Das sieht man in Akut- und Rehabilitationskliniken, im Zuständigkeitsbereich der gesetzlichen Krankenkassen ebenso wie im Bereich der privaten Krankenversicherungen.

Diese Verweildauersenkung ist fast ausschließlich ökonomisch motiviert und äußert sich im Alltag in kürzeren Kostenzusagen für stationäre Behandlungen durch die Kostenträger. Parallel dazu sehen wir immer mehr Ich-strukturelle Störungen in der stationären Therapie, die tendenziell eher längere Verweildauern rechtfertigen würden; es ist wissenschaftlich schon lange nicht mehr umstritten, dass diese eines höheren Aufwands – und mithin längere Therapiezeiten – bedürfen als etwa psychoneurotische Störungen.

»Verkauft« wird diese Verweildauersenkung häufig als »therapeutisch sinnvoll«. Wir finden dabei in der Psychotherapie eine ähnliche Entwicklung wie in der Medizin überhaupt: Die Verknappung des therapeutischen Angebots wird nicht klar beim Namen benannt, sondern verschleiert – die Grenze zwischen ökonomischer Motivation und medizinischer Sinnhaltigkeit wird zumindest verwischt.

2. Grenzüberschreitung

Bei der Diskussion um sinnvolle therapeutische Behandlungsstrategien scheitert das medizinisch Sinnvolle häufig ausschließlich an der strukturell unterschiedlichen Zuständigkeit von Kostenträgern nach den Vorgaben des Sozialgesetzbuchs. Die gesetzliche Krankenversicherung ist für die Akutmedizin leistungspflichtig, die Rentenversicherer für die Rehabilitationsmedizin. Diese Konstruktion, insbesondere im Reha-Bereich, war ursprünglich sehr sinnvoll: das Prinzip »Reha vor Rente« soll dafür sorgen, dass Menschen, die versehrt sind, in den Arbeitsprozess zurückkehren können, anstatt passive Rentenempfänger zu werden. In Zeiten hoher Arbeitslosigkeit treten die Nachteile dieser Zweiteilung mehr ins Blickfeld.

Die Diskussionen, wann ein Fall in die akute Psychosomatik gehört und wann in die Reha, werden mit zum Teil absurden Argumenten geführt – weil es nämlich eher selten um die inhaltlich sinnvollste Therapie geht, sondern darum, dass die ökonomischen Interessen der GKV und der Rentenversicherung verschieden sind. Das sind sie deshalb, weil der Auftrag der Kranken- und Rentenversicherung gesetzlich gänzlich verschieden definiert sind – im einen Fall Krankenbehandlung, im anderen Verzögerung des Zeitpunktes, ab dem die Rentenzahlung fällig wird. Die Manager der beiden Bereiche haben natürlich ein hohes Interesse daran, dass möglichst wenig das eigene Budget belastet wird und sind froh, wenn ein Fall in den Zuständigkeitsbereich des jeweils anderen Sektors gehört.

Ein vergleichbares Phänomen kann man bei suchtkranken Privatversicherten erleben: Da die privaten Krankenversicherungen die Entwöhnungsmaßnahmen für Suchtkrankheiten von ihrer

Leistungspflicht ausschließen (aus rein ökonomischen Gründen –
Süchtige sind »schlechte Risiken«), wird vielerorts eine Sucht-
diagnose verschleiert. Es wird dann eine »sekundäre Abhängig-
keitsentwicklung«, zum Beispiel nach Depression, diagnostiziert,
auch wenn es sich primär um eine Suchterkrankung handelt. Eine
klare Grenzüberschreitung, in diesem Fall durch denjenigen, der
die Diagnose stellt.

3. Grenzüberschreitung
Geschäftsführer oder Verwaltungsleiter von Kliniken, die unter hohem Kostendruck stehen, ordnen nach ökonomischen Vorgaben
Personalabbau an. Dabei argumentieren sie »ökonomisch«, sie
meinen damit: Kostensenkung um jeden Preis. Die Grenzüberschreitung besteht darin, »kostensenkend« mit »ökonomisch«
gleichzusetzen. Alle (kostenintensiven!) Nebeneffekte von dieser
Art des Sparens werden ausgeblendet.

1. Grenzziehung
Chefärzte geben es auf, die zunehmend divergierenden Kräfte innerhalb der Institution integrieren zu wollen. Sie ziehen sich aufs
»rein Medizinische« zurück (häufig ein bisschen beleidigt, weil
plötzlich die Ökonomen im Klinikum das Sagen haben), oder sie
kümmern sich hauptsächlich um die Privatstation und mischen
sich beim Rest nicht mehr ein. Die Führungsaufgabe des Chefarz-
tes wird nicht (mehr) als ganzheitliche Aufgabe, bezogen auf die
Abteilung oder Klinik, gesehen, sondern nur noch im Sinne des
»Spezialisten für Medizin«.

2. Grenzziehung
Therapeutisches Personal oder die Personalvertretung weigern
sich hartnäckig, ökonomisch motivierte Veränderungen in Organi-
sationsabläufen zu diskutieren oder ihre Umsetzung zu unterstützen: »Die von der Leitung machen ja eh, was sie wollen ...«, lautet die resignierte bis aggressive Rationalisierung dieses Verhaltens. Hier werden die ökonomischen Aspekte des eigenen Tuns und
die Notwendigkeit, sie zu berücksichtigen, entweder durch »Abgrenzung« ausgeblendet oder an die Leitung des Hauses delegiert.

3. Grenzziehung

Manche Patienten empfinden es als Zumutung, wenn sie innerhalb des – mehr oder weniger regressionsfördernden – Settings der stationären psychosomatischen oder psychotherapeutischen Behandlung aufgefordert werden, sich mit ihren realen Zukunftsperspektiven (zum Beispiel den beruflichen) zu beschäftigen. Sie wehren sich aktiv dagegen, die handfeste Basis ihrer Existenz und deren Zukunft zum Gegenstand der Therapie zu machen, auch wenn dies in jeder Hinsicht sinnvoll erscheint.

Der Einfluss der Rolle im System auf die Wahrnehmung von Grenzen

Wer im psychosozialen Feld arbeitet, weiß in der Regel, dass die Beurteilung von Grenzen stark von der jeweiligen Rolle im System abhängt. Das gilt für die Frage, ob und welche Grenzziehungen legitim sind und welche Grenzüberschreitungen vielleicht sogar nötig sind. Schauen wir uns diesen Einfluss der Rolle noch einmal genauer an.

Ärzte/Therapeuten

Von ihrem klassischen Rollenverständnis her gehört es bisher nicht zu den Aufgaben von Ärzten oder Therapeuten, ökonomisch zu denken.

Bei Psychotherapeuten kommt noch sozusagen problemverschärfend hinzu, dass sie die Spezialisten für die »innere Welt« sind. Die Zeiten sind noch gar nicht lange vorbei, wo man in vielen (insbesondere analytisch ausgerichteten) Kliniken streng darauf Wert legte, dass der »therapeutische Raum« und der »Realraum« eine strikte Trennung erfahren. Das befördert die Tendenz, die »äußeren Notwendigkeiten« mindestens als Störgröße zu begreifen, wenn nicht gar als »therapieverhindernd«.

Eine – möglicherweise deutsche – Spezialität kommt hinzu: die Diskussion um das Spannungsfeld zwischen Ökonomie und therapeutischer Notwendigkeit wird schnell hochmoralisch aufgeladen. Wenn man die Veröffentlichungen zu diesen Themen in den diversen Ärzteblättern durch die letzten Jahre hindurch verfolgt, fällt auf, dass häufig im Ton des moralischen Weltuntergangs argumentiert wird, wenn jemand die simple Wahrheit ausspricht, dass auch die medizinische Ressourcenallokation von ökonomischen Rahmenbedingungen abhängt. »Monetik statt Ethik« lautet die Überschrift, oder »Demontage der freien Berufe« oder »Vom Anwalt des Patienten zum dreisten Geschäftemacher« usw.

Die meisten Ärzte und Therapeuten, die ich kenne, empfinden es als enorme Zumutung, dass sie auch administrative Tätigkeiten übernehmen sollen. Die Forderung gar das eigene Tun ökonomisch zu gestalten wird geradezu als »unanständig« empfunden. Die Identifikation mit dem »reinen Bild des Arztes« ist häufig stark libidinös besetzt, der Hinweis auf ökonomische Notwendigkeiten wird nicht selten als narzisstische Kränkung verarbeitet.

Soweit die Kolleginnen und Kollegen noch in der Ausbildung sind, berichten sie unisono darüber, dass ökonomische Aspekte der Therapieplanung, also etwa die Frage, welches die effektivste Therapie zu günstigsten Preisen mit der wenigsten Belastung für den Patienten sei, höchst selten eine Rolle spielen. Man lehrt Therapie kontextfrei von ökonomischen Rahmenbedingungen.

Dazu passt auch, dass die meisten Ärzte und Therapeuten aufrichtig empört reagieren, wenn man sie als »Dienstleister« tituliert. Ich wage zu behaupten, dass das Thema »Ökonomie« erheblich entspannter gehandhabt würde, wenn wir akzeptieren würden, dass auch wir Teil einer Dienstleistungsbranche sind.

Verwaltungsleiter/Geschäftsführer
Die Ökonomen im System hatten über Jahrzehnte eine deutlich nachgeordnete Rolle im System »Klinik«. Ein Vorstand einer großen Krankenhauskette hat mir gegenüber einmal wörtlich formuliert: »Verwaltungsleiter in Krankenhäusern sind Herbergsväter, nicht mehr. Es reicht, wenn die eine gewaschene von einer ungewaschenen Wolldecke unterscheiden können.« Dieser entwertenden Position stand über viele Jahre der idealisierte »Halbgott in Weiß« gegenüber.

Seit einigen Jahren kehren sich die Machtverhältnisse im Krankenhaus um: Spätestens im Zeitalter der DRGs (Diagnosis related groups, Fallpauschalen) sind häufig die Ökonomen die wirklichen Chefs im System. Die Verteilung der narzisstischen Gratifikation ist entsprechend dabei, sich um 180 Grad zu drehen: Die grandiose Seite ist jetzt vom Ökonomen besetzt, für den Arzt bleibt die minderwertige.

Man trifft heute in Kliniken manchmal auf Vertreter der Ökonomie, die ein seltsames Desinteresse am Verständnis des Gegenstands ihrer wirtschaftlichen Bemühungen haben – sie tun so, als wäre ein Krankenhaus dasselbe wie eine Reifenfabrik, nur weil hier wie dort die gleichen Bilanzierungsregeln gelten. Mit anderen Worten: Die Bereitschaft und das Bemühen, die Spezifika des Betriebs »Medizin« oder gar des spezielleren Betriebs »Psychosomatische Klinik« zu erfassen, sind sehr begrenzt.

Patienten

Die weitaus meisten Patienten in Deutschland halten die jeweils teuerste medizinische Versorgung für sich selbst (auf Kosten der Solidargemeinschaft) für ein selbstverständliches Grundrecht, wenn nicht sogar für ein grundsätzlich nicht hinterfragbares Menschenrecht. Was die Fragen nach Kosten, Kosten-Nutzen-Analysen oder ähnliche ökonomische Überlegungen angeht, haben sie sich seit Jahrzehnten mit den Ärzten und Therapeuten verbündet in der Meinung, dass diese Fragen quasi unanständig seien – in jedem Fall sind sie unmoralisch. Insistiert jemand trotzdem auf dem Thema, wird er dann nicht selten mit dem Totschlagargument ruhig gestellt, dass man in einem Land, das einen Doktor Mengele hervorgebracht hat, ja wohl nicht ernsthaft über Kosten-Nutzen-Verhältnisse von Heilbehandlungen reden könne, ohne tief beschämt zu sein.

In meiner Klinik behandeln wir relativ viele Ausländer, und es ist für mich immer wieder frappant, den Unterschied in der Herangehensweise an ökonomische Fragen der Klinikbehandlung zwischen deutschen und ausländischen Patienten zu sehen. Grob gesagt, könnte man formulieren: Je angelsächsischer geprägt die Kultur ist, aus der der Patient kommt, desto unbefangener und selbstverständlicher gehen die Patienten mit den ökonomischen Aspekten der Therapie um.

Direkt verbunden mit der »antiökonomischen« Haltung deutscher Patienten ist denn auch eine breite Akzeptanz der paternalistischen Rolle, die die Behandler spielen. Im Krankenhaus werden Verhaltensweisen akzeptiert, die in jedem anderen Kontext zum Aufstand der Kundschaft führen würden: vom stundenlangen Wartenmüssen über unsinnige Doppeluntersuchungen bis zu allen Formen extrem autoritären oder schlicht schnoddrigen Verhaltens des Personals – der Patient leidet stumm.

Patienten begreifen sich in ihrer Mehrheit keineswegs als Kunden eines Dienstleistungssystems – deshalb sind auch die Stimmen der Patientensprecher in den vielen Reformgremien der Dauerbaustelle »Gesundheitssystem« so leise.

Diese Rollenspezifika führen dazu, dass innerhalb des Systems »stationäre Psychotherapie« die Grenzen zwischen medizinischer Behandlungsnotwendigkeit und Ressourcenoptimierung – also ökonomischer Notwendigkeit – sehr starr und manchmal geradezu undurchlässig sind.

Konsequenzen für das System »stationäre Psychotherapie«

– Es entsteht eine Spaltungsdynamik zwischen medizinischer und ökonomischer Notwendigkeit; diese Spaltung wird nicht selten strukturell zementiert. Durch die »Arbeitsteilung« genannte Abschottung von Medizinern einerseits und Ökonomen andererseits ziehen beide zwar am selben Strick, aber an entgegengesetzten Enden.
– Es entsteht ein Klima von Unaufrichtigkeit: Die tatsächlichen Motive von Entscheidungen und Maßnahmen werden von den Protagonisten der Ökonomie wie von der medizinischen Seite nicht mehr transparent kommuniziert, sondern häufig eher verschleiert (z. B. beim Personalabbau).
– Man trifft oft auf ein Klima permanenter »Grabenkämpfe« zwischen ökonomischen und therapeutischen Interessen.
– Die Kräfte werden nicht mehr gebündelt und auf die gemeinsame Aufgabe fokussiert: nämlich ökonomisch optimal Patien-

ten so gut wie möglich zu betreuen, und das in einem Feld des Wettbewerbs mit anderen Anbietern.

Im Gesundheitswesen insgesamt spiegelt sich diese Dynamik im Großen: Egal, welche Kostendämpfungsmaßnahmen in den letzten Jahren ergriffen worden sind, das System frisst jeden Vorteil innerhalb kürzester Zeit wieder auf. Die Handelnden sind zunehmend demotiviert und frustriert, und bei jeder Meldung über defizitäre Entwicklungen bei den Budgets im Gesundheitswesen hebt der Reigen der Schuldzuweisungen an.

Der ehemalige »Traumberuf« Arzt findet nicht mehr genügend Interessenten. Bemerkenswert dabei ist der schleichende Charakter dieses Prozesses. Vermutlich liegt das auch daran, dass wir es mit einer starken Wechselwirkung zwischen faktischen (sozioökonomischen) Prozessen der realen äußeren Wirklichkeit und inneren Mentalitätsprozessen zu tun haben, zum Beispiel der Demotivierung des Fachpersonals.

Was ist eigentlich »Ökonomie«, und wie sieht die Einbindung ökonomischer Aspekte in gutes ärztliches Handeln aus?

Oikos bedeutet Haus auf griechisch und Nomos Gesetz – Oikonomia ist die Einteilung, die Ordnung im Haus. Es geht also immer um die Optimierung des Umgangs mit vorhandenen Ressourcen – und zwar kurz-, mittel- und langfristig.

Die Verkürzung des Verständnisses von Ökonomie auf das Thema »Kosten sparen« ist ungefähr so weit gedacht wie wenn jemand sagt, bei Sigmund Freuds Schriften geht es ausschließlich um Sex.

Ich habe keinen Zweifel daran, dass die moderne Tendenz zur Vereinfachung von Komplexität um jeden Preis dazu beiträgt, Zerrbilder ökonomischen Denkens zu befördern. Gefährlich wird es, wenn diese Zerrbilder handlungsleitend werden.

Hier haben wir Ärzte in den letzten zehn Jahren einen großen Fehler gemacht durch die hartnäckige Weigerung, das ökonomische Feld verantwortungsvoll zu pflegen. Berufspolitisch und in den öffentlichen Äußerungen führender Mitglieder der verfassten Ärzteschaft kann man diese Weigerung bis auf den heutigen Tag studieren. Es wird nach wie vor unverdrossen behauptet, Ökonomie und Medizin seien unvereinbare Gegensätze. Man übersieht, dass es sich zwar um Polaritäten handelt, aber eben um Pole eines zusammengehörigen Kontinuums. In der Folge wird dann häufig eine quasi von jedem ökonomischen Druck befreite Zone für die Ärzte gefordert.

Ich möchte zunächst allgemein etwas zur Haltung sagen, die wir brauchen, um Ökonomie und Psychotherapie aus der Spaltungsfalle zu befreien, und dann ein paar konkrete anschauliche Beispiele benennen:

— Ethik und Ökonomie sind keine Gegensätze, sondern gehören untrennbar zusammen. Allerdings ist schon entscheidend, in welcher Reihenfolge: Wenn sich die Ethik nach dem Geldverdienen richten muss, wird sie leicht korrumpiert. Andererseits: Ethik kann nur dann ihren Anspruch behalten, wenn die ökonomische Basis erhalten bleibt, auf der dieser Anspruch steht.

— *Alle* handelnden Personen einer Klinik, Station usw. müssen in der Lage sein, die beiden Pole der Ökonomie und der therapeutischen Notwendigkeit in sich zu »containen«, wie wir in der Therapie sagen würden. Dies gilt umso mehr, je mehr jemand Führungsverantwortung im System hat.

— Strukturell muss das heißen, dass leitende Ärzte konkret mehr ökonomische Verantwortung übertragen erhalten müssen; dies sollte sich auch sichtbar ausdrücken zum Beispiel in einer Gesamtergebnisbeteiligung einer Klinik statt der Möglichkeit zur Privatliquidation.

— Die ökonomische Verantwortung sollte im System so weit nach unten verlagert werden wie möglich. Dies kann zum Beispiel durch die Bildung von Budgets erfolgen, über die Mitarbeiter in Subsystemen eigenständig verfügen können und für deren ökonomischen Einsatz sie verantwortlich sind.

Was heißt das konkret für die stationäre Psychotherapie?

Grenzüberschreitungen sollten für uns keine befürchtete Katastrophe, sondern eine gute Gelegenheit sein, unsere Kompetenz zu beweisen.

Psychotherapie und Psychosomatik sind doch die Grenzüberschreitungsfächer schlechthin – wir haben eigentlich die besten Voraussetzungen, integrativ zu sein.

Die Integration von somatischer und psychotherapeutischer Behandlung, von psychopharmakologischem Vorgehen und multiprofessioneller Therapie ist Alltag in der stationären Psychotherapie.

Ich möchte die These wagen, dass die Ausgrenzung des Ökonomischen verhältnismäßig willkürlich ist – genauso gut könnte man das Somatische ausgrenzen.

Wenn wir psychosomatische Behandlung auffassen als die Aufgabe, dem Patienten wieder zu mehr Freiheit in seiner Lebensgestaltung verhelfen, drängt sich die Integration des ökonomischen Blickwinkels geradezu auf:

– Behandlungsplanung: ich halte es sowohl ökonomisch wie therapeutisch für äußerst sinnvoll, die Therapieziele sowie die Planung konkreter Schritte mit dem Patienten genau so durchzusprechen, wie man das etwa bei der Planung einer größeren Urlaubsreise tun würde. Was ist wann und warum sinnvoll? Welche Zeiten müssen eingeplant werden und was kostet das Ganze? Dabei kann man übrigens den Widerstand mancher Patienten gegen das Realitätsprinzip sehr gut therapeutisch zum Thema machen.

– Behandlungsdurchführung: Viele psychosomatisch Kranke haben, unabhängig von der konkreten Diagnose, das Gefühl für die eigene Selbstwirksamkeit verloren. Die Forderung an sie, sich aktiv an der Genesung zu beteiligen, ist nicht nur ökonomisch sinnvoll, sondern per se gesund – verweist sie doch auf die Selbstverantwortung, aber auch auf die Möglichkeit zur Selbststeuerung des Patienten.

– Vernetzung von Behandlungsmöglichkeiten: Je mehr wir Behandler gezwungen sind, auch ökonomisch zu denken, desto mehr ist es sinnvoll, sich über die Kooperation verschiedener Sektoren des Systems zu verständigen. Das betrifft die Behandlungskette ambulant – stationär – tagesklinisch, aber auch die passgenaue Vernetzung akutstationärer und rehabilitativer Maßnahmen oder die Verständigung zwischen Fachtherapeut, Selbsthilfegruppe und Hausarzt.

Auch hierbei gerät es sehr zum Nutzen des Patienten, wenn man ihn von vornherein in die »Vernetzungsplanung« einbindet.

– Berufswelt einbeziehen: Es begegnet mir immer wieder, dass Patienten etwa von Amtsärzten lieber schnell zur Rente geraten wird, als dass man sich um die Genesung und Wiedereingliederung bemüht. Das hängt zum einen mit der Zersplitterung von Zuständigkeiten zusammen, zum andern mit der Überforderung vieler Amtsärzte, wenn es um psychosomatische Zusammenhänge geht, und auch mit der Neigung mancher Vorgesetzter, »schwierige« Untergebene lieber loszuwerden, als sich mit ihnen auseinander zu setzen. Das ist für den betroffenen Patienten nicht selten eine mittlere Katastrophe, weil er für den Rest seines Lebens quasi amtlich bestätigt bekommt, wie unheilbar krank er ist. Ökonomisch sinnvoll ist das überhaupt nicht, wie man leicht ausrechnen kann.

Ich halte es durchaus für eine wichtige ärztliche Aufgabe, sich da einzumischen – auch wenn es nach bisherigen Kriterien eine klare Grenzüberschreitung darstellt. Wir machen bei vielen Patienten, wo wir eine solche »Einmischungspolitik« betreiben, im Schnitt sehr gute Erfahrungen.

Schlussfolgerungen

Wie schon deutlich wurde, plädiere ich dafür, Grenzüberschreitungen zwischen Ökonomie und stationärer Psychotherapie sehr wohl vorzunehmen – aber aktiv, bewusst und mit einem klaren Konzept im Hinterkopf.

Ich bin davon überzeugt, dass wir uns in vielen aktuellen gesundheitspolitischen oder institutionsinternen Diskussionen sehr

viel leichter tun würden, wenn wir den »Einbruch der Ökonomie«
in unser bisher weitgehend geschütztes therapeutisches Biotop
nicht als abzuwehrende Bedrohung, sondern als willkommene Ge-
staltungsmöglichkeit auffassen würden.

Das setzt allerdings ein leicht verändertes Selbstverständnis in
der Rolle des Klinikleiters oder des Oberarztes voraus, in der Folge
letztlich jedes therapeutischen Mitarbeiters.

Im Grunde genommen geht es gar nicht so sehr um die Grenzziehung oder die Grenzüberschreitung zwischen den Bereichen
der Ökonomie und der Medizin, sondern um die Frage, wie man
beide Bereiche integrativ behandeln kann.

Und auch hier sind psychosomatisch Tätige nicht unerfahren –
schließlich beschäftigt uns die Frage der Integration verschiedener
Therapieverfahren in ein für den Patienten sinnvolles Ganzes
schon eine ganze Weile, und es gibt in den verschiedenen Kliniken
durchaus verschiedene und erfolgreiche Lösungen für diese Frage.
Ich sehe keinen Grund, warum uns das nicht auch für das Span-
nungsverhältnis zwischen ökonomisch Machbarem und medizinisch Sinnvollem gelingen sollte.

Cornelia Albani und Michael Geyer

Zu kurz, um wahr zu sein? – Kurze und langfristige Wirkungen von Psychotherapie

Entwicklungen in den USA gelten häufig als wegweisend auch für europäische Prozesse. Im Gesundheitssystem stehen in Deutschland gravierende Änderungen an. Wie sich das beispielsweise auf die psychotherapeutische Versorgung auswirken könnte, zeigen Befunde aus den USA, wo die Krankenversorgung nicht privat Versicherter durch auf Profit ausgerichtete Versicherungsunternehmen (»Managed Care Organisations«, MCOs) organisiert und kontrolliert wird: Olfson et al. (2002) untersuchten in einer repräsentativen Erhebung die ambulante psychotherapeutische Versorgung in den USA im Vergleich zwischen 1987 und 1997. Der Anteil der medikamentösen Behandlungen erhöhte sich drastisch (Behandlung mit Antidepressiva 1987: 14,4 % vs. 1997: 48,6 %), während der Anteil an Psychotherapie insgesamt nicht stieg. Aber vor allem ältere Menschen (55.–64. Lebensjahr) und Arbeitslose nahmen 1997 häufiger Psychotherapie in Anspruch als 1987. Der Anteil der Patienten, die mehr als 20 Stunden Psychotherapie erhielten, verringerte sich im Vergleichszeitraum signifikant (1987: 15,7 %, 1997: 10,3 %). Vergleiche zwischen beiden Untersuchungszeitpunkten für kürzere Psychotherapien ergaben keine statistisch signifikanten Veränderungen (1–2 Stunden Psychotherapie 1987: 33,5 % und 1997: 35,3 %; 3–10 Stunden Psychotherapie 1987: 37,1 % und 1997: 39,8 % und 11–20 Stunden Psychotherapie 1987: 13,7 % und 1997: 14,7 %).

Es bestehen auch hierzulande Forderungen nach kurzen, ökonomischen psychotherapeutischen Behandlungen, wie sie beispielsweise von Grawe formuliert wurden:

»Für die Versorgungsplanung und Kostenrechnung ist davon

auszugehen, dass die Wirkungen, die mit Psychotherapie erreichbar sind, in der Regel innerhalb eines Jahres mit einem durchschnittlichen Aufwand von nicht mehr als vierzig bis fünfzig Therapiesitzungen erreicht werden können« (Grawe et al. 1994, S. 697).

Im Folgenden soll der Frage nach den Wirkungen von Psychotherapie in Abhängigkeit von der Therapiezeit nachgegangen und solche Forderungen nach kurzen Therapien und deren Kontext kritisch reflektiert werden.

Interessenlage: Gibt es politische, ökonomische und/oder berufs- und fachpolitische Interessen an Forschungsergebnissen im Sinne von »kurz behandeln genügt«?

Die Frage, ob es politische, ökonomische und/oder berufs- und fachpolitische Interessen an Forschungsergebnissen im Sinne von »kurz behandeln genügt« gibt, lässt sich klar bejahen. Politisch-ökonomische Interessen bestehen an allem, was Kosten reduziert.

Ideologische Interessen offenbaren sich im Machbarkeitswahn und der Phantasie von der Manipulierbarkeit des Menschen innerhalb biologistischer Konzepte vom menschlichen Seelenleben.

Aus berufs- und fachpolitischer Sicht entsprechen kurze, insbesondere symptomorientierte Therapieformen dem Denken der somatischen Medizin, das beispielsweise auch in der ICD-Diagnostik, die nur Zielsymptome für pharmakologische oder technische Ansätze bietet, ersichtlich wird. Symptomorientierte Verfahren sind dem pharmakologischen Paradigma angepasst, das auch in weiten Bereichen der Psychiatrie vertreten wird, und entsprechen dem derzeitigen Trend der akademischen Psychologie, speziell der akademisch verankerten Verhaltenstherapie mit manualisierten, spezifischen monostörungsorientierten Techniken.

Forschungspolitik: Werden zum geltenden »Goldstandard« empirischer Forschung konkurrierende Forschungsansätze und -methoden verhindert oder deren Ergebnisse unterdrückt?

Auch die Frage, ob zum geltenden Goldstandard empirischer For-schung konkurrierende Forschungsansätze und -methoden verhin-dert und deren Ergebnisse unterdrückt werden, lässt sich klar be-jahen. Verhindert werden andere Forschungsansätze z. B. durch apodiktische Festlegungen der maßgeblichen Organisationen über die Art von Forschung, die überhaupt zulässig ist.

Das Paradigma der pharmakologischen Forschung »RCT« (randomisierte kontrollierte Studien) als Grundlage von »Em-pirically Supported Therapies« (EST) und von »Evidence Based Medicine« (EBM) wurde beispielsweise von der »Cochrane Col-laboration«, der »EBM Working Group« und auch der »APA Task Force on Promotion and Dissemination of Psychological Pro-cedures« im Wettbewerb im Medizinsektor als »Goldstandard« für die Beurteilung der Wirksamkeit psychotherapeutischer Interven-tionen übernommen, obwohl dieses Paradigma für die Psycho-therapieforschung ungeeignet ist (Wampold 2001). RCTs haben bessere Reputation (Kallert u. Schutzwohl 2002) und sind leichter publizierbar.

Sicherlich gibt es in der Forschungspolitik nicht nur die be-wusste, vorsätzliche Einflussnahme, sondern auch einen »For-scher-Bias«. So kann 69 % der Effekt-Stärken-Variabilität von kontrollierten Studien durch die Zentrums-Zugehörigkeit des je-weiligen Forschers erklärt werden (Messer 2002) – das heißt: dass der Forscher aus einem Zentrum kommt, in dem für eine be-stimmte Behandlung die »Evidence-Basierung« geleistet werden soll, hat erheblichen Einfluss auf die Ergebnisse der RCT-Studie.

Praxisrelevanz von RCT-Psychotherapiestudien: Wie repräsentativ sind RCT-Studien für die therapeutische Praxis?

Seit einiger Zeit mehren sich kritische Stimmen bezüglich der Praxisrelevanz solcher RCT-Studien. Nachfolgend werden einige Gründe aufgeführt, warum RCT-Studienbedingungen nicht repräsentativ für die therapeutische Praxis sind.

– Die Grundannahmen der »Empirically Supported Therapies«, dass psychische Prozesse und psychopathologische Phänomene stark veränderbar sind und seelische Störungen unabhängig von Persönlichkeitsfaktoren (und -störungen) behandelt werden können, gelten nicht (Westen et al. 2004).

– Selektionskriterien für RCT führen zwar zu homogenen Gruppen (Behandlung eines spezifischen, monosymptomatischen Störungsbildes), solche homogenen Gruppen sind für Praxisklientele aber nicht repräsentativ. Die Mehrzahl der Patienten leidet eben nicht nur an einem Problem und kann auch nicht behandelt werden, als ob dies zuträfe (Tschuschke 2005).

– RCT-Studien entsprechen bezüglich der Therapiedauer nicht den Praxisbedingungen. In Grawes Metaanalyse (Grawe et al. 1994), die Grundlage für dessen sicher grundsätzlich nicht unberechtigte, aber polemische Kritik an psychodynamischen Behandlungsmethoden war, wird im Mittel eine sehr kurze Therapiedauer angegeben: für kognitiv behaviorale Therapien 11 Sitzungen, für psychodynamische Therapien 27 Sitzungen und für humanistische Therapien 16 Sitzungen. Naturalistische Studien im englischsprachigen Bereich (Westen et al. 2004) ermittelten dem gegenüber eine Therapiedauer für kognitiv behaviorale Therapien von 69 Sitzungen und für humanistische Therapien von 52 Sitzungen. Eckert und Wuchner (1994) geben anhand ihrer Erhebung bei 320 Gesprächspsychotherapeuten in Deutschland eine mittlere Behandlungsdauer von 69 Sitzungen an. In der von Hartmann in Saarbrücken durchgeführten deutschen Replikation der Consumer-Reports-Studie (Hartmann u. Zepf 2002) ergaben sich auf die Frage, ob die Psychotherapie länger als 2 Jahre gedauert habe (oder bereits dauere) eindrucksvolle

Antworten, die den Befunden aus RCT-Studien widersprechen: 29 % der verhaltenstherapeutisch behandelten Patienten, 42 % der gesprächstherapeutisch behandelten, 50 % der tiefenpsychologisch behandelten und 75 % der psychoanalytisch behandelten Patienten gaben an, länger als 2 Jahre in Psychotherapie zu sein. Diese ausgewählten Befunde zeigen, dass Therapien in der Praxis für alle Behandlungsformen länger als in RCT-Studien dauern. Außerdem wird in RCT-Studien oft nicht angegeben, ob die Untersuchung zum Ende der Therapie innerhalb der Studie (»Post-Testung«) tatsächlich das Behandlungsende darstellt oder ob eine Weiterbehandlung z. B. bei Therapeuten außerhalb der Studie erfolgt.

– RCT-Studien sind auch deshalb nur eingeschränkt auf Praxisbedingungen übertragbar, weil Studientherapeutinnen in der Regel überdurchschnittlich viel Erfahrung haben und engmaschig angeleitet und supervidiert werden (Kächele et al. in Vorb.).

– Auch die als unerlässliches Kriterium für RCT-Studien geltende Randomisierung ist keine hinreichende Bedingung für Vergleichbarkeit, weil durch Randomisierung nur die Gleichverteilung von Variablen, die zum Randomisierungszeitpunkt zu messen sind, erreicht wird. Randomisierung hat aber keinen Einfluss auf Ereignisse oder Variablen, die zwischen der Randomisierung und dem Beurteilungszeitpunkt der Outcome-Variablen liegen (Heusser 1999). Außerdem findet in der Praxis Randomisierung eben gerade nicht statt – Patienten »suchen« sich ihre »passenden« Therapeuten und Therapeuten wählen sich (mehr oder weniger) ihre Patienten aus.

Die kritischen Überlegungen zur Praxisrelevanz von RCT-Psychotherapiestudien zeigen die eingeschränkte Repräsentativität solcher Studien für die psychotherapeutische Praxis.

In künftigen RCT-Studien muss der Faktor Zeit systematischer kontrolliert werden. RCT-Studien sind notwendig, durch strenge Selektionskriterien in ihrer externen Validität aber eingeschränkt (Leichsenring u. Rüger 2004). Naturalistische Studien (»effectiveness studies« = Wirksamkeit unter Praxisbedingungen) sind klinisch repräsentativer und praxisrelevanter, haben aber eine geringere interne Validität (sie überschätzen Therapieeffekte, da Kontrollbedingungen fehlen). Das heißt, RCT und naturalistische Studien haben unterschiedliche Anwendungsbereiche. Für rezidivierende und lang verlaufende Störungen, die durch Persönlichkeitsfaktoren erheblich mit beeinflusst werden, sind RCT-Studien ungeeignet (Westen et al. 2004). Für die Beurteilung der Wirksamkeit von Psychotherapie ist eine Kombination von naturalistischen und kontrollierten Studien notwendig (Guthrie 2000; Seligman 1995).

Kann kürzer genauso effektiv sein wie länger?

Spätestens seit der Widerlegung von Eysencks provokanten Thesen, dass die Spontanremissionsrate bei Neurotikern innerhalb von 2 Jahren auch ohne Psychotherapie 65 % betrage und dass bei Neurosen die Spontanheilungsrate höher als der Heilungserfolg mit Psychotherapie sei, besteht kein Zweifel mehr an der Wirksamkeit von Psychotherapie. Die Reanalyse von Eysencks eigenen Daten (McNeilly u. Howard 1991) zeigte, dass Psychotherapie bereits nach 15 Sitzungen die gleiche Recovery-Rate wie Spontanremission erst nach 2 Jahren bewirkt.

Katamnesestudien zeigen, dass auch die Post-Therapie-Effekte in verschiedenen Therapieformen und bei verschiedenen Störungen stabil sind (Lambert u. Ogles 2004). Teilweise ergeben sich weitere Verbesserungen zwischen Post-Messung und Katamnese (z. B. Bakker et al. 1998).

Probleme bei Katamnesestudien liegen in den teilweise hohen Drop-out-Raten bis zum Katamnesezeitpunkt (bis zu 85 %, z. B. Bakker et al. 1998) und den häufig nicht gleichermaßen katamnestisch verfolgten Kontrollgruppen. Der Katamnesezeitraum beträgt in den meisten Studien weniger als 1 Jahr, es bedarf jedoch einer längeren Nachbeobachtungsphase von mindestes einem Jahr und länger (Lambert u. Ogles 2004). Sehr lange Nachuntersuchungszeiträume haben jedoch den Nachteil, dass Veränderungen immer weniger auf die Therapie zurückgeführt werden können.

Wie viel Psychotherapie ist notwendig?

Zur Frage, wie viel Psychotherapie notwendig ist, zeigte die Consumer-Reports-Studie (Seligman 1995), in der 6900 Personen bezüglich ihrer seelischen Gesundheit befragt wurden, dass länger (> 2 Jahre) andauernde psychotherapeutische Behandlungen als wirksamer eingeschätzt wurden als kürzere, unabhängig von der Art und Schwere der Ausgangsbeschwerden.

Auch die Replikation dieser Studie in Deutschland (Hartmann u. Zepf 2002) anhand der Befragung von 1426 Psychotherapiepatienten, die über die Zeitschrift »Stiftung Warentest« angesprochen wurden, ergab einen Einfluss der Behandlungsdauer: Symptombesserung, Behandlungseffektivität und gebessertes Allgemeinbefinden nehmen mit steigender Therapiedauer zu, wobei sich der statistisch stärkste Effekt bei einer Therapiedauer von mehr als zwei Jahren zeigte. Dabei gaben Männer weniger Symptombesserung, Behandlungseffektivität und Therapiezufriedenheit als Frauen an. Durch einen Eingriff der Kostenträger verringerten sich Symptombesserung und Therapiezufriedenheit. Alter und Schulbildung hatten aber keinen Einfluss auf das Therapieergebnis.

Ergebnisse solcher »Consumer Reports« Untersuchungen sind dadurch eingeschränkt, dass sie retrospektiv erfolgen, nur eine Einschätzung aus Patientensicht beinhalten und durch die freiwillige Teilnahme eine Selektion in Richtung »die Zufriedenen antworten« angenommen werden muss.

Dosis-Wirkungs-Beziehungen

Im Gegensatz zu retrospektiven Studien untersucht die »dose effect research« prospektiv die Wirkungen von Psychotherapie in Abhängigkeit von der Dosis. Howard et al. (1986) zeigten in den 80er Jahren in ihrer Metaanalyse von 2431 Patienten, dass 14 % der Patienten bereits vor der ersten Sitzung gebessert sind (schon die Terminvereinbarung hilft). 53 % der Patienten sind nach 8 Sitzungen (wöchentlich), 75 % nach 26 Sitzungen und 83 % der Patienten nach 52 Sitzungen gebessert. Das heißt je mehr Psychotherapie durchgeführt wird, umso mehr Nutzen, aber je höher die Dosis, umso weniger Nutzen wird auf eine bestimmte Dosis bezogen erzielt: »a positive relationship characterized by a negatively accelerated curve; that is, the more psychotherapy, the greater the probability of improvement with diminishing returns at higher doses« (Kopta et al. 1994, S. 1009).

Eingeschränkt sind diese Ergebnisse dadurch, dass nur Präpost-Vergleiche vorgenommen wurden, aber keine kontinuierliche Messung zwischen den Sitzungen erfolgte.

Inzwischen wurde in weiteren Studien gezeigt, dass damals die »schnellen« Anfangseffekte von Psychotherapie überschätzt wurden – Patienten profitieren auch in späteren Phasen und auch noch nach der Therapie.

Geyer und Reihs (2000) ermittelten in einer Katamnesestudie mit 111 Patienten zur Wirksamkeit psychodynamischer stationärer Psychotherapie, dass sich 32 % der Befunde vom Behandlungsende zum Katamnesezeitpunkt nach 5 Jahren verändert hatten: 19 % der Patienten wurden zum Behandlungsende als ungebessert (verglichen mit dem Therapiebeginn) eingeschätzt, erwiesen sich aber zum Katamnesezeitpunkt als »gut gebessert/geheilt«. 13 % der Patienten wurden zum Behandlungsende als »gut gebessert/ geheilt« eingeschätzt, erwiesen sich aber zum Katamnesezeitpunkt als ungebessert. Das heißt: Um Behandlungseffekte realistisch einschätzen zu können, bedarf es längerfristiger Beobachtungszeiträume.

Es ist deutlich, dass spezifischere Untersuchungen notwendig sind, weil Dosis-Wirkungs-Beziehungen von verschiedenen Größen beeinflusst werden. Zum Beispiel spielen die Therapieerfolgskriterien eine Rolle – je nach »Erfolgskriterium« ergeben sich andere Zusammenhänge – besteht beispielsweise das Erfolgskriterium (nur) in einem »gebesserten Zustand« oder soll ein »klinisch unauffälliger Zustand« erreicht werden. Spezifische Patientenmerkmale beeinflussen diese Zusammenhänge – z. B. die Schwere der Störung. Schwerer gestörte Patienten haben flachere »Recovery«-Kurven (Anderson u. Lambert 2001), und auch die Art der Behandlung ist relevant.

Bisher gibt es nur wenige Studien, die diese Zusammenhänge differenzierter untersuchen (Lambert u. Ogles 2004). Lambert et al. (2001) haben die Therapieergebnisse von 6072 Patienten in ver schiedenen Behandlungsformen verglichen und als Kriterium eine klinisch relevante Störung zu Beginn und das Erreichen von Werten am Ende der Therapie, die nicht mehr als klinisch auffällig gelten, festgelegt. 50 % der Patienten, die die Behandlung mit klinisch relevanten Störungen begannen, erreichten klinisch relevante Veränderungen (das heißt einen Post-Score, der im klinisch unauffälligen Bereich liegt) nach 21 Sitzungen Psychotherapie. Aber mehr als doppelt so viele Sitzungen waren notwendig, bevor 75 % der Patienten dieses Kriterium erreichten. Dazu kontrastierend haben Lambert et al. *alle* Patienten, das heißt einschließlich der »nicht klinisch relevant« beeinträchtigten, untersucht und geprüft, ob sich überhaupt etwas verändert (das heißt kein strenges »Clinically-significant-change«-Kriterium angelegt) – dann waren 50 % der Patienten bereits nach 7 Sitzungen gebessert, 75 % nach 14 Sitzungen.

Kopta et al. (1994) teilten die von 854 Patienten im Fragebogen »Symptom-Checkliste-90-R« angegebenen Beschwerden in drei Gruppen: akute Beschwerden, chronische Beschwerden und beeinträchtigende Persönlichkeitsfaktoren (»characerological items«) und verglichen die therapeutische Veränderbarkeit dieser Beschwerden. 50 % der Patienten waren innerhalb von 10 Sitzungen bzgl. ihrer akuten Beschwerden, 50 % der Patienten waren nach 14 Sitzungen bzgl. ihrer chronischen Beschwerden gebessert. Aber um bei 50 % der Patienten mit beeinträchtigenden Persönlichkeitsfaktoren eine Verbesserung zu erreichen, waren 52 Sitzungen notwendig. Insgesamt waren die Ergebnisse ernüchternder als die früherer Studien: 50 % der Patienten erzielten nach 11 Sitzungen eine Verbesserung, aber 58 Sitzungen waren nötig, damit es 75 % der Patienten besser ging.

Maling et al. (1995) untersuchten Dosis-Wirkungs-Beziehungen bzgl. der Veränderungen interpersoneller Probleme anhand einer Kurzversion des »Inventars Interpersoneller Probleme« bei 307 Patienten in drei Problembereichen: sozialer Rückzug (»social detachment« – schwierig, Freunde zu finden, sich nahe zu fühlen, Gefühle mitzuteilen), soziale Unsicherheit (»self-effacing traits« – zu sehr überlegen, was andere wollen, schwer, Unstimmigkeiten auszuhalten, sehr empfindlich auf Zurückweisung reagieren) und

Probleme mit kontrollierendem Verhalten (andere zu sehr kontrollieren, zu viel streiten, zu aggressiv, zu manipulierend sein). Verglichen mit einer Kontrollgruppe (1093 Studentinnen) gaben die Patienten vor allem Probleme mit sozialem Rückzug und sozialer Unsicherheit an. Sie unterschieden sich nur wenig bzgl. der Probleme mit zu viel Kontrolle. Es zeigte sich eine unterschiedliche Besserung dieser drei Problembereiche im Therapieverlauf. Probleme mit zu viel Kontrolle besserten sich am raschesten – nach der 4. Sitzung beschrieben 45 % der Patienten eine Besserung, wobei sich eine weitere Verbesserung mit fortschreitender Therapie zeigte. Zu Therapieende waren 80 % gebessert. Probleme mit sozialem Rückzug veränderten sich langsamer: 35 % der Patienten erreichten nach 4 Sitzungen Veränderungen, zu Therapieende waren 37 % gebessert. Probleme mit sozialer Unsicherheit wurden aber kaum beeinflusst – nach der 4. Sitzung hatten 25 % der Patienten Veränderungen erreicht, am Therapieende 30 %.

Es bestehen keine linearen Beziehungen zwischen Therapiezeit und Therapieerfolg. Die bisher vorliegenden Studien liefern Hinweise darauf, dass in den häufigeren Fällen eine längere Therapiedauer mit größerem Therapieerfolg verbunden ist, aber nicht immer gilt »viel hilft viel«. In manchen Untersuchungen war eine kürzere Behandlungsdauer mit besserem Therapieerfolg verbunden (Orlinsky et al. 2004), was natürlich auch davon abhängig ist, dass Patienten eine für sie wirksame Behandlung bekommen.

In zukünftigen Untersuchungen sollten die Zusammenhänge bzgl. der Behandlungszeit komplexer untersucht werden: Therapiedosis (Anzahl der Sitzungen), Therapiedauer (Behandlungszeitraum) und Therapiefrequenz (Anzahl Sitzungen in einer bestimmten Zeit) müssen in Untersuchungen mit einbezogen werden.

Ein Beispiel für eine Studie, die differenziert Effekte psychodynamischer Therapie untersucht, ist »The Stockholm Outcome of Psychotherapy and Psychoanalysis Study – STOPP« (Blomberg et al. 2001; Sandell et al. 2002). 74 psychoanalytisch und 331 psychodynamisch behandelte Patienten wurden vor, während sowie 1 und 2 Jahre nach der Therapie untersucht. Die mittlere Behandlungsdauer in beiden Gruppen unterschied sich nicht (im Mittel 51 vs. 40 Monate), aber die Behandlungsfrequenz: Psychodynamische Behandlungen dauerten im Mittel 40 Monate (Standardabweichung 21) mit 1,4 Stunden pro Woche, psychoanalytische Behandlungen 51 Monate (Standardabweichung 18) mit 3,5 Stunden pro Woche. Es wurden verschiedene Parameter für den Therapieerfolg erfasst: Beschwerden (mit der »Symptom-Checkliste-90-R«), Kohärenzgefühl (mit dem Fragebogen »Sense of Coherence Scale«) und psychosoziales Funktionsniveau (mit dem Fragebogen »Social Adjustment Scale«).

96 % der Patienten hatten zu Therapiebeginn klinisch relevante Werte in den Fragebögen (wobei die psychodynamisch behandelten Patienten schwerer beeinträchtigt waren als die psychoanalytisch behandelten).

Beide Psychotherapieformen erwiesen sich als wirksam. Das Behandlungsergebnis veränderte sich signifikant auch nach Behandlungsende bis zum Katamnesezeitpunkt nach zwei Jahren. Die Effektstärken lagen im Bereich mittlerer (> 0,5) bis starker (> 0,8) Effekte.

Dabei waren die Behandlungseffekte zwischen Therapiebeginn und Katamnesezeitpunkt für den psychischen Beschwerdedruck (SCL-90-R – für psychodynamische Therapie 0,40, für Psychoanalyse 1,55) und das Kohärenzgefühl (für psychodynamische Therapie 0,58, für Psychoanalyse 1,18) stärker als für die Verbesserung des psychosozialen Funktionsniveaus (für psychodynamische Therapie 0,40, für Psychoanalyse 0,44), in dem sich die Patienten allerdings auch kaum von einer Normalpopulation unterschieden.

Das Behandlungsergebnis und die Veränderungen nach der Behandlung wurden durch die effektive Behandlungsdauer und die Wochenstundenfrequenz, vor allem aber durch die *Interaktion* dieser beiden Variablen beeinflusst. Das heißt die Effekte von Therapiedauer und Therapiefrequenz sind voneinander abhängig. Besonders für die Veränderungen nach der Behandlung ergab sich ein Einfluss der Kombination von Behandlungsdauer und -frequenz im Bereich mittlerer Effekte. Als günstiger erwies sich eine kurze Dauer und eine geringe Frequenz oder eine lange Behandlungsdauer und hohe Frequenz. Es zeigten sich Ergebnisumkehrungen nach der Behandlung für psychische Beschwerden (SCL-90-R) und

Kohärenzgefühl: gute Ergebnisse zu Therapieende verschlechterten sich, bescheidene Ergebnisse verbesserten sich erheblich.

Auch diese Untersuchung bestätigt, dass es keine »einfache« Dosis-Effekt-Relation gibt – die »Therapieintensität« (das heißt Therapiedauer und Stundenfrequenz) spielt eine wesentliche Rolle und verschiedene Therapieerfolgs-Parameter werden unterschiedlich von der Zeit beeinflusst.

In der von Kächele et al. (2001) durchgeführten Untersuchung zur Wirksamkeit stationärer psychodynamischer Therapie für Patienten mit Essstörungen, an der 1 112 Patienten aus 43 deutschen Kliniken teilnahmen und auch für 733 Patienten Katamnesebefunde zweieinhalb Jahre nach der Therapie vorlagen, ergab sich insgesamt kein signifikanter Unterschied in der Wirksamkeit zwischen kürzeren oder längeren Behandlungen zum Katamnesezeitpunkt. Aber es zeigten sich komplexere Zusammenhänge bzgl. der Therapiezeit für diagnostische Gruppen. Anhand der mittleren Therapiedauer von 11 Wochen wurden 2 Gruppen gebildet: Patienten mit kürzerer (< 11 Wochen) und längerer (> 11 Wochen) Behandlungszeit. Bei Patienten mit Anorexia nervosa hatte die Behandlungszeit allein keinen Einfluss auf das Therapieergebnis, aber die Behandlungsdauer in Interaktion mit dem Alter: Jüngere Patienten profitierten mehr von kürzeren Therapien, ältere Patienten hingegen mehr von längeren Therapien. Für Patienten mit einer Bulimia nervosa ließen sich Interaktionen zwischen Behandlungsdauer, Alter und sozialer Integration mit dem Therapieerfolg ermitteln: jüngere Patienten mit eingeschränkten sozialen Beziehungen profitierten mehr von längeren Behandlungen als ältere Patienten mit einem guten sozialen Netzwerk.

Die dargestellten Befunde zeigen die Komplexität der Zusammenhänge, aber auch die Notwendigkeit weiterer Forschungsaktivitäten in diesem Bereich. Dabei sollten auch neue Behandlungsmodelle einbezogen werden – z. B. »fraktionierte Behandlung« oder »Booster-Sitzungen«, die aber im derzeitigen GKV-Abrechnungs-System (noch?) keinen Platz haben.

Bei der Frage nach der notwendigen Zeit für Therapieerfolg müssen auch Überlegungen zu chronischen Verläufen und der Rückfallprophylaxe mit einbezogen werden. Im berühmten

»NIMH Treatment of Depression Collaborative Research Programm« (Elkin 1994; Regier et al. 1988) erlitten immerhin ca. 80 % der Patienten einen Rückfall. Es geht um die Frage, durch welche Behandlungsformen und zeitlichen Behandlungsmodelle sich Rückfälle verhindern lassen. Auch dazu liegen bisher nur wenige Studien vor (Lambert u. Ogles 2004) – z. B. eine Studie mit Modellen für den therapeutischen Prozess anhand von in der onkologischen Forschung gebräuchlichen »Überlebenskurven« (Ilardi et al. 1997). Eine Untersuchung mit älteren depressiven Patienten zeigte, dass sich Rückfälle durch eine niederfrequente »Erhaltungstherapie« über längere Zeit verhindern lassen (Reynolds et al. 1999).

Vos et al. (2004) untersuchten in einer australischen Stichprobe von 2000 depressiven Patienten die Frage, welche langfristigen Behandlungsstrategien welchen Effekt haben. Sie stützten sich dabei auf epidemiologische Daten von Patienten mit einer Rückfallquote von 80 % für Major Depression und erstellten Hochrechnungen für verschiedene Behandlungsmodelle. Eine episodische Behandlung mit kognitiv-behavioraler Therapie würde demnach 28 % der Depressivität reduzieren, eine episodische Behandlung mit Medikamenten 24 %. Wenn in den folgenden 5 Jahren nach einer Major Depression eine gelegentliche episodische Behandlung erfolgen würde (»current episodic treatment patterns«) ließen sich 13 % der »Krankheitsjahre« (»Disability-Adjusted Life Years«) verhindern, aber mit einer kognitiv-behavioralen »Erhaltungs-«Therapie (»maintance CBT«) 52 %.

Empirisch gesicherte Aussagen zur differenziellen Indikation bzgl. der Therapiedauer, -dosis und -frequenz lassen sich bisher nicht machen. Erst seit den 90er Jahren erlauben aufwändigere statistische Verfahren die Untersuchung von Veränderungen innerhalb einer Sitzung, innerhalb aufeinander folgender Sitzungen oder innerhalb einer Therapiephase und somit die Untersuchung von zeitlichen Mustern (»temporal patterns«) therapeutischer Veränderungen (Orlinsky et al. 2004).

Die Frage danach, wie viel Psychotherapie notwendig ist, muss nicht nur Dosis-Wirkungs-, sondern auch Kosten-Nutzen- (Ressourcenverbrauch vs. Nutzen) bzw. Kosten-Effektivitäts-Analysen (bei denen nur die Kosten von Therapiealternativen mit Geldeinheiten bewertet werden) berücksichtigen. Ökonomische Faktoren werden aber erst allmählich überhaupt in Wirksamkeitsuntersuchungen von Psychotherapie einbezogen (z. B. Zielke 2004), wobei sich außerdem das Problem stellt, dass sich nur ein Teil des »Nutzens« psychotherapeutischer Behandlungen in Geldeinheiten ausdrücken lässt (Schmidt 2004). Uns sind bisher keine Studien bekannt, die differenzierte Effekte von unterschiedlich intensiver Psychotherapie bzgl. ökonomischer Parameter untersuchen.

Resümee

Die eingangs gestellte Frage nach den Wirkungen von Psychotherapie in Abhängigkeit von der Therapiedauer und -intensität lässt sich bisher nicht befriedigend beantworten.

Zurzeit sind angesichts des Forschungsstandes keine wirklich gesicherten Aussagen über die Effekte psychotherapeutischer Interventionen in der Praxis möglich. RCT-Studien sind nicht geeignet, Psychotherapie unter Praxisbedingungen zu untersuchen. Auch aktuelle Diskussionen in renommierten Zeitschriften der somatischen Medizin wie z. B. im »The Lancet« stellen inzwischen RCT als »Goldstandard« in Frage, weil der hohen internen Validität von RCT-Studien eine meist niedrige externe Validität gegenüber steht (Rothwell 2005).

Viele Befunde der naturalistischen Forschung sprechen dafür, die euphorischen Ergebnisse kurzer Therapien im Hinblick auf ihre Reichweite eher skeptisch zu betrachten. Möglicherweise spielen bei den Kurzzeit-Effekten kurzer Therapien Placebo-Wirkungen eine bisher unterschätzte Rolle.

Zweifellos besteht auch gegenüber der Solidargemeinschaft eine Verpflichtung zu kostengünstigen Behandlungen. Auch Psychotherapeuten müssen prinzipiell vorhandene Therapien nicht nur entsprechend ihrer belegten Wirksamkeit, sondern auch im Hinblick auf Dringlichkeit und Schwere des Bedarfs der Patienten sowie der Kosten verordnen. Kosten-Nutzen-Überlegungen bezüglich Psychotherapie sollten aber nicht nur von kurzfristigen monetären Überlegungen, sondern auch von Einschätzungen veränderter Verhaltensweisen und erweiterter Handlungsspielräume bestimmt sein. Der Nutzen durch eine verbesserte Fähigkeit zu selbständiger Arbeit oder Freizeitgestaltung oder der Nutzen durch Kosteneinsparung durch Verhinderung einer Chronifizierung lässt sich eben nicht in einfachen Euro-Beträgen messen. Dennoch muss sich auch die Psychotherapie ökonomischen Fragen stellen.

Es bedarf zukünftig einer intensiveren Erforschung der differenziellen Indikation bezüglich therapeutischer Verfahren wie auch der differenziellen Wirksamkeit von Psychotherapie bezüglich der Therapiedauer und -intensität auch unter gesundheitsökonomischen Aspekten. Dies sollte in RCT-Studien, aber eben besonders auch in praxisrelevanter psychotherapeutischer/psychosomatischer Versorgungsforschung erfolgen, wie sie bisher erst in Ansätzen vorliegt (z. B. Koch u. Pawils in Vorb.).

Die vom Deutschen Ärztetag 2005 beschlossene Förderung der Versorgungsforschung (Gerst 2005) und auch die für ambulante Psychotherapie durch die Gesundheitsreform vorgeschriebene, aber bisher nur begrenzt umgesetzte Qualitätssicherung bieten Möglichkeiten, praxisrelevante Daten zu erheben, aber beinhalten auch die Gefahr sinnloser Pseudodokumentation unter Rechtfertigungsdruck gegenüber den Kostenträgern.

Literatur

Anderson, E.; Lambert, M. (2001): A survivial analysis of clinically significant change in outpatient psychotherapy. J. Clin. Psychol. 57: 875–888.

Bakker, A.; van Balkom, A.; Spinhoven, P.; Blaauw, B.; van Dyck, R. (1998): Follow-up on the treatment of panic disorder with or without agoraphobia: a quantitative review. J. nerv. ment. Dis. 186: 414–419.

Blomberg, J.; Lazar, A.; Sandell, R. (2001): Long-Term Outcome of Long-Term Psychoanalytically Oriented Therapies: First Findings of the Stockholm Outcome of Psychotherapy and Psychoanalysis Study. Psychother. Res. 11: 361–382.

Eckert, J.; Wuchner, M. (1994): Frequenz-Dauer-Setting in der Gesprächspsychotherapie heute. GWG-Zeitschrift 25: 17–20.

Elkin, I. (1994): The NIMH treatment of depression collaborative research programm: where we began and where we are. In: Bergin, A. E.; Garfield, S. L. (Hg.): Handbook of Psychotherapy and Behavior Change. New York: S. 114–139.

Gerst, T. (2005): Top III: Förderung der Versorgungsforschung. Zahlen, Daten, Fakten schaffen. Deutsches Ärzteblatt 19/Jg.102: A1334–A1338.

Geyer, M.; Reihs, R. (2000): Zur Wirksamkeit stationärer Psychotherapie - Ergebnisse einer Langzeit-Katamnesestudie. In: Tress, W.; Wöller, W.; Horn, E. (Hg.): Psychotherapeutische Medizin im Krankenhaus. Frankfurt, S. 12–29.

Grawe, K.; Donati, R.; Bernauer, F. (1994): Psychotherapie im Wandel. Von der Konfession zur Profession. Göttingen.

Guthrie, E. (2000): Psychotherapy for patients with complex disorders and chronic symptoms. The need for a new research paradigm. Brit. J. Psychiat. 177: 131–137.

Hartmann, S.; Zepf, S. (2002): Effektivität von Psychotherapie. Forum Psychoanal. 18: 176–196.

Heusser, P. (1999): Probleme von Studiendesigns mit Randomisation, Verblindung und Placebogabe. Forschung u. Komplementärmedizin 6: 89–102.

Howard, H. I.; Kopta, S. M.; Krause, M. S.; Orlinski, D. E. (1986): The dose-effect relationship in psychotherapy. Am. Psychol. 41: 159–164.

Ilardi, S. S.; Craighead, W. F.; Evans, D. D. (1997): Modeling relapse in unipolar depression: effects of dysfunctional cognitions and personality disorders. J. Consult. Clin. Psych. 65: 381–391.

Kächele, H.; Eckert, J.; Hillecke, T.; Schulte, D. (in Vorb.): Zeit für Psychotherapie.

Kächele, H.; Kordy, H.; Richard, M.; Research Group TR-EAT. (2001): Therapy amount and outcome of inpatient psychodynamic treatment of eating disorders in Germany: data from a multicentric study. Psychother. Res. 11: 239–257.

Kallert, T. W.; Schutzwohl, M. (2002): Randomisierte kontrollierte Studien in der psychiatrischen Versorgungsforschung: Probleme der Durchführungspraxis. Fortschr. Neurol. Psyc. 70: 647–656.

Koch, U., Pawils, S. (in Vorb.): Psychosoziale Versorgung in der Medizin.

Kopta, S.; Howard, K.; Lowry, J.; Beutler, L. (1994): Patterns of symptomatic recovery in psychotherapy. J. Consult. Clin. Psych. 62: 1009–1016.

Lambert, M.; Hansen, N.; Finch, A. (2001): Patient-focused research: using patient outcome data to enhance treatment effects. J. Consult. Clin. Psych. 69: 159–172.

Lambert, M.; Ogles, B. (2004): The efficacy and effectiveness of psychotherapy. In: Lambert, M. (Hg.): Bergin and Garfield's Handbook of Psychotherapy and Behavior Change. New York, S. 139–193.

Leichsenring, F.; Rüger, U. (2004): Psychotherapeutische Behandlungsverfahren auf dem Prüfstand der Evidence Based Medicine (EBM). Z. psychosom. Med. Psychother. 50: 203–217.

Maling, M.; Gurtman, M.; Howard, K. (1995): The response of interpersonal problems to varying doses of psychotherapy. Psychother. Res. 5: 63–75.

McNeilly, C.; Howard, K. (1991): The effects of psychotherapy: An reevaluation based on dosage. Psychother. Res. 1: 74–78.

Messer, S. (2002): Empirically supported treatments: cautionary notes. Medscape General Medicine eJournal 4.

Olfson, M.; Marcus, S. C.; Druss, B.; Pincus, H. A. (2002): National trends in the use of outpatient psychotherapy. Am. J. Psychiat. 159: 1914–1920.

Orlinsky, D.; Ronnestad, M.; Willutzki, U. (2004): Fifty years of psychotherapy process-outcome-research: continuity and change. In: Lambert, M. (Hg.): Bergin and Garfield's Handbook of Psychotherapy and Behavior Change. New York, S. 307–389.

Regier, D.; Hirschfeld, R.; Goodwin, F.; Burke, J.; Lazar, J.; Judd, L. (1988): The NIMH Depression Awareness, Recognition, and Treatment Program: structure, aims, and scientific basis. Am. J. Psychiat. 145: 1351–1357.

Reynolds, C. F.; Frank, E.; Perel, J. M.; Imber, S. D.; Cornes, C.; Miller, M. D.; Mazumdar, S.; Houck, P. R.; Dew, M. A.; Stack, J. A.; Pollock, B. G.; Kupfer, D. J. (1999): Nortriptyline and interpersonal psychotherapy as maintenance therapies for recurrent major depression. JAMA– J. Am. Med. Assoc. 281: 39–45.

Rothwell, P. (2005): Treating Individuals 1: External validity of randomised controlled trials: »To whom do the results of this trial apply?« Lancet 365: 82–93.

Sandell, R.; Blomberg, J.; Lazar, A. (2002): Time Matters: On Temporal Interactions in Long-Term Follow-Up of Long-Term Psychotherapies. Psychother. Res. 12: 39–58.

Schmidt, J. (2004): Möglichkeiten und Grenzen von Kosten-Ergebnis-Analysen im Bereich Psychosomatik und Psychotherapie. In: Vogel, H.; Wasem, J. (Hg.): Gesundheitsökonomie in Psychiatrie und Psychotherapie. Stuttgart, S. 32–42.

Seligman, M. E. P. (1995): The effectiveness of psychotherapy: The Consumer Reports study. Am. J. Psychol. 50: 965–974.

Tschuschke, V. (2005): Psychotherapie in Zeiten von Evidence-Based Medicine. Fehlentwicklungen und Korrekturvorschläge. Psychotherapeutenjournal 4: 104–113.

Vos, T.; Haby, M.; Barendregt, J.; Kruijshaar, M.; Corry, J.; Andrews, G. (2004): The burden of major depession avoidable by longer-term treatment strategies. Arch. Gen. Psychiat. 61: 1097–1103.

Wampold, B. (2001): The great psychotherapy debate. Models, methods, and findings. Mahwah, New Jersey.

Westen, D.; Novotny, C.; Thompson-Brenner, H. (2004): Empirical status of Empirically Supported Psychotherapies: assumptions, findings, and reporting in controlled trials. Psychol. Bull. 130: 631–663.

Zielke, M. (2004): Krankheitskosten für psychosomatische Erkrankungen in Deutschland und Reduktionspotenziale durch verhaltensmedizinische Interventionen. In Vogel, H.; Wasem, J. (Hg.): Gesundheitsökonomie in Psychiatrie und Psychotherapie. Stuttgart, S. 215–238.

Grenzen und Grenzüberschreitungen in der Psychotherapie

Frank Bartuschka

Grenzen setzen in der stationären Psychotherapie – das Ringen um Struktur

Kann man, soll man Psychotherapie-Kliniken mit Inseln vergleichen? Alle Inseln sind Ausnahmen, fest inmitten von Fließendem, stationäre Sondersituationen in bewegtem, oft stürmischem Umfeld.

Inseln sind gleichsam »schwebende Objekte« und jeder, der sie betritt, kann diesen Schwebezustand teilen. Es geht um die Balance zwischen Losgelöst- und Verbundensein; wir erleben gleichzeitig den Abstand von und die Sehnsucht nach der »großen Welt«, aus der wir kommen und in die wir wieder zurückkehren. Inseln (wenn sie still sind) lassen uns in Kontakt treten mit den Kräften der Natur und mit dem Natürlichen in uns.

Psychotherapie-Kliniken sind zweifellos Inseln im Sinne eines Besonderen, Abgegrenzten, mindestens teilweise Losgelösten in einem sie umgebenden sozialen Umfeld, von dem sie sich in ihren Strukturen, Regeln, Umgangsformen und Erfahrungsmöglichkeiten deutlich unterscheiden. Inseln sind Psychotherapie-Stationen und -Kliniken auch in einer Krankenhauslandschaft, die in ihrem Verständnis von Krankheit und Krankenbehandlung in der Regel von anderen Grundsätzen geprägt ist und sich in ihren Behandlungsmethoden und Beziehungsstrukturen deutlich von der Psychotherapie unterscheidet.

Inseln, wenn sie klein sind, lassen uns Grenzen und ihre Bedeutung deutlicher spüren als an jedem anderen Ort. Ganz unmittelbar erfahren wir:

– Grenzen sind Dämme, »Verteidigungslinien« gegen das Ungebundene und Grenzenlose.

– Grenzen schaffen einen überschaubaren Raum.
– Grenzen geben Halt und Sicherheit.
– Grenzen schaffen Struktur und sind selbst Struktur.

Wie wichtig Grenzen sind und wie intensiv sie einen besonderen Raum schaffen, das erleben wir, um noch ein anderes Bild zu gebrauchen, am eindrucksvollsten beim Betreten einer Kirche. Wie sie auch immer beschaffen sein mag (am deutlichsten spüren wir es bei einer großen und hohen Kirche), mit den Mitteln der Architektur wird ein »besonderer Raum« geschaffen, dessen Betreten uns »der Welt draußen« mindestens teilweise entrückt – und der uns dadurch eine stärkere Beziehung zu uns selbst und zu einer spirituellen Dimension ermöglicht.

Geschieht Vergleichbares in der stationären Psychotherapie? Ja und nein. Psychotherapie als Prozess lebt nicht allein oder überwiegend vom Begrenzen, also dem Setzen, Verhandeln und Durchsetzen, dem Erfahren und Erwerben von Grenzen. Mindestens ebenso wichtig sind in der Psychotherapie Grenzüberwindung, Grenzüberschreitung und Grenzerweiterung.

Wenn wir lange in der Psychotherapie arbeiten, machen wir uns manchmal nicht mehr bewusst, wie viele grenzerweiternde Zumutungen unsere Arbeit für den Patienten mit sich bringt. Er wird konfrontiert mit seinen bisherigen Grenzen sich mitzuteilen, mit anderen in Beziehung zu treten, auf eigene Gefühle zu achten oder Gefühle auszudrücken, den Grenzen, sich an Konflikthaftes zu erinnern oder sich damit auseinander zu setzen.

All diese bisher selbst auferlegten und erworbenen Begrenzungen werden infrage gestellt und müssen schrittweise erweitert oder überwunden werden, sobald der Patient »die Insel Psychotherapie« betritt.

Schmidt-Lellek (2005) weist darauf hin, dass jede wirkliche Begegnung zwischen Menschen eine Grenzüberschreitung bedeutet und dass es die Aufgabe der Psychotherapie sei, die Schutzgrenzen des Patienten (und des Therapeuten) zu wahren, gleichzeitig aber die Möglichkeit zu Grenzöffnungen und Grenzüberschreitungen zu schaffen.

Dies macht verständlich, dass Patienten oft die ihnen bisher vertrauten und gewohnten Grenzen nachdrücklich, ja erbittert verteidigen – und gleichzeitig die Grenzen angreifen, die den »besonderen Raum Psychotherapie« schützen und konstituieren sollen.

Dieser »besondere Raum« von insularem Charakter ist nur wirksam, wenn er ermöglicht und miteinander verbindet:

- einen »Besinnungsraum« mit der Möglichkeit vertiefter Selbstwahrnehmung und Selbstreflexion;
- einen »Erinnerungsraum« mit der Möglichkeit vertiefter Auseinandersetzung mit der eigenen Geschichte und der sie prägenden Einflüsse;
- einen »Erfahrungs- und Übungsraum« mit der Möglichkeit, emotionale und körperliche Reaktionen mit kognitiver Einsicht zu verknüpfen und korrigierende emotionale Erfahrungen zu machen.

Deshalb besteht die Aufgabe jeder Psychotherapie darin:

- einen solchen besonderen Raum zu schaffen und zu erhalten;
- ihm eine besondere Struktur zu geben;
- und in diesem Raum einen spezifischen Prozess zu ermöglichen.

Die Auseinandersetzung um Grenzen in der Psychotherapie ist deshalb:

- eine Auseinandersetzung um den therapeutischen Raum;
- eine Auseinandersetzung um die Struktur dieses Raumes;
- und eine Auseinandersetzung um den therapeutischen Prozess.

Der therapeutische Raum und seine Grenzen

Der therapeutische Raum in der stationären Psychotherapie wird zunächst von Zeitgrenzen determiniert.

Diese werden nur teilweise von uns Therapeuten, die wir Indikation und psychotherapeutische Zielstellung vertreten, bestimmt. Wenn ich die letzten 10 bis 15 Jahre überblicke, dann stelle ich fest, dass der Einfluss der Krankenkassen und des Medizinischen Dienstes der Krankenversicherung ständig größer geworden ist.

Bemerkenswert erscheint mir, dass die Triade Patient – Therapeut – Kostenträger in ihrem oft sehr spannungsgeladenen Verhältnis so selten in der psychotherapeutischen Literatur reflektiert wird. Es geht zwar um ökonomische Faktoren, sozial-staatliche Prinzipien und politische Entscheidungen, die hier wirken – aber sie beeinflussen unser therapeutisches Handeln und die Zielsetzungen der Therapie. Mitunter habe ich den Eindruck, dass wir Therapeuten es als narzisstische Kränkung und als Beschädigung eigener Omnipotenzphantasien oder zumindest unseres Helferideals empfinden, dass auch wir, ähnlich unseren Patienten, realen Abhängigkeiten unterworfen sind und dass wir dies gern vor uns selbst verleugnen.

In der von mir geleiteten Thüringer Klinik ist es bereits seit Jahren die Regel, dass wir bei der Mehrzahl unserer Patienten, deren Therapie über zwei Wochen hinausgeht, eine ausführliche schriftliche Begründung analog dem ambulanten Psychotherapieantrag dem MDK vorlegen müssen – d. h. das Prinzip der Einzelfallprüfung ist schon lange verlassen. Das bedeutet einen hohen Zeit- und Verwaltungsaufwand, wird von uns aber deshalb akzeptiert, weil wir damit bisher die Gewissheit haben, bei plausibler Indikation und Zielstellung eine durchschnittlich 10- bis 12-wöchige Therapiedauer genehmigt zu bekommen. Grundsätzlich versuchen wir bei einer halboffenen Gruppenstruktur patientenspezifisch und variabel die jeweils individuell notwendige Therapiedauer zu finden und zu ermöglichen. Dabei wird eine »Kernbehandlungszeit« von 8 Wochen in der Gruppe gelegentlich um 1 bis 2 Wochen erweitert und oft mit einer individuell unterschiedlich langdauernden Vorbereitungs-, Stabilisierungs- oder Einzeltherapiephase kombiniert.

Damit befinden wir uns offenbar noch in einer guten mittleren Position, denn neben wenigen Einrichtungen, denen noch Behandlungszeiten von 4 bis 6 Monaten zugestanden werden, gibt es offenbar zunehmend stationäre Psychotherapien, die durch Intervention von Kostenträgern oder MDK nach 4 oder 6 Wochen beendet werden müssen.

Trotz dieser ökonomisch bedingten Abhängigkeit bleibt uns Therapeuten erhebliche Verantwortung für die Gestaltung des Zeitrahmens. Ich vertrete den Standpunkt, dass der Zeitrahmen der

Therapie bei Abschluss der Therapievereinbarung im Wesentlichen auch für den Patienten klar und überschaubar sein sollte. Die Erfahrung von Begrenzung von Anfang an kann ein wichtiges Struktur bildendes Element sein, weil:
- davon eine realistische Therapieziel-Bestimmung abhängt;
- davon eine Regressionsbegrenzung ausgeht;
- eine Gliederung des Therapieprozesses in Phasen oder Zeitabschnitte ermöglicht und die Therapie auch für den Patienten besser überschaubar wird;
- die Frustrationstoleranz des Patienten und seine Fähigkeit, mit Begrenzungen umzugehen, gefördert werden;
- und die Trennungsarbeit besser vorbereitet werden kann.

Auch Wunderlich (2005) weist darauf hin, dass zur prognostischen Einschätzung des Behandlungserfolgs die Frage gehört, ob der Patient bereit ist, sich in einem *umschriebenen* Zeitraum zu verändern.

Natürlich muss, je nach Indikation und individueller Zielstellung, der Zeitrahmen ausreichend groß sein: d. h. wir müssen uns mit Patienten auseinander setzen, bei denen selbst gewählte Beschränkungen der Therapiezeit eher Ausdruck von Angst, Verleugnung, Widerstand oder gar Selbstbeschädigungstendenzen sind. Wir kämpfen aber um die individuell erforderliche Therapiezeit mit MDK und Kassen, wenn von dieser Seite medizinisch ungerechtfertigt Beschränkungen der Therapiezeit gefordert werden. Natürlich sehen wir uns verpflichtet, den Therapiezeitraum zu begrenzen, wenn unreflektierte Versorgungswünsche, Vermeidungsverhalten oder maligne Regression bei Patienten zu völlig unrealistischen Vorstellungen über ihren Krankenhausaufenthalt führen. Gar nicht so selten hören wir von unseren Patienten (die in zunehmender Häufigkeit, derzeit in über 50 % arbeitslos sind), »dass sie für ihre Therapie alle Zeit der Welt mitgebracht hätten und Zeit keine Rolle spiele«. Dies drückt in den meisten Fällen aber aus, dass der Psychotherapie (und möglicherweise dem Sozialstaat) die symbolische Funktion einer unerschöpflichen und alles gewährenden »Mutterbrust« zugewiesen wird – eine eher Therapie behindernde Illusion.

Der therapeutische Raum in Psychotherapie-Kliniken bedarf auch einer Begrenzung von Kommunikation und Beziehungen gegenüber der Außenwelt durch Regelung von Besuchszeiten und von Wochenendbeurlaubungen. Dies ist von jeher so, wird allerdings sehr unterschiedlich gehandhabt. Bei Prüfung der Hausordnung von ca. 40 Psychotherapiekliniken ergab sich, dass von wöchentlichen Beurlaubungen bis zu einer Urlaubssperre von 8–10 Wochen sehr verschiedene Regelungen in den einzelnen Kliniken praktiziert werden. Diese werden offenbar eher von der therapeutischen Haltung und dem Therapieverständnis des Teams, weniger von anderen Faktoren des Therapieprozesses bestimmt. In unserer Klinik gilt die verbindliche Regelung, dass die Patienten, die dies wollen und dazu auch aus ärztlicher Sicht in der Lage sind, an jedem zweiten Wochenende von Samstag früh bis Sonntagabend in Urlaub gehen können. Dies tun wir ganz bewusst, um den Kontakt zur Außenwelt und Angehörigen aufrechtzuerhalten, und verbinden die Beurlaubungen auch gern mit therapeutischen Hausaufgaben und Übungen im Sinne der Tagesstrukturierung und der Klärung und Erfüllung sozialer Alltagsanforderungen.

Bedeutsam für die Struktur des therapeutischen Raumes und den Therapieprozess wird jede Ausnahmegenehmigung von Beurlaubungen, die wir gelegentlich bei wichtigen Familienfeiern oder bei besonders wichtigen arbeitsrechtlichen Situationen erteilen. Hierbei wird immer im Team diskutiert und entschieden, ob eine solche Sonderbeurlaubung geeignet ist, den Therapieprozess und die Zielstellung des Patienten zu unterstützen oder nicht – und welche gruppendynamischen Konsequenzen sich daraus ergeben.

Ein besonders interessantes, oft aber heikles und nicht nur in der Psychotherapie irritierendes Phänomen stellt eine heute weit verbreitete soziokulturelle Erscheinung dar, die ich als »Streben nach medial vermittelter Omnipräsenz und Omnipotenz« bezeichnen möchte. Plassmann hat schon 1997 von »Virtuellen Objektbeziehungen« gesprochen und betont, dass die industrielle, oft medienvermittelte und gesteuerte Produktion von Objektbeziehungen die Gefahr massenhaft manipulierter Subjekte deutlich erhöhe.

Mit »Omnipräsenz« meine ich die heute weit verbreitete Vorstellung und Erwartung, mittels Handy, Laptop oder Computer zu jedem Zeitpunkt für jeden erreichbar zu sein, zu jedem Zeitpunkt auch jeden Ort und jeden Menschen erreichen zu können und über das Fernsehen täglich das gesamte Weltgeschehen überblicken zu können. Mit »Omnipotenz« meine ich die oft von Computerspielen erzeugte Illusion, mit ein wenig Geschick reale Welten (die natürlich virtueller Natur sind) erschaffen und beherrschen zu können und die eben genannte Illusion der »universalen Informiertheit«. Ich habe den Eindruck, dass es zunehmend schwerer wird, dem Sog und der Verführung, die von den Möglichkeiten der elektronischen Medien ausgehen, zu widerstehen – dass diese aber bei unkontrollierter und unreflektierter Nutzung nicht nur im Alltagsleben reale Objektbeziehungen, sondern auch in der Klinik den therapeutischen Raum beeinträchtigen und gefährden.

Wie kann und soll hier eine vernünftige, therapeutisch sinnvolle und begründbare Begrenzung aussehen? Wir konnten uns nicht dazu entschließen, wie zum Teil in der Kinder- und Jugendpsychiatrie üblich, die Handys unserer Patienten einfach wegzuschließen. Dies wäre auch rechtlich problematisch. Es gilt in unserer Klinik Fernsehverbot (allerdings können gelegentlich Video-Filme oder DVDs in den Abendveranstaltungen genutzt werden), nicht gestattet sind ebenfalls Laptop und Computer. Handys sollen im Haus grundsätzlich ausgeschaltet werden und dürfen nur außerhalb des Hauses benutzt werden. Diese Regel bedeutet natürlich die Notwendigkeit ständiger Kontrolle (die real gar nicht umfassend möglich ist) und ständiger Auseinandersetzungen mit den Handy-Nutzern. Damit haben wir uns ein neues und permanentes Konfliktfeld geschaffen, das wir aber im Sinne des therapeutischen Prozesses zu nutzen versuchen. Wir weisen immer wieder darauf hin, dass die Konzentration auf den psychischen Innenraum und auf den Binnenraum der Gruppe, also auf das Hier und Jetzt Grundvoraussetzung der Therapie ist. Kontaktbegrenzungen nach außen, auch per Handy, gewinnen auch deshalb an Bedeutung, weil wir zunehmend traumatisierte Patienten mit destruktiven und selbstdestruktiven Objektbeziehungen behandeln.

Grenzen setzen im Sinne der Aufrechterhaltung des therapeutischen Raumes beinhaltet in der Klinik auch einen permanenten Kampf um die Achtung des Patientenzimmers als »geschützter individueller Bereich«. Wir sehen das Zimmer des Patienten auch als symbolischen Ausdruck einer schutzbedürftigen Persönlichkeit, deren Intimität durch verlässliche Grenzen gesichert sein soll. Das heißt konkret, es besteht Besuchsverbot auf den Zimmern. Immer wieder fordert dies Auseinandersetzungen mit Patienten heraus, die sich selbst nicht schützen und abgrenzen wollen oder können oder die ständig selbst die Grenzen anderer verletzen.

Eine weitere elementare Begrenzung des therapeutischen Raumes ist durch das Gebot der Schweigepflicht gegeben. Dies gilt natürlich für Therapeuten genau so wie für Patienten. Nach meiner Beobachtung häufen sich in den letzten Jahren die Versuche nichtmedizinischer Institutionen, die Schweigepflicht von Therapeuten nicht eigentlich zu durchbrechen, sondern eher en passant zu unterlaufen. Dies ist sowohl im Umgang mit Krankenkassen und anderen Versicherungen, aber auch nicht selten bei Gerichten und der Polizei zu beobachten. Gelegentlich kann für uns Therapeuten dadurch eine Konfliktsituation entstehen, dass wir den Eindruck haben, an der Klärung wichtiger sozialrechtlicher oder juristischer Fragen auch im Interesse des Patienten mitwirken zu sollen. Gerade dann bedarf es besonders gründlicher Abwägung, ob schützenswerte Interessen des Patienten eine Äußerung verbieten. Ähnlich verhält es sich bei den nicht seltenen Anfragen besorgter Angehöriger, meist Partner oder Eltern, die Auskunft über Patienten und deren Therapie verlangen. Wir bieten in diesem Fall grundsätzlich ein Gespräch nur im Beisein des Patienten an – auch, um die Autonomie des Patienten damit zu bestärken.

Riemer und Tschuschke (2004) haben darauf hingewiesen, dass es bisher keine juristische Regelung gibt, die es klar als Straftatbestand definieren würde, wenn ein Gruppenpatient Therapieinformationen zum Nachteil anderer Gruppenmitglieder nach außen trägt. Ein entsprechender Vorschlag an das Bundesjustizministerium wurde von dort abschlägig beschieden.

Ich habe in über 20 Jahren Tätigkeit als Gruppenpsychotherapeut zwar gelegentlich Schweigepflichtverletzungen erlebt, aber niemals solche mit ernsthaften Konsequenzen oder Schädigungen eines Gruppenmitglieds.

Dennoch ist der Hinweis von Tschuschke (2003) wichtig, in den

Therapievertrag zur Gruppentherapie (nicht als justiziables Instrument, sondern als eine Art »informed consent«) das Schweigepflichtgebot ausdrücklich mit aufzunehmen, um damit die Grenzen des Einzelnen und der Gesamtgruppe zu schützen.

Das Ringen um Struktur in der stationären Psychotherapie

In die stationäre Psychotherapie kommen immer häufiger Patienten, die deutlich strukturschwächer sind als die, die wir aus früheren Jahren kennen. Rudolf hat in seinem Buch über »Strukturbezogene Psychotherapie« wesentliche Aussagen zur Funktion, Entwicklung und Dynamik der Persönlichkeitsstruktur zusammengefasst und sie als Organisationsniveau der psychischen Funktionen beschrieben, die das Selbsterleben und das Beziehungsverhalten regulieren. Die Strukturdimensionen der OPD fokussieren bekanntermaßen auf die Fähigkeit zur Selbstwahrnehmung, zur Objektwahrnehmung, Selbststeuerung, Abwehr, Kommunikation und Bindung.

Unser Klientel hat sich in den letzten 10 Jahren dergestalt verändert, dass es zunehmend (gegenwärtig zu 40 bis zeitweise maximal 60 %) der Altersgruppe von 18 bis 28 Jahren angehört, auf der Symptomebene charakterisiert durch das Bestehen bzw. die Kombination von sozialer Phobie, Dysthymie oder neurotischer Depression, Essstörungen, häufigem Drogen- und/oder Alkoholmissbrauch, auf der Strukturebene durch abhängige narzisstische und emotional-instabile Strukturanteile. Auffällig ist bei fast allen diesen Patienten eine ausgeprägte Orientierungslosigkeit hinsichtlich Identität, Beziehungs- und Lebensgestaltung.

Die Schlussfolgerung liegt nahe, dass die Struktur des therapeutischen Raumes umso klarer, verlässlicher und stabiler sein muss, je strukturschwächer die Patienten sind.

Die Grundlage dafür bilden in der Regel in Psychotherapie-Kliniken das Therapiekonzept und die Hausordnung, in unserer Klinik ergänzt durch die so genannte Therapievereinbarung, die wichtige Grundregeln der therapeutischen Haltung und der therapeutischen Beziehungen beschreibt. Sachsse hat dazu 1989 in seiner Arbeit »Psychotherapie mit dem Sheriff-Stern« vieles Wichtige und Grundsätzliche zum Umgang mit Regeln und Normen gesagt.

Darüber hinaus kann nur noch einmal betont werden, dass genau so wichtig wie die Existenz einer solchen Hausordnung der Umgang des Teams damit ist. Nehmen wir als Beispiel nur den äußerst problematischen Umgang mit Sanktionen. In unserer Klinik gibt es, ähnlich der Fußballregelung, bei Regelverstößen die »gelbe Karte«, bei Wiederholung die »rote Karte«, was in der Regel vorzeitige Entlassung bedeutet. Dabei versuchen wir jedoch, die individuelle Situation des Patienten, den gruppendynamischen Zusammenhang, die Schwere des Regelverstoßes und die sozialen Auswirkungen in der Stationsrealität differenziert zu bewerten. Von diesen Faktoren hängt es ab, ob wir einen Patienten ein- oder zwei- oder sogar dreimal verwarnen, bevor die Entlassung erfolgt. Dies erfordert grundsätzlich immer eine einheitliche Meinungsbildung im Team und die Auseinandersetzung mit der Patientengruppe, die verständlicherweise die scheinbare oder reale Ungerechtigkeit von Therapeut und Team kritisiert und der die getroffene Entscheidung möglichst plausibel erklärt werden muss.

Der Vergleich mit der Welt des Fußballs ist ohnehin wenig zutreffend, denn er verkennt die grundsätzlich andere Situation therapeutischer Teams. Wir müssen als Schiedsrichter fungieren, obwohl wir gleichzeitig Mitspieler sind. In solchen Situationen bedarf es in der Regel gründlicher, manchmal langwieriger Teamdiskussionen, um zu verhindern, dass wir als Therapeuten oder das ganze Team in der Gegenübertragung mitagieren. Nur so kann es gelingen, dass das Team die Position des teilnehmenden, verstehenden, aber auch bewertenden Beobachters wahren kann.

Strukturelle Grenzen im therapeutischen Raum zu schaffen, bedeutet natürlich auch, dass es immer wieder gelingt, trotz heftigen Agierens, mannigfaltiger Impulsdurchbrüche, heftiger Affektausbrüche, gelegentlich bedrohlichen fremd- oder autoaggressiven Verhaltens eine weitgehend angstfreie Atmosphäre in der Klinik aufrechtzuerhalten – oder sagen wir bescheidener: »Die unvermeidlich begleitende Angst so zu begrenzen, dass sie nicht blockierend wirkt und bearbeitet werden kann«. Dies bedeutet unter anderem, worauf Staats (2005) hinweist, die Regression im therapeutischen Prozess so zu begrenzen, dass psychische Labilisierung und Mobilisierung von Konfliktpotenzial ermöglicht, der Einzelne und die Gruppe aber nicht überfordert werden.

Eine besonders kritische Verletzung des therapeutischen Raumes ist es, wenn Diebstähle in der Klinik vorkommen. Dies gehört zu den peinlichsten und kränkendsten Situationen überhaupt, weil es unvermeidlich eine Atmosphäre von Misstrauen und Feindseligkeit begünstigt und paranoide und schizoide Tendenzen verstärkt. Dies beginnt schon bei den Impulsdurchbrüchen der essgestörten Patientinnen, denen immer wieder individuelle oder kollektive Kaffee- oder Keksdosen zum Opfer fallen, und wird umso kritischer, wenn Geld oder Wertsachen fehlen. Im letzten Fall hilft nur die klare Bekanntgabe des Vorfalles in der Vollversammlung und Anzeige bei der Polizei, wenn auch in der Regel »gegen unbekannt« und ohne weitere Ergebnisse. Bisher gelang es jedoch immer, solche Vorfälle auf Einzelsituationen zu begrenzen und eine ernsthafte Gefährdung der Klinikatmosphäre zu verhindern. In diesem Zusammenhang hat es sich wiederholt als sehr belastend für Patienten und für das Team dargestellt, wenn Patienten in stationärer Behandlung sind, bei denen Diebstähle als Symptomhandlung in der Vorgeschichte bekannt sind. Ich zweifle heute daran, ob eine stationäre Therapie den geeigneten Rahmen für die Behandlung solcher Patienten darstellen kann.

Grenzen setzen im therapeutischen Prozess

Hier befinden sich therapeutische Teams auf einer schwierigen, aber beständigen Gratwanderung. Einerseits vertreten sie den Rahmen der Klinik mit seinen expliziten Vereinbarungen, Regeln und Grenzsetzungen, der in seinem Wesen und seiner therapeutischen Funktion ein verlässlich verfügbares, tragendes Milieu im Sinne einer »Umweltmutter« Winnicotts darstellt. Mit der Hausordnung und anderen Regeln übernimmt das Team gleichzeitig für Patienten mit strukturellen Defiziten, die oft zu stärkerer Ich-Regression neigen, eine Hilfs-Ich-Funktion. Andererseits hat der stationäre Behandlungsraum für den Patienten immer auch einen zum Agieren auffordernden Charakter. Dabei ist Agieren des Patienten selten als reines Widerstandsphänomen, besser oft als unreifer Abwehrmechanismus zu verstehen. Am hilfreichsten wirkt meist, wenn wir Agieren als »handelnde Selbstinszenierung« verstehen können. Solche Selbstinszenierungen des Patienten können dann als Zugang zum intrapsychischen Geschehen genutzt werden und darüber hinaus therapeutisch bedeutsame Entwicklungsschritte einleiten, wenn Therapeut und Patient ihre psychische Funktion verstehen. Allerdings bleiben sie unproduktiv, wenn es bei der Inszenierung oder Reinszenierung bleibt – wichtig ist über die Deutung hinaus die Verknüpfung mit einem sozialen Lernvorgang. Kriebel (1993) hat dargestellt, dass sich für das therapeutische Team die schwierige (und immer nur unvollkommen lösbare) Aufgabe ergibt, die Spielräume groß genug, die Grenzsetzungen stabil und verlässlich genug zu gestalten. Eine der Schwierigkeiten besteht darin, dass grenzsetzenden Normen und Regeln einerseits ganz generell eine entindividualisierende und infantilisierende Tendenz innewohnt (worauf Sachsse 1989 hinwies), andererseits feste Regeln und Grenzsetzungen die labilen Ich-Grenzen des Patienten und das therapeutische Milieu sichern. Aber nur wenn es gelingt einen »Raum des Wiedererlebens mit verminderter Angst«, wie Cremerius es nannte, zu schaffen, können die Grenzsetzungen durch das Team und die Erfahrung, Grenzen gesetzt zu bekommen, durch die Patienten als korrigierende Ich-Erfahrung aufgenommen werden. So lange Patienten die Stationsordnung nur als Mittel realer Machtausübung verstehen, verbunden mit der Drohung der Entlassung oder Sanktionen durch den Kostenträger, so lange werden Grenzsetzungen nicht produktiv bearbeitet werden können.

Es bedarf großer therapeutischer Geduld und Gelassenheit, die Auseinandersetzung mit vorgegebenen Regeln und Grenzen und mit den sich ständig wiederholenden Regelübertretungen nicht zu einem wechselseitig frustrierenden Ärgernis, sondern zu einem wichtigen Konflikt- und Begegnungspunkt zwischen Patienten und Team zu machen. Erst dann ermöglichen Grenzsetzungen

einen besseren Realitätsbezug und ein reiferes Autonomiever-
ständnis bei Patienten.

Die Patienten haben viele Möglichkeiten, uns und den von uns
geschaffenen therapeutischen Rahmen infrage zu stellen. Ob es die
Unpünktlichkeit oder das Nichterscheinen bei therapeutischen
Veranstaltungen sind, das Nichterfüllen therapeutischer Aufgaben,
ob es die Körperpflege, die Ordnung im Patientenzimmer, ein laut-
starker und aggressiver Umgangston, der Genuss von Alkohol, das
Eingehen erotisch sexueller Beziehungen oder die permanente
Handy-Nutzung sind – in einer Klinik sind die Grenzen niemals
endgültig gesichert (in dem Sinne, dass nicht mehr über sie ver-
handelt werden müsste). Das kann müde machen und ist eigentlich
nur in einem gut funktionierenden Team zu ertragen. Gut ist es,
wenn die Regelverstöße offen zutage treten und zum Therapiege-
genstand gemacht werden können. Schwieriger wird es, wenn eine
ganze Gruppe sich vorübergehend in heimlichen Regelverstößen
verbündet, damit die Lüge als bewussten Widerstand zum Bezie-
hungsprinzip macht und vorübergehend eine »Therapie mit dop-
peltem Boden« stattfindet. Erfreulicherweise gibt es dann immer
wieder Gruppenmitglieder, die reif und stabil genug sind, dieses
Verhalten anzusprechen und eine kritische Auseinandersetzung
einzuleiten.

Ebenso problematisch ist eine Situation, wenn ein oder zwei destruktiv agierende Patienten gleichzeitig so dominant sind und
Angst auslösen, dass kein Gruppenmitglied es wagt, sich mit ihnen auseinander zu setzen. Nur, wenn es nicht gelingt, die anderen
Gruppenmitglieder in ihrer Kritik- und Auseinandersetzungs-
fähigkeit zu stärken, wird das Team dann in Ausnahmefällen gezwungen sein, eine Grenze durch Entlassung des oder der betref-
fenden Patienten zu setzen. Manipulierendes Verhalten einzelner
Patienten kann sich auch verdeckt und eher subtil äußern: So erin-
nere ich mich an einen Fernfahrer mit somatoformer Schmerzstö-
rung, der in aller Freundlichkeit und mit viel Wohlwollen innerhalb
kurzer Zeit die halbe Klinik durch den Vertrieb zollfrei erworbener
Zigaretten in seine Abhängigkeit brachte. Auch hier wird das Team
zwar mit Verwarnung oder Entlassung eingreifen, wenn sich »ma-
fiose Strukturen« zu entwickeln drohen. Angemessener ist auch in

diesem Fall, das kritische Potenzial der Patientengruppe so zu bestärken, dass die Auseinandersetzung unter den Patienten selbst stattfindet.

Überhaupt hat es sich als hilfreich erwiesen, die Patienten in möglichst wechselnden Positionen und auf mehreren Ebenen in die Verantwortung für das Gesamtmilieu der Klinik einzubeziehen. Dies schließt die gemeinsame Gestaltung von Gruppenabenden, die Mitverantwortung im Küchenbereich, die Gartenpflege, große Säuberungsaktionen im Rahmen der Ergotherapie, aber auch die wochenweise wechselnde Wahlfunktion des Gruppensprechers ein.

Erinnern wir uns abschließend in Selbstbegrenzung unserer Erwartungen und Illusionen daran:

– In zwei entscheidenden Punkten bestimmen nicht wir, sondern die Patienten die Grenzen der Therapie: Wenn es um die Therapieziele und deren Begrenzung sowie um das Entwicklungs- und Veränderungstempo, um die Dynamik des therapeutischen Prozesses geht.

– Wir können niemals ein vollständig gerechtes System von Regeln und Ausnahmen schaffen.

– Die Gratwanderung zwischen »paternalistischer Vernunfttherapie« und »mütterlicher Liebestherapie« (Cremerius 1979, zit. nach Kriebel) gelingt oft, aber nicht immer.

– Wir versuchen, Regeltreue, Verlässlichkeit und Verbindlichkeit zu fördern, laufen dabei aber immer Gefahr, autoritäre Haltung und daraus resultierende Autoritätsanpassung zu entwickeln.

– Zum Umgang mit Grenzen in der Psychotherapie gehört auch, die Grenzen therapeutischer Möglichkeiten zu akzeptieren. Nicht »restitutio ad integrum« ist in der Regel das Ziel, sondern Gesundheit im Sinne der Befähigung zu aktivem und erfolgreichem Umgang mit Störungen und Behinderungen.

– In der permanenten Auseinandersetzung um Grenzen in einer Klinik ist es unmöglich, in jeder Situation sich jedem Patienten gegenüber gerecht, d. h. auch therapeutisch förderlich, zu verhalten.

– Psychotherapie und die Psychotherapieklinik sollen schließlich auch nicht eine »Insel der Seligen« sein – sondern ein Abbild und ein Modell von Wirklichkeit, das dem Patienten Mut macht, die Insel (wenn es möglich ist, mit etwas gestärkten Ich-Funktionen) auch wieder zu verlassen.

Literatur

Kriebel, A. (1993): Spielräume und Grenzsetzungen in der stationären Psychotherapie. Z. Psychosom. Med. Psychother. 39: 75–88.

Plassmann, R. (1997): Virtuelle Objekte und ihre Verwendung: über die industrielle Produktion von Objektbeziehung. Vortrag Symposion der DPV. Stadtlengsfeld.

Riemer, M.; Tschuschke, V. (2004): Schweigepflicht und Zeugnisverweigerungsrecht in der Gruppenpsychotherapie. Gruppenpsychother. Gruppendynamik 40: 193–203.

Sachsse, U. (1989): Psychotherapie mit dem Sheriff-Stern. Gruppenpsychother. Gruppendynamik 25: 141–158.

Staats, H. (2005): Gruppenpsychotherapie als Teil eines Gesamtbehandlungsplans. Gruppenpsychother. Gruppendynamik 41: 153–175.

Schmidt-Lellek, C. (2005): Das Übersehen der Grenzen. Psychotherapie im Dialog 6: 157–161.

Tschuschke, V. (2003): Kurzgruppenpsychotherapie. Theorie und Praxis. Wien.

Wunderlich, G. (2005): Behandlungsziele und -erfolge realistisch einschätzen. Psychotherapie im Dialog 6: 170–174.

Inge Rieber-Hunscha

Zeit als Realität beim Beenden der Psychotherapie

Zeit und Realität – Definitionen

Zeit ist ein von der Natur vorgegebener Parameter, der als vierte Dimension (Einstein) die Natur, das Weltall und damit auch unser gesamtes Leben prägt und strukturiert. Von der Natur vorgegebene Zeitstrukturen bestimmen in komplexer Weise das »Zeit-Raum-Gefüge« des Menschen – ähnlich wie beim Tier – im Sinne einer nur wenig beeinflussbaren, weitgehend unbewussten »inneren Uhr« (Ciompi 1988; Payk 1979), die ständig und unausweichlich hintergründig das Verhalten, somatische und psychische Vorgänge beeinflusst.

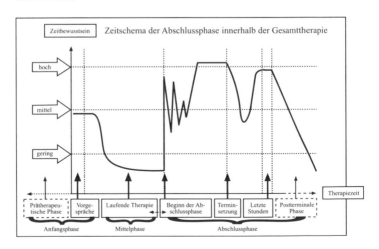

Abbildung 1: Zeitbewusstsein während einer Psychotherapie

Die Uhrzeit ist eine für alle Menschen verbindliche Konstante unserer *Realität*, der sich alle in hohem Maß unterordnen müssen, damit die vielfältigen Aufgaben des Lebens synchron zu bewältigen sind. Mit Realität werden Wirklichkeiten bezeichnet, die unser Leben bestimmen – wie Zeitvorgaben der Uhr, historische, gesellschaftlich-soziale, körperliche und psychische Realitäten. Unsere heutige Zeit in der Realität einer westlichen Medien- und Wohlstandsnation einer globalisierten Welt beispielsweise ist in spezifischer Weise geprägt durch zunehmende Geschwindigkeit des Alltags.

Schon immer haben sich Menschen mit Zeit, ihrem allgegenwärtigen und ihrem komplexen Einfluss auf Denken, Fühlen und Handeln von *Individuen* und *Gruppen*, auf die *Gesellschaft* und die *Kultur* befasst – insbesondere Philosophen, Psychoanalytiker, kognitiv-behaviorale Psychologen, Hirnforscher und neurobiologische Forscher sowie andere Psychotherapeuten. Dass sogar die Kreativität eines Menschen vom individuellen Umgang mit und der Haltung zur Zeit abhängig ist, kann aus den Biografien von Schiller und Goethe verdeutlicht werden: Schiller stand immer unter dem Gefühl des Zeitdrucks und der Endlichkeit, während für Goethe dagegen die Unabhängigkeit von zeitlichen Grenzen entscheidend war (Damm 2004).

Viele Menschen erleben Zeit einseitig als negativ einengend und verknüpfen sie mit *Begrenzung*, Festlegung, Abhängigkeit, Zielorientierung, Leiden, Sterben und Tod. Aus diesem Grund findet sich in der Ethnologie, Religion, Philosophie, Kunst und Literatur häufig die Darstellung von Zeit durch das Symbol des Todes – wie schon bei der griechischen mythologischen Gestalt des Chronos als Sensenmann mit dem Zeitglas – der Sanduhr. Ich selbst habe die Sanduhr als Titelbild für mein Buch »Das Beenden der Psychotherapie. Trennung in der Abschlussphase« (Rieber-Hunscha 2005) gewählt, weil die Realität von Zeit wie ein roter Faden die gesamte Abschlussphase beim Beenden der Psychotherapie durchzieht.

Zeit als Realität ist auch in der *Psychotherapie* von großer theoretischer und technischer Bedeutung (s. Abb. 1). Patient und Therapeut müssen sich in einer Psychotherapie wiederholt vom

Anfang bis zum Ende mit dem gesamten *komplexen Spektrum* verschiedener zeitlicher Realitätsebenen auseinander setzen, um Veränderungen des Zeitbewusstseins erkennen und strukturierend regulieren zu können – sowohl im Alltag als auch in der psychotherapeutischen Situation.

Sucht man aber Literatur zum Thema Zeit in der Psychotherapie – auch in der Abschlussphase –, findet man auf Anhieb wenig und es entsteht der Eindruck, dass Psychotherapeuten sich damit bisher kaum befasst haben. Je mehr Artikel oder Bücher man aber liest, umso deutlicher wird, dass es eine große Zahl von unbekannten, verstreuten Arbeiten zum Thema Zeit gibt (Ciompi 1988; Fraisse 1957; Hartocollis 1983; Hinrichs 1984; Kupke 2003; Payk 1979; Plattner 1990; Schaltenbrand 1963). Erstaunlicherweise wird in keiner der von mir gesichteten Publikationen das Thema von Zeit beim Beenden aufgegriffen, und es scheint auch keine vergleichbare Arbeit zu diesem Thema zu geben.

Zeit am Therapiebeginn und im weiteren Verlauf

Zeitliche Aspekte durchziehen jede Psychotherapie in jeweils unterschiedlicher Weise vom Anfang bis zum Ende (s. Abb. 1). Schon an ihrem Beginn, bei der Therapievereinbarung und der Indikationsstellung, spielt die antizipatorische Vorstellung vom Therapieende, von der Dauer und dem Verlauf der gesamten Therapie eine entscheidende Rolle. Da sich vor allem Patienten mit *gestörtem Zeitempfinden* am Therapiebeginn das Therapieende noch nicht vorstellen können, ist es die *Verantwortung des Therapeuten*, schon zu diesem Zeitpunkt an das Beenden zu denken, es von sich aus anzusprechen und aktiv mit einzubeziehen. Es können gravierende negative Folgen für den Patienten und das gesamte Therapieergebnis entstehen, wenn der Therapeut den antizipatorischen Umgang des Patienten damit von Anfang an vermeidet und sogar blockiert – bewusst oder unbewusst. Dies wird aus dem kürzlich erschienenen Erfahrungsbericht einer ehemaligen Patientin deutlich (Akoluth 2004). Weil der Therapeut sich auf die von der Patientin selbst nicht lösbare Trennungsambivalenz nicht einstellen kann, lässt er sie meiner Ansicht nach allein im zaghaften Versuch sich abzulösen. Nicht zuletzt damit in Zukunft solche therapeutische Fehler der Vergangenheit angehören, habe ich mein Buch und diesen Beitrag geschrieben.

Mit einer kurzen fiktiven Fallvignette, die uns auch in den folgenden Abschnitten begleiten wird, möchte ich meine bisherigen verallgemeinerten Ausführungen und mein eigenes psychodynamisch-psychoanalytisches Vorgehen in der Praxis veranschaulichen: Ein 30-jähriger Patient kommt vom Hausarzt wegen seit Jahren bestehender gastritischer Beschwerden. Er versteht selbst nicht, was mit ihm los ist – der geschickte Patient. Schon in den ersten Sätzen meint er, dass wohl nur wenige Stunden erforderlich seien, weil er sonst gut mit seinem Leben zurechtkomme. Schon im Erstgespräch wird deutlich, wie beschämend es der Patient erlebt, mit etwas nicht selbstständig fertig zu werden. In den folgenden Probegesprächen zeigt sich, dass die gastritischen Beschwerden nur die letzte Spitze eines massiven Berges von vielen, seit Jahren bestehenden aktuellen und chronischen Konflikten seines Lebens, seiner Liebes- und Arbeitsbeziehungen sind und weitere larvierte, bisher nicht bewusste psychische Störungen wie phobisches Vermeidungsverhalten und Zwänge vorliegen. Schließlich kann er sich zu einer Kurzzeittherapie durchringen und in deren Verlauf erst führen die ersten positiven therapeutischen Erfahrungen dazu, dass er die Notwendigkeit einer Langzeittherapie erkennt und akzeptiert. Das heißt, er kann erst jetzt seine durch Scham und Angst geprägte Zeitvorstellung von wenigen Stunden korrigieren und die Langzeitperspektive seiner Therapie hinnehmen. Ein grober Zeitrahmen von ein bis zwei Jahren wird ins Auge gefasst. Die Therapie geht weiter, und die Zeit und das Beenden werden von ihm zunehmend vergessen. Der Therapeut vergisst die Zeit zwar auch oft, aber er muss doch wiederholt bewusst darauf achten, wie viel Zeit vergangen ist, weil er die Verantwortung für das Timing der Therapie trägt – so wie er auch in jeder einzelnen Stunde das Ende im Auge behalten muss. Denn unser Patient neigt dazu, kurz vor dem Stundenende Wichtiges zu sagen und die zu Ende gegangene Zeit zu übersehen.

Zeit in der Abschlussphase

In der Abschlussphase nimmt der Einfluss von zeitlicher Realität in spezieller Weise zu (s. Abb. 1). Ähnlich wie bei anderen Trennungsvorgängen ist der Trennungsprozess in der Abschlussphase als bewusst und unbewusst ablaufender, sich stufen- und phasenweise aufeinander aufbauender Entwicklungsprozess zu verstehen (Rieber-Hunscha 2005). Kohut (1977) nennt ihn deswegen »epigenetische Sequenz«. Das Ziel der Abschlussphase besteht im *Realisieren des Beendens in absehbarer Zeit.*

Beginn der Abschlussphase
In jeder Psychotherapie beginnt die Abschlussphase dann, wenn das *Thema des Beendens kognitiv wahrnehmbar* ist, direkt besprochen wird und in absehbarer Zeit zur Terminsetzung und Beendigung führt (s. Abb. 1). Der Beginn der Abschlussphase ist der Anfang der Beendigung der Therapie.

Es können zwar gewisse *Kriterien für den Beginn* der Abschlussphase genannt werden – direkte, indirekte, ergebnis-, ziel- und verlaufsorientierte sowie zeitliche Kriterien, um die es im Folgenden gehen wird –, aber damit ist der *Zeitpunkt* für den Beginn der Abschlussphase keineswegs eindeutig oder vom Therapiebeginn an vorherzusagen (Rieber-Hunscha 2005). Aus meiner eigenen Praxisstatistik von psychodynamisch-psychoanalytischen Therapien in einem Zeitraum von 10 Jahren wird erkennbar, dass die Abschlussphase spätestens dann beginnt, wenn ungefähr die Hälfte bis zwei Drittel der Dauer und Stundenzahl der Gesamttherapie vergangen ist. Diese Relation bedeutet aber keineswegs, dass der Zeitpunkt des Beginns der Abschlussphase im Voraus definierbar ist, sondern ganz im Gegenteil ist die absolute Dauer und der definitive Beginn der Abschlussphase weitgehend durch individuelle Entwicklungen des therapeutischen Prozesses bestimmt.

Da besonders bei Langzeittherapien mit offenem Ende der Gedanke an ein rechtzeitiges und gut vorbereitetes Beenden leicht vergessen wird, ist hier das bewusste Beachten des Therapeuten von zeitlichen Aspekten von besonderer technischer Bedeutung. Der Therapeut trägt an dieser Stelle eine große *Verantwortung für das*

Timing und ist dazu verpflichtet, das Therapieende von sich aus aktiv spätestens dann zu thematisieren, wenn die Hälfte bis zwei Drittel des vereinbarten Zeitrahmens der Gesamttherapie vergangen ist. Insbesondere betrifft dies Patienten mit gestörtem Zeitempfinden und pathologischer Abhängigkeit (wie oft bei Borderline-, Angst- und Zwangsstörungen) sowie Kinder, Jugendliche und alte Menschen. Viele Psychotherapeuten aller Schulen in Deutschland vertreten aber eine Haltung zur Therapiedauer nach dem Motto, »je länger umso besser« (Hartmann u. Zepf 2002; Stiftung Warentest 2002). Sie verhindert meiner Ansicht nach, dass die Technik des rechtzeitigen und aktiven Ansprechens bewusst eingesetzt wird, damit der Patient gut vorbereitet die Therapie beenden kann und seine Trennungsfähigkeit während der Abschlussphase verbessert wird.

Zurück zu unserem Fallbeispiel

Nach gut einem Jahr Therapie – ungefähr zwei Drittel der geplanten Therapiezeit – geht es dem Patienten deutlich besser, die gastritischen Symptome sind weg, die Konflikte mit dem Chef und der Freundin sind dem Patienten bewusst und inzwischen weitgehend gelöst. Aber der Patient spricht nicht vom Beenden, obwohl er doch anfangs nur wenige Stunden zu brauchen meinte. Der Therapeut thematisiert schließlich von sich aus, dass doch seine Therapieziele erreicht seien, und die geplante Therapie sich dem Ende zuneige. Der Patient wirkt überrascht und wie erstarrt, fühlt sich rausgeworfen und spricht über etwas anderes. Der Therapeut kann daraus erkennen, dass beim Patienten Trennungsprobleme, unbewusste Angst vor dem Ende und Widerstände vorhanden sind, die in der Abschlussphase zu besprechen und zu lösen sind, damit er gut vorbereitet, also trennungsfähig, die Therapie beenden kann. Es wäre nicht gut, wenn die Therapie zu diesem Zeitpunkt sofort beendet würde, womöglich einseitig durch den Therapeuten, weil das die bisherigen Erfolge gefährden würde.

Terminsetzung

Das *Timing des Beendens* in Form einer rechtzeitigen antizipatorischen Festlegung des letzten Behandlungstermins ist bei jeder Psychotherapie notwendig und sinnvoll, damit sie von Patient und

Therapeut gut vorbereitet und erfolgreich zum Abschluss gebracht werden kann (s. Abb. 1). Damit erhält das Ziel des Beendens eine zeitliche Struktur, und aus der Vorstellung vom Ende wird zunehmend konkrete Realität.

Oberflächlich gesehen erscheint das Faktum der *antizipatorischen Terminsetzung* vor dem Beenden als trivial und selbstverständlich. Erst bei näherer Betrachtung wird deutlich, wie komplex dieser Themenbereich mit der gesamten Therapie verwoben und in theoretischer und technischer Hinsicht von Bedeutung ist. Die antizipatorische Terminsetzung ist ein therapeutisch in mehrfacher Hinsicht bedeutsamer Punkt in der Abschlussphase. Es gibt verschiedene *Arten der Terminsetzung* – aus äußeren Gründen, einseitig durch den Patienten, einseitig durch den Therapeuten und die mutuelle Terminsetzung durch einen Entscheidungsprozess, auf den ich im Folgenden eingehen möchte.

Bei allen Psychotherapien mit variablem oder offenem Ende besteht die Möglichkeit, während der laufenden Therapie die Beendigung durch eine antizipatorische Festlegung des letzten Termins vorzubereiten. Meiner Ansicht nach gelingt die Terminsetzung am ehesten, wenn dies von Therapeut und Patient in einem *bewussten Entscheidungsprozess* wechselseitig und schrittweise geschieht. Aber den Zeitpunkt der letzten Stunde der Psychotherapie zu entscheiden, ist oft ebenso schwierig wie den Beginn der Abschlussphase zu definieren, weil es viele Möglichkeiten gibt und dabei viele individuelle Aspekte der gesamten Therapie und des Patienten zu berücksichtigen sind.

Die mutuell getragene zeitliche Festlegung der letzten Stunde ist das Ergebnis sich *aufeinander aufbauender Mikroentscheidungen* und komplizierter intrapsychischer und interaktioneller Vorgänge auf unterschiedlichen Ebenen des Bewusstseins. In der Regel müssen Patient und Therapeut wiederholt das zeitliche Maß zwischen den verschiedenen Zeitabschnitten »zu lang«, »zu kurz« und »genug« reflektieren, abwägen und im jeweiligen Fall entscheiden.

Damit die Entscheidung an die jeweilige Therapie und den Patienten adaptiert ist, sollten die *verschiedenen zeitlichen Möglichkeiten* und ihre Konsequenzen in der Phase der Entscheidungsfindung zwischen Beginn der Abschlussphase und Terminsetzung bewusst gemacht und gegeneinander abgewogen werden (»Inkubationsperiode«, Novick 1982). Das gedankliche Durchspielen der verschiedenen Möglichkeiten vor der Entscheidung, das Erleben des *ambivalenten Hin-und-her-Pendelns* in Unentschiedenheit und das gleichberechtigte Nebeneinander von sich widersprechenden Varianten dient dem bewussten Erkunden des Möglichkeitsraumes in progressiver Hinsicht (Rieber-Hunscha 2005).

Der Trennungsprozess in der Abschlussphase kann aber nur voranschreiten, wenn der Patient die Phase des ambivalenten Wechsels und der Unentschiedenheit durch eindeutige und bewusste *Prioritätensetzung* beenden kann. Er muss hierzu eine Auswahl treffen, da nicht alles zugleich möglich ist. Dem Patienten gelingt die Trennung ohne Traumatisierung nur dann, wenn er den mit der inneren Prioritätensetzung verbundenen Verlust der besiegten Alternativen hinnehmen und bejahen kann (»Bejahte Trennung«, Müller-Ebert 2001). Der Patient muss den Verlust der vertrauten Therapie, damit verbundene Unsicherheiten und Risiken ebenso akzeptieren können wie die unausweichlichen Widersprüche zwischen Gegensatzpaaren – wie Eindeutigkeit und Vieldeutigkeit, Offenheit und Festlegung, Anspannung und Entspannung, Ziellosigkeit und Zielorientiertheit, Festhalten und Loslassen. Trennungsfähigkeit ist insofern Ausdruck von Zielorientiertheit und Handlungsfähigkeit, die sich gegenüber allem anderen durchsetzt.

Da das Zeitgefühl und der Umgang mit Zeit wesentliche psychische Voraussetzungen für Trennungsfähigkeit sind (vgl. bezüglich der Trauerbewältigung Bowlby 1982), kann durch die therapeutische Arbeit mit der Terminsetzung die Fähigkeit, mit Trennungen jeder Art umzugehen, verbessert werden. Dies hat Rückwirkungen auf die Bindungs-, Arbeits- und Leistungsfähigkeit insgesamt.

Noch einmal zu unserem Fallbeispiel
Der Patient erlebt nach Beginn der Abschlussphase einen ersten Rückfall seiner Beschwerden, was ihn einerseits sehr ängstigt, andererseits aber sein Vertrauen in die Selbstheilungskräfte stärkt,

denn sie sind nur von kurzer Dauer. Je mehr er die eigenen Tren-
nungsängste, Angst vor Verlust der therapeutischen Sicherheit und
Zweisamkeit erkennen und annehmen kann, umso mehr gelingt es
ihm, sich die verschiedenen Möglichkeiten des Beendens in zeitlicher Hinsicht antizipatorisch vorzustellen und das Für und Wider
abzuwägen. Schließlich kann er gemeinsam mit dem Therapeuten
den Zeitpunkt des letzten Termins festlegen, der möglichst gut an
sein Leben adaptiert ist. Die letzte Stunde soll in drei Monaten sein
und bis dahin sollen noch sechs, jetzt schon zeitlich vereinbarte
Gespräche in 14-tägigem Abstand stattfinden. Er ist einerseits froh
und erleichtert, die antizipatorische Realisierung des Therapiepla-
nes geschafft zu haben, andererseits ist er aber zugleich ängstlich
und unsicher, ob das Vorweggenommene alles so gelingt, wie angenommen.

Die letzten Stunden
Mit den letzten Stunden der Psychotherapie sind die wenigen Stunden direkt vor dem festgelegten Ende der Therapiestunden gemeint
(s. Abb. 1). Sie sind durch *Finalität* und Terminalität charakterisiert – durch Endgültigkeit, Unumkehrbarkeit und zunehmenden
Zeitdruck (»Countdown«, Klüwer 1995). Durch die immer näher
kommende Realität der letzten Stunde wird der verbleibende Rest
an Zeit in dem kurzen Zeitabschnitt der letzten Stunden immer
kleiner. Die Zeit verrinnt, die Sanduhr ist so gut wie abgelaufen,
und die innere Anspannung steigt unausweichlich. Es ist zu spät,
um bisher Unerledigtes noch beeinflussen zu können.
   Die vorwiegend unbewussten Reaktionen auf den Zeitdruck
sind meiner Ansicht nach ähnlich überindividuell stereotyp – trotz
aller individuellen Färbung – wie die Trennungsreaktionen in der
Abschlussphase insgesamt und wie bei analogen Trennungssitua-
tionen im Alltag – wie dem Lampenfieber des Schauspielers direkt
vor dem Auftritt (Rieber-Hunscha 2005). Auch wenn bisher alles
problemlos verlaufen ist, führt der zunehmende Zeitdruck zum
bedrängenden Bewusstsein von zeitlicher Befristung und unausweichlich zur plötzlichen intrapsychischen Spannungszunahme,
die einer Stressreaktion direkt vor dem eigentlichen Ereignis
vergleichbar ist. Wie im Zeitraffer oder in der Zusammenfassung

können sämtliche Aspekte des Trennungsprozesses in der Abschlussphase jetzt für kurze Momente reaktiviert werden, punktuell aufblitzen und sich in schneller Folge abwechseln – ähnlich wie beim Finale eines Konzertes.

Die zunehmende psychische Anspannung kann nur ausgehalten und konstruktiv genutzt werden, wenn die inneren widersprüchlichen Affekte als unvereinbare Teile des Gesamten mit Hilfe der psychischen Mechanismen *Symbolisierung* und *Ambivalenz* zugleich integriert werden können (Rieber-Hunscha 2005). So stehen sich negative und positive Affekte gegenüber – wie Dankbarkeit und Wut, Freude und Trauer, Trennungsangst und Trennungswunsch. In den letzten Momenten werden oft winzige Details so bedeutsam, als würden sie das Ganze sein. Der letzte Blick, der letzte Händedruck oder die letzten Worte stehen in diesem Augenblick für die gesamte Therapie und werden als symbolische Verdichtungen in der Erinnerung festgehalten und gespeichert. Damit diese psychische Integration gelingt, ist erneut das vorangegangene Timing von Bedeutung: Es ist beispielsweise die Verantwortung des Therapeuten, dass sämtliche Formalitäten *vor* den letzten Stunden schon besprochen und entschieden sind.

Noch einmal zu unserem Fallbeispiel

Der zeitliche Abstand zur letzten Stunde wird immer kürzer, die Spannung steigt, nur noch ein bis zwei Stunden sind übrig. Der Patient möchte noch vor der letzten Stunde ein paar direkte Fragen an den Therapeuten stellen und Antworten darauf haben: wie er seine Diagnose beurteilt, den Verlauf der Therapie oder seine weitere Prognose. Der Therapeut antwortet direkt und offen, dem Patienten tut das gut. Auch kleine Szenen zwischen Therapeut und Patient, in denen bisher nicht besprochene Spannungen positiver oder negativer Art vorkamen, werden noch aufgearbeitet, und dadurch wächst das Gefühl des gelungenen Endes. Gleichzeitig ist die Stimmung des Patienten sprunghaft und schnell wechselnd innerhalb der Stunden – mal freudig, was geschafft zu haben, dann wieder voller Trauer und Zweifel, ob das alles so gelingt. Insgesamt aber überwiegt das Gefühl, dass das Therapieende gut so ist. Das Wissen, dass er für ein halbes Jahr nach der letzten Stunde wiederkommen kann und gegebenenfalls noch wenige restliche Stunden zur Verfügung hat, mildert die Ängste vor dem Rückfall. In der letzten Stunde bringt er dem Therapeuten als Geschenk ein Foto aus der eigenen Kindheit mit – zusammen mit einem ausgefüllten Beendigungs-Fragebogen. Freundlich und ein bisschen wehmütig-gerührt geben sich beide noch einmal die Hand, sehen sich etwas länger als sonst in die Augen und gehen auseinander.

Postterminale Phase
Unter der postterminalen Phase verstehe ich einen *befristeten zeitlichen Abschnitt*, der mit dem Ende der letzten Stunde beginnt (Rieber-Hunscha 2005; Müller-Ebert 2005, s. Abb. 1). Für mich ist nicht die letzte Stunde der entscheidende Endpunkt des gesamten Therapieprozesses und der Abschlussphase, sondern erst das Ende der postterminalen Phase danach. Die postterminale Phase ist als endgültig letzter Abschnitt der aktuellen Therapie prinzipiell vom langfristigen posttherapeutischen Verlauf zu unterscheiden. Diese wesentliche Unterscheidung wird sogar in empirischen Untersuchungen nicht vorgenommen (Rieber-Hunscha 2005). In der postterminalen Phase adaptiert sich der Patient an die veränderte äußere Realität und entwickelt schließlich ein neues inneres Gleichgewicht. Dieser vorwiegend intrapsychisch verlaufende *Anpassungsvorgang* erinnert an analoge körperliche Vorgänge – wie Verdauung, Heilung einer Wunde oder Rekonvaleszenz. Der Prozess der inneren Umstellung braucht – ebenso wie auch der Trauer- und der posttraumatische Verarbeitungsprozess – eine gewisse Zeit, dabei ist er anfangs noch fragil und störanfällig. Die Gefahr des Rückfalls oder neuer psychischer oder somatischer Störungen ist gegeben.

Wegen der *besonderen Vulnerabilität* des Patienten in der Zeit direkt im Anschluss an die letzte Stunde sollte meiner Ansicht nach in jeder Psychotherapie eine vor der letzten Stunde vereinbarte, zeitlich befristete postterminale Anpassungsphase von bis zu einem halben Jahr als Teil der Gesamttherapie mit einbezogen werden. Hat der Patient die Möglichkeit, während dieser Zeit jederzeit zum Therapeuten zu einigen wenigen Gesprächen zurückzukehren, ist dies in psychischer Hinsicht stabilisierend und dient in prognostischer Hinsicht einem positiven posttherapeutischen Langzeitverlauf.

Damit das Ende der postterminalen Phase vom Patienten vergessen werden kann, wenn die Trennung gelingt, müssen Patient und Therapeut spätestens in den letzten Therapiestunden die Dauer der postterminalen Phase vereinbaren und festlegen, damit der aktuelle Therapieprozess ein definiertes Ende hat.

Ein letztes Mal zurück zu unserem Fallbeispiel
Unser ehemaliger Patient genießt die Zeit ohne Therapie, er merkt selbst, dass er sich im Vergleich zu vorher deutlich weiterentwickelt hat, zumal die Symptome schon längere Zeit verschwunden sind. Die erste Zeit nach der letzten Stunde empfindet er emotional stark das Fehlen der bisherigen Realität der Stunde, insbesondere wenn die gewohnte Zeit und der Wochentag sich wiederholen. Er vermisst das gemeinsame Nachdenken über sich, die Aufmerksamkeit und das Mitdenken des Therapeuten. Aber je weiter die Zeit voranschreitet, umso weniger kommt ihm die vergangene Therapie in den Sinn, wenn auch die assoziative Verknüpfung in bestimmten Situationen jederzeit aktiviert wird. Bei konflikthaften Zuspitzungen führt er sich vor Augen, was er aus der Therapie dazu zur selbständigen Lösung verinnerlicht und mitgenommen hat. Dies hilft ihm dabei, aktuelle Konflikte ohne weitere Störungen in kurzer Zeit zu meistern. Kurz vor dem Ende der vereinbarten postterminalen Zeit kommt ihm plötzlich zu Bewusstsein, dass er wider Erwarten ohne Rückfall und ohne weitere therapeutische Hilfe ausgekommen ist. Er schreibt dem Therapeuten noch eine freundliche Karte aus dem Urlaub, teilt ihm mit, dass es ihm gut gehe, bedankt sich noch mal und genießt sein Leben, ohne den Therapeuten je wiederzusehen. Zunehmend automatisch wendet er im Alltag den selbsttherapeutisch-regulierenden Umgang mit seinen psychischen Schwankungen an, den er schon während der Therapiezeit kennengelernt und geübt hat – Happy End!

Schlussbemerkung

Die therapeutische Arbeit an und mit Zeit und Realität, das heißt mit Begrenzung, Abhängigkeit, Trennung, Beendigung und Terminsetzung, ist bei Psychotherapien jeder Art wesentlich, damit die Trennungs- und Handlungsfähigkeit, Bindungs-, Arbeits- und Leistungsfähigkeit des Patienten hergestellt wird.

Die besondere Kunst des Therapeuten besteht beim Beenden in der Fähigkeit, sich sowohl frei von theoretischen Zwängen auf die einmalig-individuelle Art der Trennung des Patienten einzulassen als auch zugleich über leitende therapeutisch-technische Theorien und Konzepte zu verfügen. Diese integrative Leistung ist immer wieder aufs Neue zu erbringen. Auch wenn bestimmte Aspekte von Beendigungsprozessen lernbar sind und schon in der psychotherapeutischen Aus- und Weiterbildung in Zukunft auch gelehrt werden sollten (Rieber-Hunscha 1996), muss der Therapeut sich diese bei jedem Therapieende aufs Neue, maßgeschneidert adaptiert, an dem jeweiligen Einzelfall erarbeiten. Das ist ein nicht zu unterschätzender Teil der therapeutischen Qualität jedes Psychotherapeuten.

Damit sind wir unmittelbar beim Thema dieses Kapitels: Die Grenzen der psychotherapeutischen Identität des Therapeuten zeigen sich dann, wenn er sich unabhängig von seiner jeweiligen psychotherapeutischen Ausbildung und therapieverfahrensspezifischen Ausrichtung auf die wechselnden Einflüsse und äußeren Zwänge von Zeit beim jeweiligen Patienten einstellen und damit adaptiv umgehen muss. Das fordert eine gewisse schulenübergreifende Sichtweise (Rieber-Hunscha 1996, 2005) und bedeutet, dass psychotherapeutische Identität sich insbesondere in der Abschlussphase weniger durch methodenspezifische Haltungen und Techniken definiert, sondern vielmehr durch die allen gemeinsame Einstellung auf die jeweiligen psychischen Bedingungen des Patienten. Nicht entweder der eine oder der andere Teilaspekt, sondern das Sowohl-als-auch der Gesamtheit ist entscheidend: Sowohl körperliche als auch seelische Aspekte sind essenziell, sowohl kognitive und auf reales Verhalten bezogene als auch intrapsychische Strukturen des Individuums, der Gruppe, der Gesellschaft und der globalen Community. Meiner Ansicht nach verhindert das bis heute weltweit bestehende schulengetrennte Denken, Forschen und Praktizieren in der Psychotherapie, dass die Komplexität von Zeit in ihrer Gesamtheit und die damit verbundenen Konsequenzen für die therapeutische Praxis ausreichend beachtet und berücksichtigt werden. Die weitere Entwicklung der Psychotherapie scheint sich in dieser Hinsicht aber schon jetzt anzukündigen und wird für zukünftige Psychotherapeuten hoffentlich zunehmend selbstverständlich werden.

Literatur

Akoluth, M. (2004): Unordnung und spätes Leid. Bericht über den Versuch, eine misslungene Analyse zu bewältigen. Würzburg.

Bowlby, J. (1982): Das Glück und die Trauer. Stuttgart.

Ciompi, L. (1988): Außenwelt – Innenwelt. Die Entstehung und Zeit, Raum und psychischen Strukturen. Göttingen.

Damm, S. (2004): Das Leben des Friedrich Schiller. Eine Wanderung. Frankfurt a. M.

Fraisse, P. (1957): Psychologie der Zeit. München, 1985.

Hartmann, H.; Zepf, S. (2002): Effektivität von Psychotherapie. Forum Psychoanal. 18: 176–196.

Hartocollis, P. (1983): Time and Timelessness. New York.

Hinrichs, R. (1984): Zeit und Psyche. Zur Genese und Dynamik der subjektiven Zeitwahrnehmung. Z. Psychosom. Med. Psychother. 30: 342–356.

Klüwer, R. (1995): Zum Behandlungsprozess und zur Technik der Fokaltherapie. In: Klüwer, R.: Studien zur Fokaltherapie. Frankfurt a. M., S. 62–91.

Kohut, H. (1977): Die Heilung des Selbst. Frankfurt a. M.

Kupke, C. (2003): Die Zeitlichkeit melancholischen Leidens. Fundamenta Psychiatrica 17: 43–52.

Müller-Ebert, J. (2001): Trennungskompetenz – Die Kunst, Psychotherapien zu beenden. Stuttgart.

Müller-Ebert, J. (2005): Vom Trennen: Herausforderungen beim Beenden von Therapien. Psychotherapie im Dialog 6: 150–156.

Novick, J. (1982): Termination: Themes and Issues. Psychoanal. Inq. 2: 329–366.

Payk, T. R. (1979): Mensch und Zeit. Chronopathologie im Grundriß. Stuttgart.

Plattner, I. E. (1990): Zeitbewußtsein und Lebensgeschichte. Heidelberg.

Rieber-Hunscha, I. (1996): Zerreißproben. Zwischen Ausbildung und Praxis der analytischen Psychotherapie. Gießen.

Rieber-Hunscha, I. (2005): Das Beenden der Psychotherapie. Trennung in der Abschlussphase. Stuttgart.

Schaltenbrand, G. (Hg.) (1963): Zeit in nervenärztlicher Sicht. Stuttgart.

Stiftung Warentest (2002): Mehr Lebensfreude. Heft 2: 91–95.

Christian Reimer

Zeitbegrenzte Interventionen in der Psychotherapie

Wie sich die Standards für die Inanspruchnahme von Psychotherapien weiterentwickeln werden, wissen wir nicht genau. In dem Spektrum, das uns bisher zur Verfügung steht, genießen im Allgemeinen die mittel- bis längerfristigen Therapien wohl die größte Wertschätzung bei den Therapeuten – einerseits sicher aus ökonomischen Gründen, dann aber vielleicht auch, weil hier längere und tiefere Beziehungen zu Patienten entstehen können, in der Annahme, dass dieses heilsam ist und wirkt und weil viele meinen, dass Veränderungen eben Zeit brauchen. Ein respektables Argument, das sicher zumindest teilweise auch zutrifft, aber eben nicht generell. Ich kenne nicht wenige Kolleginnen und Kollegen, von denen ich nach jahrelanger kollegialer und/oder freundschaftlicher Begleitung aus Nähe oder Ferne den Eindruck hatte, dass ihre lange Lehranalyse bzw. Lehrpsychotherapie wenig Spuren im Sinne positiver Veränderungen hinterlassen hatte. Natürlich ist es unangebracht, daraus zu schließen, dass lange Therapien nichts bringen. Ich will dagegen auch gar nicht polemisieren, sondern im Folgenden die kürzeren, zeitbegrenzteren Interventionen erwähnen, denen wir uns in Zukunft ohnehin aus gesundheitspolitischen und ökonomischen Gründen mehr widmen müssen.

Zunächst aber ein Blick in die USA: Zieht man z. B. zum Thema Kurztherapie die Neuauflage des Standardswerks »Handbook of Psychotherapy and Behavior Change« von Lambert (2004), zu Rate, findet man die bündige Aussage: »brief pychotherapy (is) the norm« als gegenwärtigen Stand der Psychotherapieforschung.

Ich möchte zumindest einige der Argumente nennen, warum

zeitbegrenztere Therapien die neue und zukünftige Norm darstellen sollen.

Dazu wäre zunächst zu sagen, dass nahezu alle in den USA untersuchten Behandlungen kurz sind, das heißt in der Regel auf weniger als 20 Stunden beschränkt. Nach dem »Goldstandard« der Psychotherapieforschung werden diese Studien – nach dem Vorbild pharmakologischer Forschung – an sorgfältig ausgewählten, diagnostisch »reinen« Gruppen durchgeführt. Die Zuweisung der Patienten zu den manualgeleiteten, sorgfältig supervidierten und kontrollierten Behandlungen und einer Kontrollbedingung (so genanntes »Placebo«, Wartekontrollgruppe oder andere »gesicherte« Therapie) erfolgt nach dem Zufallsprinzip; Messverfahren und Zeitbegrenzung werden in der Regel von vornherein festgelegt. Damit wird der Wirksamkeitsnachweis (»Evidenzbasierung«) angestrebt.

Gerade in den letzten Jahren wurde aber die einseitige Orientierung der Psychotherapieforschung an randomisierten klinischen Studien zunehmend kritisiert. Es wurde deutlich, dass die therapeutische Praxis darin nicht abgebildet wird, weil unter den Bedingungen der therapeutischen Praxis Patienten mit multiplen Störungen und Problemen behandelt werden; die therapeutische Strategie und Behandlungsdauer werden den Erfordernissen des Einzelfalles (bzw. der Bewilligungspraxis der Kostenträger) angepasst, und die durchgeführten Behandlungen unterscheiden sich erheblich von den manualisierten und kontrollierten Studienbedingungen.

Hinzu kommt, dass die Mehrzahl der Patienten in den USA weniger Sitzungen in Anspruch nimmt als typischerweise in klinischen Studien angesetzt wird. Die Studie von Olfson et al. (2002) ergab, dass die Quote der Erwachsenen, die um Psychotherapie im Laufe eines Jahres nachsuchen, mit 3,6 % über 10 Jahre hinweg etwa konstant geblieben ist. Die durchschnittliche Zahl psychotherapeutischer Kontakte war allerdings sehr gering: 35 % hatten nur 1–2 Kontakte, 40 % hatten 3–10, 15 % hatten 11–20 und nur 10 % hatten mehr als 20 Kontakte. Im Vergleich zu einer vorangegangenen Erhebung nahm die Zahl »längerer« Therapien von über 20 Stunden von 16 % auf 10 % ab. Der Anteil von Psychotherapiepatienten mit psychotroper Medikation verdoppelte sich hingegen von 32 auf 62 %. Dies war in erster Linie auf die häufigere Einnahme von Antidepressiva zurückzuführen. Eine Zunahme der Nutzung von Psychotherapie fand sich bei Patienten am Übergang vom mittleren zum höheren Lebensalter (55–64 Jahre) und bei Arbeitslosen. Die Autoren resümieren, dass:»ein Großteil der Psychotherapien in den USA dünn und von begrenztem Nutzen (ist)«« (Olfson et al. 2002, S. 1918). Lambert (2004, S. 10) kommentiert: »Managed-Care-Organisationen bestimmten die Länge der Behandlung, die eine sehr große Zahl von Amerikanern erhält« und beklagt gleichermaßen, dass starke Begrenzungen der Kassenleistungen zu Benachteiligung »schwieriger« Patientengruppen führen. Im Unterschied dürfte in Deutschland der Anteil der Anträge auf Kurzzeittherapie (bis 25 Stunden) bei circa 50 % aller Kassenanträge liegen. Allerdings war der Anteil kurzer therapeutischer Kontakte auch vor der Managed-Care-Ära hoch; es ist nicht bekannt, wie hoch der Anteil kurzer innerhalb der fünf probatorischen Sitzungen beendeter oder abgebrochener psychotherapeutischer Kontakte ist.

Obgleich die Effektivität von Kurzzeitpsychotherapien unter verschiedenen Aspekten als gesichert gelten darf, bedarf es kritischer Diskussionen von Indikation und von Langzeiteffekten. Es besteht außerdem ein Bedarf an weiteren systematischen Studien zu Langzeittherapien und der Differentialindikation zu Kurzzeitpsychotherapien.

Verschiedene Autoren haben sich mit dem Thema Zeit kritisch auseinander gesetzt und sich pessimistisch über die Geschwindigkeitssteigerung als zentrale Tendenz der modernen Welt geäußert. Diese Debatte hat natürlich auch die Psychotherapie inzwischen erreicht, indem zu Recht zum Beispiel von den Kostenträgern gefragt wird, welche Störungen von Patienten mit welcher Art von Therapie wie lange und zu welchem Zeitpunkt am erfolgversprechendsten behandelt werden können, und zwar gerade unter Kosten-Nutzen-Gesichtspunkten. Auf diese Thematik möchte ich mich hier nicht einlassen, ebenso wenig wie auf die Auseinandersetzungen zwischen Forschern verschiedener Therapieschulen, die sich ihrer jeweiligen empirischen Untersuchungsbefunde zur Kurzzeit- bzw. Langzeitbehandlung vorhalten, um damit auch ihr eigenes Vorgehen jeweils zu rechtfertigen. Das alles sind natürlich auch berechtigte Auseinandersetzungen. Ich möchte aber im Folgenden wenigstens anreißend an einige der kürzeren Psychotherapiemethoden in der Hoffnung erinnern, dass dieses nachklingt und der Leser überlegt, wie weit er sich auch für kürzere Verfahren zuständig fühlen mag, ohne frustriert zu sein und ohne den Wert solcher Verfahren zu missachten.

Dies sind die Beratung, die Krisenintervention und die Kurzzeitpsychotherapie: Drei Behandlungsansätze, bei denen die Zeitbegrenzung ein markantes Merkmal darstellt.

Beratung

Psychotherapeuten sind wohl schon aufgrund ihrer Weiterbildung am wenigsten vertraut mit Beratungsstrategien. Vielleicht denken sie auch weniger wertschätzend darüber. Beratung, das heißt eventuell Ratschläge geben müssen, suggestiv wirken müssen, vielleicht auch psychoedukativ – soll man sich das wirklich zumuten oder ließe sich das nicht auch an einen Theologen mit pastoralpsychologischer Zusatzausbildung oder auch an eine besonders empathische Krankenschwester delegieren? Ich möchte dazu nicht Stellung nehmen, sondern kurz vorstellen, was Beratung im Unterschied zu Therapie sein soll, wobei mir klar ist, dass die Grenzen fließend sein können.

Beratung versucht, beim Problemlösen Hilfestellung zu geben. Bei der lösungsorientierten Beratung wird nicht das Problem fokussiert, weil dies nur zu einer Aktualisierung der Hilflosigkeit führt und den Blick auf Defizite lenkt, was wiederum das aktuelle Verhalten verstärken kann, denn durch die Problemdiagnose kann sich das Problem stabilisieren, es erhält noch mehr Gewicht, während Entwicklung und Wachstum außer Acht bleiben. Mit anderen Worten: Es gibt eine Unabhängigkeit von Problem und Lösung, denn wenn ich weiß, wie ich einen Karren in den Dreck gefahren habe, weiß ich noch lange nicht, wie er wieder herauszuziehen ist. Daraus folgt, dass lösungsorientierte Beratung auf eine ausführliche Problemanalyse verzichtet und sich unter dem Motto »Einstimmung auf Zuversicht« oder »Ausblick statt Rückblick« der Analyse möglicher Lösungen zuwendet. Der Berater ist in diesem Sinne dann kein Problemlöser, sondern ein Moderator von Entwicklung, einer, der Ressourcen aktiviert, der zu ersten Schritten ermutigt, der die Autonomie des Patienten wertschätzt, der sich als Supervisor für die Interaktion mit der Außenwelt versteht und die Selbstwirksamkeit des Patienten unterstützt. Die Kürze der Beratung ist ein Effekt der beraterischen Vorgehensweise, indem man sich von Anfang an auf das Ende, nämlich die Lösung konzentriert. So könnte man sagen, dass die Trennung bei dieser Form von gemeinsamer Arbeit ständig vor Augen steht, die Beziehung bleibt daher meist weniger intensiv, und die Loslösung ist daher unproblematischer. Wir wissen ja aus Langzeittherapien, wie problematisch hier häufig die Loslösung vom Therapeuten sein kann, was übrigens nicht immer am Patienten liegt. In diesem ganzen Prozess von Beratungsstrategien ist die Überzeugung des Beraters von zentraler Bedeutung, dass die Problemlösung am schnellsten und sichersten erreicht wird, indem man sich von Anfang an auf die Lösung und nicht auf das Problem konzentriert. Ein solcher Beratungs- oder Therapieansatz eignet sich offensichtlich besonders für jüngere Patienten mit erst seit kurzem aufgetretenen Störungen, die nur wenige der wichtigen Lebensbereiche betreffen.

Bei diesen wenigen und sicher daher wenig ausdifferenzierten Bemerkungen soll es belassen werden. Wer sich vertieft damit auseinander setzen möchte, findet im Literaturverzeichnis einige Hinweise, unter anderem auf das Buch von Bamberger (2001) über lösungsorientierte Beratung oder auch auf das Buch von Eckstein und Fröhlig (2000) »Praxishandbuch der Beratung und Psychotherapie«. Natürlich ist Beratung oft auch Krisenintervention, und auch Krisenintervention enthält Elemente der Beratung. Ich möchte aber im Folgenden beispielhaft für die zeitbegrenzten kurzen Interventionen auf Krisenintervention und Kurzzeitpsychotherapie eingehen.

Krisenintervention

Es ist aus meiner Sicht erstaunlich, dass sich Psychotherapeuten häufig nicht besonders für Krisenpatienten interessieren. Das lässt sich schon damit belegen, dass Krisenintervention in Psychotherapielehrbüchern entweder gar nicht oder nur am Rand erwähnt wird. In den Weiterbildungscurricula von Psychotherapie- und Psychoanalyseinstituten tauchen die Begriffe Krisentheorie, Krisenintervention, Notfälle in der Regel nicht oder nur randständig auf. Dies mag damit zusammenhängen, dass bei Krisenintervention ein kürzeres und rascheres Handeln erforderlich ist, das meist nicht nach einer stilreinen Psychotherapiemethode erfolgen kann. Ein so eklektisches Vorgehen wird aber in den diversen Psychotherapieweiterbildungen nicht vermittelt. Es bleibt dann den persönlichen Fähigkeiten und einer eventuell guten klinischen Kompetenz des Psychotherapeuten überlassen, Krisenpatienten anzunehmen und undogmatisch und zeitbegrenzt mit ihnen zu arbeiten. Psychotherapeuten mit psychiatrischer Vorerfahrung werden hier weniger Schwierigkeiten haben, mit Patienten in Krisensituationen angemessen umzugehen.

Festzustellen bleibt nach Auswertung der Literatur, dass ein Konzept für eine psychotherapeutische Krisenintervention bislang nur in Anfängen besteht. Das mag auch damit begründbar sein, dass psychosoziale Krisen nicht einseitig als nur psychogen bedingt anzusehen sind, sondern dass sie – in unterschiedlichem Ausmaß – auch durch soziale oder auch organmedizinische Aspekte determiniert werden können, die vom Therapeuten gewichtet und berücksichtigt werden müssen. Dies wiederum kann Psychotherapeuten an die Grenzen der erlernten Fähigkeiten bringen.

Wann ist psychotherapeutische Krisenintervention indiziert? Einmal bei vorher nicht psychisch Erkrankten in subjektiv bedrohlichen Belastungen bis hin zu Extrembelastungen unterschiedlicher Art, also zum Beispiel Verluste, Trennungen, Beziehungskonflikte – ein häufiger Krisenanlass – und verschiedene bedrohliche Ereignisse. Dann auch bei Patienten mit akut dekompensierten neurotischen und somatoformen Störungen sowie bei Patienten mit akut dekompensierten Persönlichkeits- und Verhaltensstörungen. Darunter fallen auch Patienten mit Behandlungskrisen während laufender Psychotherapien.

Krisen im Verlauf von psychotischen Erkrankungen sollten ebenso wie Notfälle mit akuter Selbst- und/oder Fremdgefährdung primär psychiatrisch behandelt werden.

Voraussetzungen beim Therapeuten

Zunächst einmal müssen Psychotherapeuten überhaupt bereit sein, für Krisenintervention zur Verfügung zu stehen. Wer eine Terminsprechstunde hat, die wie ein Uhrwerk abläuft, wird sich für Notfälle im Sinne der Krisenbehandlung kaum zuständig fühlen. Hinzu kommt, dass Krisenintervention auch wegen der Akuität der Symptomatik rasch erfolgen muss und der Therapeut deswegen auch entsprechend schnell verfügbar sein muss. Weiterhin gilt ganz allgemein, dass man sich wegen der Akuität auf das Hier und Jetzt beschränken sollte. Dies bedeutet, dass lediglich die aktuelle Situation und allenfalls die in diese Situation hineinführenden Faktoren im Sinne eines Fokus zentriert gesehen und bearbeitet werden. Dies erfordert auch eine aktive therapeutische Grundhaltung.

Gegebenenfalls ist auch die Krisenintervention mit dem vorübergehenden Einsatz von Psychopharmaka zu kombinieren, zum Beispiel dann, wenn massive Schlafstörungen bestehen oder auch akute Angst- und Unruhezustände und Depressivität. Wer die Psychopharmakologie selbst nicht beherrscht oder nicht verordnen darf, sollte dann in jedem Fall mit einem entsprechend versierten Arzt zusammenarbeiten.

Am Ende meiner Ausführungen zur Krisenintervention möchte ich noch auf eine psychotherapeutische Technik eingehen, die hier in Deutschland meines Erachtens zu Unrecht etwas vergessen worden ist, nämlich die *supportive Psychotherapie*. Zunächst dazu eine Definition. Diese Form von Psychotherapie ist häufig für Patienten geeignet, die nicht über ausreichende Ich-Fähigkeiten verfügen, um mit den Anforderungen von Psychotherapien zurechtzukommen. Diese supportive Psychotherapie benutzt eklektisch

Interventionsmöglichkeiten zum Beispiel aus dem Bereich allgemeiner psychologischer Beratungen/Interventionen, wie zum Beispiel Entlastung, Ermutigung, Grenzsetzung und Stützung.

Supportive, also Ich-stützende Interventionen sind auch dann angebracht, wenn ein Patient aus verschiedenen Gründen nicht kontinuierlich mit den angebotenen beispielsweise tiefenpsychologischen Mitteln und Methoden an seinen aktuellen Konflikten und deren Wurzeln arbeiten kann. Solche Gründe können zum Beispiel akute Krisen unterschiedlicher Art, Auslösung und Ausprägung sein. Ziel des Therapeuten muss es dann sein, mit stützenden und die Situation klarifizierenden Interventionen zu erreichen, dass der Patient eine allmähliche Stabilisierung im Sinne einer Distanzierung von den die Krise auslösenden Reizen und sie begleitenden Affekten erreicht. Verdichtet zusammengefasst könnte man sagen, dass der supportiv arbeitende Therapeut dem Patienten Hilfe bei aktuellen Problemen/Konflikten anbietet, indem er eine nicht überfordernde, positiv getönte Beziehungsform bevorzugt und Handlungsanweisungen und Hilfen zur Abreaktion (Katharsis) gibt. Hierzu benutzt er Beziehungselemente, die direktiver sind als in der tiefenpsychologisch fundierten Psychotherapie sonst üblich. Solche Elemente sind beispielsweise stützend/unterstützend, tragend, beratend, beistehend, tröstend, ermutigend, führend, suggestiv, Anregungen zur Klärung von Konflikten gebend usw. Ergänzend hierzu können Entspannungsübungen z. B. im Sinne des autogenen Trainings hilfreich sein; ebenso aber auch hypnotische Verfahren zur Entspannung, Ruhigstellung und Symptombekämpfung. Auch kurzfristige medikamentöse Hilfen können angezeigt sein.

Der tiefenpsychologisch arbeitende Psychotherapeut mag sich hiermit überfordert fühlen, denn der Spannungsbogen zwischen empathisch-deutender tiefenpsychologischer Arbeit und dem direktiven, sehr aktiven Vorgehen in der supportiven Psychotherapie ist groß. Zu bedenken ist auch, dass es unethisch und letztlich auch untherapeutisch und unverantwortlich sein kann, Patienten in akuten Krisen oder dekompensierten Zuständen mit der gleichen Technik wie bisher weiterzubehandeln.

Die Hemmung des psychodynamisch arbeitenden Psychotherapeuten, vorübergehend eine andere Rolle gegenüber seinem Patienten einzunehmen, mag auch mit der Schwierigkeit zu tun haben, die gewohnte Abstinenz und Neutralität zu verlassen, indem man zum Berater wird und Funktionen ausübt (z. B. trösten, beruhigen, ermuntern), deren Anwendung sonst für eher obsolet gehalten wird.

Der Einsatz supportiver Elemente in der tiefenpsychologisch fundierten Psychotherapie kann auch andere durchaus berechtigte Fragen nach sich ziehen, über die der Therapeut nachdenken muss: Greifen wir mit solchen Therapieelementen nicht zu sehr ein? Stülpen wir dem Patienten damit nicht unsere Meinungen, Wertungen, Lösungen über? Könnte dies nicht die Auflösung/Korrektur des falschen Selbst und die Entwicklung der Autonomie des Patienten stören?

Berechtigte Fragen, die im Einzelfall zu entscheiden und zu beantworten sind. Meine Wertehierarchie im Hinblick auf Patienten ist so, dass es vorrangiges Ziel ist, einen Patienten aus einer akuten, ihn äußerst bedrängenden Krise/Dekompensation so rasch wie möglich herauszuführen. Dazu geeignete Mittel und Methoden sind zweitrangig. Pädagogische, suggestive Haltungen können hierbei hilfreich sein. Der als Krisenmanager arbeitende Psychotherapeut sollte dann eher pragmatisch-lebenspraktisch als puristisch denken und handeln. Zudem besteht immer noch die Möglichkeit, den »Stilbruch« während der akuten Krise später mit dem Patienten anzusprechen, wenn dieser wieder im ruhigeren Fahrwasser seiner Grundproblematik ist. Nach meiner Erfahrung sind Patienten vorrangig erleichtert, aus der Krise heraus zu sein. Manche sind auch froh, einen anderen hilfreichen Aspekt vom Therapeuten gesehen zu haben – eine Haltung nämlich, in der möglicherweise mehr von der Menschlichkeit und dem Sosein, also der Person des Therapeuten selbst, seiner Authentizität, sichtbar werden konnte.

Kurzzeitpsychotherapien

Historisch haben sich die Kurzzeitpsychotherapien aus verschiedenen Quellen entwickelt, von denen ich einige erwähnen möchte. Freud hat bekanntlich selbst Kurztherapien durchgeführt und darüber berichtet. Diese Therapien beruhten auf der Vorstellung, traumatische und verdrängte Erinnerungen bewusst zu machen und den damit verbundenen Affekten eine Abfuhr zu ermöglichen.

Da es während der Weiterentwicklung der Psychoanalyse zu einer zunehmenden Verlängerung der Behandlungsdauer kam, bemühten sich Ferenczi und Rank bereits in den 20er Jahren intensiv um eine Verkürzung der Behandlung durch eine aktive Behandlungstechnik. 1946 veröffentlichten Alexander und French das erste systematische Buch zur psychoanalytischen Therapie, in dem auch von Experimenten mit der Sitzungsfrequenz im Sinne einer kürzeren Behandlung berichtet wird. Ab 1955 wurde eine Werkstatt für Fokaltherapie an der Tavistock Clinic, London, eingerichtet. Balint und Mitarbeiter (1973) versuchten konsequent, die im Laufe der Therapie auftretenden so genannten Fokalkonflikte als Abkömmlinge der pathologischen Kernkonflikte zu deuten. Balint gebrauchte das viel zitierte und auch für weitere Kurz- und fokaltherapeutische Ansätze maßgebliche Bild der Baumstämme, die auf einem Strom abwärts treiben und durch einen quer liegenden Stamm blockiert werden. Wird der quer liegende Stamm in Flussrichtung ausgerichtet, kommen auch alle übrigen Stämme wieder in Bewegung. Patienten gewinnen so ein Gefühl der Meisterung über einen bestimmten Aspekt ihres Lebens, der sich dann auf andere Lebens- und Konfliktbereiche ausweitet. Neben Balint entwickelten nach dem Zweiten Weltkrieg eine Reihe von Forschern Kurzzeitpsychotherapiekonzepte, so zum Beispiel Beck (1974), Davanloo (1980), Malan (1965), Mann (1978) und Sifneos (1979). Im deutschsprachigen Raum publizierten unter anderem Klüwer (1971), Leuzinger-Bohleber (1985) und Meyer (1981). 1991 erschien dann die Übersetzung des Buches von Strupp und Binder über Kurpsychotherapie.

Ich beschränke mich im Folgenden auf die Beschreibung von Kurzzeitpsychotherapien, die konzeptuell einen psychodynamischen Hintergrund haben, so dass andere theoretische Konzepte hier nicht berücksichtigt werden. Im Folgenden ist zunächst die Definition der Kurzzeitpsychotherapie aufgeführt, so wie sie in den Psychotherapierichtlinien (Faber u. Haarstrick 1996) dargestellt worden ist.

Kurzzeitpsychotherapie ist nicht mit Kurz-Therapie zu verwechseln, denn theoretischer Hintergrund für diese Therapieform ist die Psychoanalyse bzw. die Tiefenpsychologie. Hier wird auf die Unterscheidung nicht näher eingegangen, sondern es sollen einige Konzepte und Anwendungsmöglichkeiten von zeitbegrenzter Psychotherapie erwähnt werden. Die Beschränkung liegt dabei auf den psychodynamischen Kurzpsychotherapien, mit denen zumindest die tiefenpsychologisch orientierten Psychotherapeuten auch überwiegend arbeiten.

Psychodynamische Kurztherapien fußen wie alle psychodynamischen Behandlungsverfahren auf der psychoanalytischen Theorie. Das bedeutet, dass Phänomene wie Übertragung, Gegenübertragung und Widerstand in die Arbeit einbezogen werden. Wie dies im Einzelnen umgesetzt werden soll, wird unterschiedlich beschrieben, beispielsweise hinsichtlich des Ansprechens von Übertragung und Widerstand. Wichtig ist aber, dass der Psychotherapeut sich auf die gegenwärtigen Probleme des Patienten und sein aktuelles Erleben konzentriert und lebensgeschichtliche Zusammenhänge nur da aufgreift, wo ein sinnvoller Bezug zu momentanen Erleben der aktuellen Thematik hergestellt werden kann.

Unabhängig von der jeweils von einzelnen Autoren beschriebenen Form psychodynamischer Kurztherapie lassen sich einige generelle technische Probleme bei Anwendung dieser Therapieform beschreiben, diese sind:
– Zeitbegrenzung,
– Aktivität des Therapeuten,
– »Neutralität« des Therapeuten,
– Handhabung von Übertragung und Gegenübertragung,
– Bedeutung des Hier und Jetzt,
– Fokussuche und Ziel(e).

Angesichts der zeitlichen Begrenzung der Kurztherapie ist zumindest der tiefenpsychologisch arbeitende Psychotherapeut gezwungen, seine Haltung des ruhigen geduldigen Abwartens erheblich zu modifizieren in dem Sinne, dass er sich aktiver als in längeren Behandlungen verhält.

Dieser Haltungswandel kann für Therapeuten auch deshalb schwierig sein, weil man die psychodynamische Kurztherapie als sehr anstrengend erleben kann: Der Therapeut soll alles hören, auch unbewusste Vorgänge, die sich in der Beziehung abbilden, rasch wahrnehmen, sich Hypothesen dazu bilden und verbale Interventionen geben, für die ihm normalerweise mehr Zeit zur Verfügung steht.

Durch den Zwang zu mehr Aktivität kann auch die Neutralität des Therapeuten in dem Sinne verändert werden, dass seine gewohnte gleichmäßige Distanz zum Patienten modifiziert wird. Dies spielt insbesondere dann eine Rolle, wenn supportive Ich-stützende Vorgehensweisen etwa in Krisenzeiten des Patienten zusätzlich angezeigt sind.

Welche Bedeutung Übertragungsphänomen in der Kurztherapie zukommt, wird unterschiedlich gesehen und diskutiert. Einigkeit besteht darüber, dass die Entwicklung einer Übertragungsneurose, wie sie beispielsweise in psychoanalytischen Behandlungen stattfindet, in der Kurztherapie nicht möglich ist. Trotzdem kommt es natürlich zu Übertragungsphänomenen, deren Handhabung teilweise ähnlich beschrieben wurde wie die unter tiefenpsychologischer Psychotherapie: Förderung einer eher positiven Übertragung und Ansprechen negativer Übertragungsanteile nur dann, wenn sie den therapeutischen Prozess nachhaltig stören. Andere Autoren (z. B. Malan 1965) betonen dagegen die Bedeutung des frühzeitigen Ansprechens der negativen Übertragung.

Da sich aus der einschlägigen Literatur keine übereinstimmende Anleitung zum Umgang mit Übertragungsaspekten in der psychodynamischen Kurztherapie ableiten lässt, kann sich der Psychotherapeut, der mit Kurztherapie arbeitet, die Freiheit nehmen selbst zu entscheiden, wie er diesbezüglich auf den jeweiligen Patienten bezogen therapeutisch damit umgehen will.

Folgende Möglichkeiten sind denkbar:

– Übertragung ist auch in der Kurztherapie generell bedeutsam und sollte in jedem Fall beachtet werden.

– Übertragung ist generell bedeutsam und sollte beachtet werden; sie muss aber nur angesprochen und bearbeitet werden, wenn sie die therapeutische Beziehung oder das Therapieziel nachhaltig beeinträchtigt.

– Übertragungsphänomene finden in allen Therapien statt, müssen vom Therapeuten beachtet und bedacht, aber nicht angesprochen werden, da andere Ziele wichtiger sind (z. B. das Erleben einer positiven, wohlwollenden, fördernden Beziehung oder die Zentrierung auf das Erreichen des gemeinsam formulierten Therapieziels).

Der Psychotherapeut sollte auch bedenken, dass es in allen Psychotherapien so genannte übertragungsfreie Räume gibt. In solchen Phasen lassen sich auch äußere Realitäten des Patienten gut ansprechen. In der Kurztherapie wäre es optimal, die inneren und äußeren Realitäten des Patienten zu sehen und anzusprechen, ohne dass alles Übertragung sein oder als solche gesehen werden muss.

Die Bedeutung der Realität als Thema in der Therapie wird von manchen Therapeuten relativ gering geschätzt. Orthodoxe Psychoanalytiker lassen sich am liebsten gar nicht darauf ein oder betrachten das Einbringen von realen Aspekten als Widerstandsphänomene. Aber in der Kurztherapie spielt, ebenso wie in der Krisenintervention, die Realität im Sinne des Hier und Jetzt eine viel größere Rolle als in längeren Therapien, in denen für die Entwicklung der Beziehung und für das Verstehen lebensgeschichtlicher Entwicklungen sowie aktueller Konflikte sehr viel mehr Zeit zur Verfügung steht.

Für einen Erfolg kurzzeitpsychotherapeutischer Behandlung ist mit entscheidend, dass sich Therapeut und Patient zu Beginn über Therapieziele verständigen können. Hierzu müssen die Erwartungen und Vorstellungen beider Seiten genannt und ein gemeinsamer Nenner gefunden werden. Verfolgen beide Seiten unterschiedliche Ziele, ist ein Scheitern der Therapie vorprogrammiert.

Die gemeinsame Benennung eines zentralen Konfliktthemas bzw. eines Fokus zwingt den Therapeuten zu Disziplin und Konzentration. Er ist dafür verantwortlich, dass der Fokus nicht verloren geht, etwa durch neues Material, neue Themenbereiche des Patienten oder aber auch durch Abwehrvorgänge (Umleiten auf Nebenschauplätze). Andererseits kann ein zu rigides Festhalten am Fokus dazu führen, dass der Therapeut Material vernachlässigt, das für dessen Verständnis bedeutsam ist.

Die Fokussuche und -formulierung, die Benennung des Hauptthemas für die nachfolgende Therapie kann schwierig sein. Der Therapeut muss aus den vielfältigen Angeboten des Patienten einen Fokus benennen und diesen dem Patienten zur Bearbeitung vorschlagen. Dabei kann es sein, dass der Therapeut unter Berücksichtigung der Wahrnehmung unbewussten Materials und der Abwehr des Patienten zu einer Fokusformulierung kommt, die der Patient nicht nachvollziehen kann. Es empfiehlt sich daher einen Fokus zu suchen und zu benennen, der sich aus einem dem Patienten bewusstseinsnahen, emotional fühlbaren Konflikt in der gegenwärtigen Zeit herauskristallisieren lässt und der lebensgeschichtlich relevante Vorläufer hat. Dazu ein Beispiel:

Mich suchte eine 36-jährige Frau auf, die nach der Trennung von ihrem Mann – der Mann hatte sie in für sie sehr kränkender Weise verlassen – schwer depressiv reagierte, verzweifelt war und Suizidgedanken hatte. Während des Interviews sagte sie mir an einer Stelle, nachdem sie mir die Umstände der derzeitigen Trennung geschildert hatte, den bemerkenswerten Satz: »Liebe ist nur ein Wort.« Nach dieser Äußerung fing sie an zu weinen. Ich vermutete an dieser Stelle, dass es möglicherweise darum gehen könnte, dass die Patientin eine besondere Trennungsängstlichkeit hat und explorierte dies behutsam bezüglich lebensgeschichtlicher Faktoren. Hierbei kam heraus, dass die Patientin im Alter von 2 Jahren für 6 Wochen wegen einer akuten körperlichen Erkrankung in ein Krankenhaus eingewiesen werden musste und dort ihrer Erinnerung nach keinen Besuch von ihren Eltern empfangen durfte. Im Alter von 5 Jahren verließ der Vater die Familie, um mit einer neuen Frau weiterzuleben. Dies hatte zur Folge, dass er auch den Kontakt zu seiner Tochter ganz einstellte. Die Mutter der Patientin entwickelte auf die Scheidung hin eine herzneurotische Symptomatik, produzierte Herzanfälle und machte der Tochter immer wieder deutlich, dass es jederzeit mit ihr zu Ende gehen könne. Dies kam insbesondere in Situationen zustande, in denen sie sich über die Tochter, meine Patientin, geärgert hatte. An dieser Thematik und der emotionalen Reaktion darauf war sehr gut der Fokus »Trennungsängstlichkeit« herauszuarbeiten. In der dann folgenden, insgesamt 24 Stunden umfassenden Therapie konnte unter anderem mit der Patientin bearbeitet werden, nach welchen Kriterien sie sich ihre bisherigen Partner ausgesucht hatte, es handelte sich offensichtlich jeweils um Männer, die Bindungsängste hatten. Außerdem was sie selbst innerhalb solcher Beziehungen tat, um Trennungen auf Biegen und Brechen zu vermeiden und wie sie dadurch – z. B. durch starke Anklammerungstendenzen – gerade die bindungsängstlichen Männer zu Trennungen provozierte. Vor allen Dingen ihr Verhalten in Beziehungen war der Patientin zuvor völlig unbewusst gewesen. Sie konnte dann in der Kurztherapie erleben und verarbeiten, dass sie ihre gesamte frühe Lebensproblematik, insbesondere die Trennungsängstlichkeit, in die jeweils aktuellen Beziehungen so einbrachte, dass sich die ursprünglichen Traumata immer wiederholten.

Indikation und Kontraindikation

Kurzzeittherapeutische Interventionen sind nicht primär als Methoden der zweiten oder gar dritten Wahl im Sinne eines Notbehelfs anzusehen, sondern sie können in vielen Fällen auch als die Methode der Wahl angesehen werden. Dies bezieht sich beispielsweise auf diejenigen Fälle, in denen:
– eine Langzeit-Behandlung überflüssig erscheint,
– eine Langzeit-Behandlung kontraindiziert ist,
– verschiedene andere (z. B. lebenspraktische) Umstände eine Kurztherapie nahe legen.

So benötigt ein Patient in einer akuten Lebenskrise in der Regel keine lange psychotherapeutische Behandlung; insbesondere auch dann nicht, wenn jenseits der momentanen Krise keine massivere neurotische behandlungsbedürftige Grundproblematik sichtbar ist.

Davon abgesehen ist die Frage, ob eine Langzeit-Behandlung, nur weil sie über mehr Zeit verfügt, auch automatisch zu besseren Behandlungsergebnissen führen muss. Kontraindiziert wäre eine Langzeit-Behandlung ohnehin bei den Patienten, für die das damit einhergehende regressionsfördernde Klima nicht förderlich ist (z. B. für Patienten mit psychotischen Dekompensationsneigungen oder mit stark ausgeprägten passiv-oralen Wünschen).

Schließlich können verschiedene andere, auch mit äußeren Realfaktoren zusammenhängende Umstände dazu führen, dass primär an die Indikation zu einer Kurzzeitpsychotherapie zu denken ist. Als Beispiel sei genannt, dass einem Patienten aus verschiedenen Gründen nur eine begrenzte Zeit für Therapie zur Verfügung steht.

Beispiel: Ein Student mit einer Prüfungsangst, die zum Nichtbestehen eines Vorexamens geführt hatte, kam in die Psychosomatische Ambulanz. Da er einen Studienplatz im Ausland hatte, der von dem Bestehen dieser Prüfung abhing, war es sein Wunsch, dass seine Prüfungsängste gezielt behandelt werden könnten. Dies war in einer 18-stündigen Kurzzeittherapie dann auch so weit möglich, dass er die Wiederholungsprüfung schaffte und danach im Ausland weiterstudieren konnte.

An dem in Tabelle 1 gezeigten Indikationsspektrum wird deutlich, dass es insbesondere akute Störungen sind, die kurztherapeutisch behandelt werden können. Wird während der Kurztherapie eine umfassendere zu behandelnde Störung deutlich, kann eine Überführung in eine Langzeittherapie erwogen und beantragt werden.

Bei neurotischen Störungen ist an eine Kurzpsychotherapie dann zu denken, wenn ein momentan dominanter abgrenzbarer Lebenskonflikt eruierbar ist und der Patient oder auch der Therapeut sich aus unterschiedlichen Gründen eine längerfristige Therapie nicht vorstellen können. Zeitbegrenzung wirkt auf manche Patienten beruhigend und entängstigend.

Kontraindikationen (Tabelle 2) für Kurzzeitpsychotherapien stellen die Störungsbilder dar, bei denen schon in der Phase von Diagnostik und Erstgespräch deutlich wird, dass eine enge Zeitbegrenzung keinen therapeutischen Erfolg bringen wird. Es kann auch sein, dass eine Fokussierung auf einen Hauptkonflikt nicht möglich ist, weil der Patient insgesamt zu krank ist.

Tabelle 1: Indikationen für Kurzzeitpsychotherapien

• akute Lebenskrisen (z. B. Trennungen, Trauer, Erkrankungen)
• akute situative Krisen (z. B. Prüfungsstress, Verlust der Arbeit)
• akute Traumata (z. B. nach Verlusten, Gewalterfahrungen)
• aktuelle neurotische Konflikte

Tabelle 2: Einschränkungen/Kontaktindikation für Kurzzeitpsychotherapien

• Zeitbegrenzung wird den voraussichtlichen Therapieerfolg eher gefährden
• schwere der Erkrankung (z. B. schwere Depressionen)
• Fokussierung auf einen Hauptkonflikt nicht möglich
• Patient ist mit der Zeitbegrenzung überfordert
• Therapeut ist mit der Zeitbegrenzung überfordert
• chronische und diffuse Probleme (z. B. bei Persönlichkeitsstörungen)

Anforderungen an Therapeuten

Welche Qualifikationen muss ein Therapeut haben, um Kurzzeit-psychotherapien durchführen zu können:
– Kenntnis der wichtigsten Literatur über die verschiedenen Verfahren von Krisenintervention und Kurz-Psychotherapie;
– klinische bzw. ambulante Erfahrungen mit entsprechenden Patienten und deren spezifischen Eigenheiten;
– neben einer psychotherapeutischen Basisausbildung in einem anerkannten Psychotherapieverfahren Weiterbildung in den speziellen Techniken der Kurz-Psychotherapie;
– tiefenpsychologische Selbsterfahrung;
– Fähigkeit, sich für eine kurze, begrenzte Zeit auf einen Patienten einzulassen und ihn dann auch wieder loslassen zu können;
– Bereitschaft, schwerpunktmäßig im »Hier und Jetzt«, also der unmittelbaren Gegenwart, zu arbeiten;
– Kenntnisse über benachbarte Disziplinen z. B. Paartherapie/Familientherapie;
– Bereitschaft zu Supervision bzw. Intervision.

Als weitere Therapeutenvariablen, die hilfreich bei der Durchführung von Kurztherapien sind, nennt Dührssen (1969):
– einen leicht zuversichtlich getönten Realismus,
– ein hohes Maß an innerer Präsenz,
– Reichtum an Einfällen und Überblick über sehr variable Lebenssituationen und
– gründliches psychoanalytisches Wissen.

Fraglos gehört die Durchführung von Kurzzeitpsychotherapien zu den anspruchvollsten therapeutischen Aufgaben. Dies auch deshalb, weil sie häufig integrativ sind und dabei Anleihen aus verschiedenen Therapieschulen machen. Je kürzer die zur Verfügung stehende Zeit ist, umso höher ist das Ausmaß an Verantwortung und therapeutischer Lenkung und damit verbunden die Gefahr der Manipulation. Insgesamt laufen also in kurzer Zeit eine Vielfalt hochverdichteter emotionaler und kognitiver Prozesse ab, die der Therapeut wahrnehmen und berücksichtigen muss und bei denen er ständig auswählend vorgehen muss.

Dührssen plädiert in ihrer lesenswerten Arbeit über »Möglichkeiten und Probleme der Kurz-Therapie« für eine realistische Grundhaltung des Therapeuten in der Kurztherapie, die unter anderem das Wissen darum einschließt, »wie groß – wie ganz außerordentlich groß – die Tragfähigkeit der menschlichen Natur ist. Ein Wissen, dass der Mensch auch sehr verzichtsreiche und sehr belastende Lebenssituationen hinnehmen kann und dass es nur sehr wenige Schicksalsschläge gibt, zermürbende Dauerbelastungen, die nicht mehr ertragen werden« (1969, S. 232).

Ein grober Überblick über Beratung, Krisenintervention und Kurzzeitpsychotherapie findet sich in Tabelle 3. Sie zeigt die Unterschiede, aber natürlich auch Gemeinsamkeiten, und es wird deutlich, dass die Unterschiede als fließend anzusehen sind, zum Beispiel hinsichtlich der Aktivität des Therapeuten und hinsichtlich der Fokussierung auf das Hier und Jetzt.

Tabelle 3: Unterschiede von Beratung – Krisenintervention – Kurzzeit-psychotherapie

	Beratung	Krisenintervention	Kurzzeitpsycho-therapie
Indikation	Konflikthafte Entscheidungs-situationen	Akute Krisen	Abgrenzbare Konflikte (ideal) oder Ziele
Zeitrahmen	ca. 1–5 Stunden	ca. 1–10 Stunden ambulant ca. bis 4 Stunden stationär	bis 25 Stunden
Voraussetzung bei Therapeuten	Lösungsorientiertes Vorgehen Fokussierung der Entscheidungs-situation	Bleiben im »Hier und Jetzt« Aktivität des Therapeuten Ressourcenakti-vierung Zusammenarbeit mit anderen sozialen Agenturen	Einlassen auf zeitbegrenzte Therapie erhöhte Aktivität Fokussierung des Konfliktmaterials
Ziele	Hilfen zur Entscheidungsfindung	Stabilisierung und Bewältigung (Status quo ante)	Konfliktlösung (ideal) Entwicklungsförderung

Fazit

Ich habe versucht, am Beispiel von Beratung, Krisenintervention und Kurzzeitpsychotherapie einen einführenden Überblick über ausgewählte Verfahren und Möglichkeiten zeitbegrenzter Interventionen mit Patienten zu geben. Wie anfangs schon erwähnt werden wir uns zunehmend mit der Notwendigkeit limitierter Interventionen auseinander setzen müssen. Das mag man beklagen, aber es müssen heute ohnehin schon viele unserer Kolleginnen und Kollegen zum Beispiel in den Reha-Kliniken mit 3–4 Wochen pro Patient auskommen. Welche Schwierigkeiten das mit sich bringen kann, erfahre ich immer wieder bei der externen Supervision solcher Kliniken. Man braucht als Therapeut mit dem Zwang zu kurzen Therapien sicher auch für sein eigenes Wohlbefinden zumindest einige Patienten, mit denen längere, tiefere Therapien möglich sind. Der amerikanische Psychotherapieforscher Hans Strupp hat 2000 geschrieben:»Psychotherapie kann an der Schwelle zum 21. Jahrhundert und im Gegensatz zur Ansicht Freuds nicht länger als … ›Nacherziehung‹ oder … Entdeckungsreise gesehen werden, sondern als Service, der durch mehr oder weniger gut ausgebildete … ›Agenten‹ von Regierungen oder Versicherungen in kleiner – oftmals extrem inadäquater – Dosis verabreicht wird. Psychotherapie wird immer kürzer und in den Augen der Managed-Care-Industrie kostengünstiger. Somit könnte die Psychotherapie mehr und mehr der Fast-Food-Industrie wie McDonalds ähnlicher werden als einer menschlichen Begegnung. Wie so oft scheinen hier die Vereinigten Staaten eine Richtung vorzugeben. Ob folgende Generationen diesen Trend wohl umkehren können?«(S. 8).

Das ist eine wichtige Äußerung zu unserem Thema. Andererseits möchte ich zu bedenken geben, dass jeder von uns für sich überlegen sollte, wenn ihm oder ihr längere Therapien wertvoller und wichtiger erscheinen als kürzere, warum das so ist und ob die Freud'sche Gold-Kupfer-Metapher nicht neu zu überdenken wäre. Die Tendenz mancher Therapeuten, insbesondere gut laufende Behandlungen zu verlängern, und zwar besonders solche Patienten,»die in einer friedlich positiv getönten Übertragung mitarbeiten«, wurde schon 1969 von Annemarie Dührssen als»oral-ausbeuterische« Gegenübertragung von Therapeuten treffend beschrieben.

Im Hinblick auf die von uns längerfristig betreuten Patienten möchte ich darauf hinweisen, dass es auch um die innere Ökonomie eines Patienten vor dem Hintergrund einer nur endlichen Lebenszeit geht! So kann beispielsweise eine psychotherapeutische Behandlung, die in einem sehr intensiven längeren Prozess die psychische Energie eines Menschen bindet, von einem bestimmten Zeitpunkt an auch verhindern, dass diese Energie zur eigenständigen Meisterung des Lebens zur Verfügung steht.

Kruse und Gunkel (2001) schrieben dazu:»Behandlungen, gleich welcher Couleur, verschlingen kostbare Lebenszeit, so dass man sich in manchen Fällen die Frage stellt, ob es nicht ertragreicher für den Klienten/Patienten wäre, die Zeit außerhalb des wattierten psychologischen Versuchsgeländes, das heißt in der mitunter harten, teilweise aber auch liebevollen, nicht selten auch originellen Alltagsrealität zu verbringen und sich dort mit den Herausforderungen und Verlockungen des Lebens auseinander zu setzen sowie neues Verhalten konkret auszuprobieren. Statt die ohnehin knappe Ressource Lebenszeit in der Spielstube des Therapeuten zu vertrödeln und alle Gesichtspunkte bis ins letzte Eckchen mental zu durchdenken und gegebenenfalls affektiv neu oder anders zu besetzen, wäre es oft hilfreicher aktiv zu erkunden, was das Leben bereithält, selbst wenn dies Ängste, Fehlschläge oder Blamagen mit sich bringt. Statt darüber zu reden, kann aktives Handeln Realgenüsse verschaffen, nicht umsonst heißt es: ›Probieren geht über studieren!‹« (Kruse u. Gunkel 2001, S. 11).

Literatur

Alexander, F.; French, P. M. (1946): Psychoanalytic therapy. New York.

Balint, M.; Ornstein, T. H.; Balint, E. (1973): Fokaltherapie. Frankfurt a. M.

Bamberger, G. (2001): Lösungsorientierte Beratung. Weinheim.

Beck, D. (1974): Die Kurzpsychotherapie. Bern.

Davanloo, H. (Hg.) (1980): Short-term dynamic psychotherapy. New York.

Dührssen, A. (1969): Möglichkeiten und Probleme der Kurztherapie. Z. Psychosom. Med. Psychother. 15: 229–238.

Eckstein, B.; Fröhlig, B. (2000): Praxishandbuch der Beratung und Psychotherapie. Stuttgart.

Faber, F. R.; Haarstrick, R. (1996): Kommentar Psychotherapie-Richtlinien. 4. Auflage. Neckarsulm.

Klüwer, R. (1971): Erfahrungen mit der psychoanalytischen Fokaltherapie. Psyche – Z. Psychoanal. 25: 932–947.

Kruse, G.; Gunkel, S. (2001): Einführung. In: Kruse, G; Gunkel, S. (Hg.): Psychotherapie in der Zeit – Zeit in der Psychotherapie. Hannover.

Lambert, M. J. (2004): Bergin and Garfield's Handbook of Psychotherapy and Behavior Change. 5. Auflage. New York.

Leuzinger-Bohleber, M. (Hg.) (1985): Psychoanalytische Kurztherapie. Opladen.

Malan, D. H. (1965): Psychoanalytische Kurztherapie. Eine kritische Untersuchung. Stuttgart.

Mann, J. (1978): Psychotherapie in 12 Stunden. Zeitbegrenzung als thera-
    peutisches Instrument. Olten.

Meyer, A. E. (1981): The Hamburg short psychotherapy comparison ex-
    periment. Psychother. Psychosom. 35: 81–208.

Olfson, M.; Marcus, S. C.; Dross, B.; Pincus, H. A. (2002): National trends
    in the use of outpatient psychotherapy. Am. J. Psychiat. 159: 1914–
    1920.

Sifneos, P. E. (1979): Short-term dynamic psychotherapy: evaluation and
    technique. New York.

Strupp, H. H.; Binder, G. H. (1991): Kurzzeittherapie. Stuttgart.

Strupp, H. H. (2000): Ein zeitgemäßer Blick auf die psychodynamische
    Therapie und deren Zukunft. Psychotherapeut 45: 1–9.

Sebastian Krutzenbichler

Liebe und Abstinenz im psychoanalytischen Prozess

Zur Notwendigkeit von Grenzüberschreitungen, um schützende Grenzen wahren zu können

>>So verhält es sich immer: Obwohl Phantasie und Wirklichkeit ein
und dasselbe Herz besitzen, sind ihre Gesichter wie Tag und Nacht,
wie Feuer und Wasser<<
(Maria Vargas Llosa in >>Lob der Stiefmutter<<)

Grenzüberschreitende Liebe und Abstinenz, um schützende Grenzen zu wahren, sind der Bezugsrahmen dieses Beitrags über Gottesurteile, schafsgesichtige Blechaffen und andere heikle Phänomene,
die von Beginn an bis heute die Geschichte der Psychoanalyse und
Psychotherapie begleiten, beflügeln und belasten.

Aus gegebenem Anlass widme ich diesen Vortrag meinem psychoanalytischen Vorbild Woody Allen, in Anlehnung an: >>Das machen
nur die Beine von Dolores<<.

Er befindet sich in der 29 837. Stunde und nähert sich erstmals
nach 47-jähriger psychoanalytischer Behandlung im klassischen
Setting bei einer Frequenz von 6 Stunden pro Woche der Liebe zu
seiner Analytikerin.

Er haucht stadtneurotisch angstvoll:

>>Ich weiß ja, dass es NUR ÜBERTRAGUNG ist, Doktor, aber
zurzeit bin ich wahnsinnig in SIE verliebt!<<

Ihr stockt der Atem, sie schluckt zweimal, bevor sie ihre Antwort herauspresst:

>>NUR ÜBERTRAGUNG! Bei meinen Beinen glauben SIE, es
sei NUR ÜBERTRAGUNG?<<

In dieser kurzen Sequenz kommt das divergierende Spektrum des
Umganges mit der Liebe im psychoanalytisch-psychothera-

peutischen Prozess von: »Der Analytiker ist nicht wirklich gemeint« aus den Anfängen der Psychoanalyse bis hin zur Mitteilung eigener Gefühle des Analytikers dem Analysanden gegenüber als Self-disclosure-Technik der Intersubjektivisten so treffend zum Ausdruck, dass an dieser Stelle meine Ausführungen zur Liebe im analytischen Prozess im Grunde mit der Frage abzuschließen wäre: »Kann ein Flugzeug höhenkrank werden?«

Aber begleiten Sie mich zunächst auf eine kurze Exkursion zur »Versuchsstation des Weltunterganges«, dem Wien der vorletzten Jahrhundertwende; denn jeder, der Psychoanalyse und Psychotherapie betreibt, wiederholt in seinem Werdegang die Geschichte der Psychoanalyse, findet sich unweigerlich an jenen Markanten wieder, die schon Generationen vor ihm beunruhigten, beflügelten und in Selbstzweifel stürzten.

Im Erfindungs- und Entdeckungszeitalter der Psychoanalyse hat in Wien, der Stadt der »fröhlichen Apokalypse« (Broch 1975), das Ringen um die Differenzierungsleistung des sich gegenseitig bedingenden Widerspruchsverhältnisses von Liebe und Abstinenz als zentrales Spannungsfeld jeglicher psychoanalytischer Behandlung den ersten Andreasgraben der Psychoanalyse (Gast 1998) konstituiert. An ihm bewegte sich das, was später mit dem Terminus technicus »Übertragungsliebe« belegt und danach als »Übertragung« triebgereinigt wurde einerseits und andererseits das, was noch später Abstinenz genannt werden sollte, auf eine Weise aufeinander zu, dass tektonische Erschütterungen unvermeidlich waren und das Fehlen eines für alle Beteiligten geltenden, Sicherheit gebenden Rahmens so manchen therapeutischen Prozess zerstören sollte.

Es ist konsternierend und nimmt zugleich nicht wunder, wenn dort verortet Josef Breuer seiner ihn liebenden Patientin Bertha Pappenheim, bekannt als »Anna O.«, den Tod wünscht, »damit die Arme von ihrem Leiden erlöst werde« (Jones 1962, I, S. 268). Beschwörend schreibt er dazu an Auguste Forel (21.11.1907) »sich nie wieder einem solchen Gottesurteil auszusetzen« (Haynal 1989, S. 38) und gesteht, »dass das Eintauchen in die Sexualität in Theorie und Praxis nicht nach meinem Geschmack ist« (Gay 1989, S. 82). Erst als seine hochschwangere Frau nicht mehr ertragen kann, dass er innerhalb von 1¹/₂ Jahren mehr als 1000 Stunden (Hirschmüller 1978) bei seiner Patientin verbringt und danach zu Hause über sie spricht, scheint er die Verquickung zwischen Phantasie und Wirklichkeit, von Liebe und Abstinenz in der Behandlung des »jungen, schönen Mädchens« (Hirschmüller 1978), das den Namen seiner ältesten Tochter und seiner Mutter trägt, die in etwa in dem Alter starb, in dem seine Patientin zu ihm kam, zu erahnen, in die er sich verstrickt hat. Erst nachdem seine verzweifelte Ehefrau einen Selbstmordversuch unternimmt (Borch-Jacobsen 1997, S. 97), wird ihm bewusst, zu welch riskanter Unternehmung eine solche Behandlung werden kann. Er beendet sie und verreist mit seiner Frau *genItalien.*

Freud selbst gibt die Hypnosetechnik auf, nachdem eine Patientin ihn umarmt und küsst; er will »die Natur des mystischen Elements, welches hinter der Hypnose wirkte« (Freud 1925, S. 52), nämlich die »Liebesbereitschaft« der Patientin, ausschalten oder zumindest isolieren und gibt Anweisung, »dass der Patient in der Abstinenz, in unglücklicher Liebe gehalten werden soll, was natürlich nicht in vollem Ausmaß möglich ist« (Freud u. Pfister, 05.06.1910).

So, wie der triebgereinigte Begriff der Übertragung zunächst nichts anderes bezeichnet als die Liebe der Patientin in jenem von Freud umfassend gemeinten Sinn, der Sexualität und Begehren als wesensgleich mit Liebe festlegt, konstituiert sich der Begriff der Gegenübertragung durch die Erfahrungen von sexuellen Grenzüberschreitungen auf der Couch, ohne dass ihm noch zu entnehmen wäre, was ihm an bitterem Geschmack von Skandalösem zugrunde liegt. Freud benutzt ihn letztmalig in seiner von ihm selbst so bezeichneten besten technischen Schrift »Bemerkungen über die Übertragungsliebe«.

Ich fasse zusammen: Der Arzt lockt mit dem Instrument der Psychoanalyse das sexuelle Begehren seiner Patientin hervor, die sich dann in einem Prozess der Regression unter Scham dem Analytiker als Liebende zu erkennen gibt. Durch feine, zielgehemmte Wunschregungen weckt sie das sexuelle Begehren des Analytikers – die Gegenübertragung – und fordert ihn zu Liebeshandlungen auf, um der Bearbeitung ihrer Übertragungsneurose Widerstand zu leisten. Der Analytiker hat mit seiner Haltung der Abstinenz diesen Liebesforderungen zu widerstehen. Gleichzeitig soll er jedoch die Liebesgefühle der Patientin als echt anerkennen und die Liebes-übertragung festhalten, um dann per Deutungen die Patientin durch die Urzeiten ihrer seelischen Entwicklung hin zu den unver-messenen Orten ihrer dunklen seelischen Kontinente zu führen.

Allerdings, Freuds Ratschläge zur psychoanalytischen Behand-lungstechnik, ursprünglich dazu gedacht, den Analytiker vor gar nicht ihm geltenden Liebesattacken und Verführungsversuchen seiner Analysandinnen, »und diese vor Handlungen des Ana-lytikers zu schützen und damit das Ansehen der Psychoanalyse in der Öffentlichkeit zu bewahren« (Ermann 1993, S. 13), gerieten zu einem unreflektierten malignen technischen Instrumentarium mit der Inthronisierung des unnahbaren schafsgesichtigen Blechaffen als entpersonifizierten Standard-Analytiker. Darüber echauffierte sich Freud in einem Brief an Sandor Ferenczi (04.01.1928): »Dabei erzielte ich aber, dass die Gehorsamen die Elastizität dieser Abmachungen nicht bemerkten und sich ihnen, als ob es Tabu-Ver-ordnungen wären, unterwerfen. Das müsste einmal revidiert werden, allerdings ohne die Verpflichtungen aufzuheben« (Jones 1962, II, S. 287). Zugleich setzte eine jahrzehntelange Verleug-nung und ein unausgesprochenes Kommunikationsverbot darüber ein, dass der psychoanalytische Kodex »die Kur muss in der Abs-tinenz durchgeführt werden« (Freud 1915, S. 314) in einem nicht mehr überschaubaren Ausmaß gebrochen wurde. Hans Essers und ich haben dies in unserer Arbeit: »Muß denn Liebe Sünde sein? Zur Psychoanalyse der Übertragungs- und Gegenübertragungs-liebe« (2002) ausführlich beschrieben.

Diese sich scheinbar ausschließende Gegensätzlichkeit von strengster, unnahbarer Abstinenz als Über-Ich-bestimmte Stan-dardhaltung des Analytikers einerseits und sexuellen Grenzüber-schreitungen in Psychoanalysen und Psychotherapien andererseits sind unseres Erachtens lediglich zwei Seiten ein und derselben Medaille: Angst vor der Liebe der Patienten und Verleugnen des ei-genen Begehrens provoziert geradezu Entgleisungen. Maßgeblich dazu beigetragen hat ein fast völliges Fehlen dieser Themen in allen psychotherapeutischen und psychoanalytischen Ausbildungen bis zum Ende der 80er Jahre, also 100 Jahre seit der Erkenntnis, dass Liebe und Abstinenz in ihrem Zusammenwirken ein zentrales Agens jeglicher psychoanalytischer und psychotherapeutischer Behandlung sind.

Diese Situation hat sich verändert: Durch die seit einigen Jahren gewachsene Bereitschaft zu einem Diskurs über Liebe im analytisch-psychotherapeutischen Geschehen, der Grundsatzfragen von Haltung und Technik angestoßen hat, sowie der anhaltende Fokus auf Realtraumatisierungen und deren Folgen, verdeutlicht sich die immense Wichtigkeit eines psychoanalytisch-psychotherapeutischen Kodex, der Glaubwürdigkeit, Schutz und Verlässlichkeit für Analysanden und Analytiker, für den Rahmen der Behandlung, für die identitätsstiftende Funktion psychoanalytischer und psychotherapeutischer Gesellschaften und deren Kultur bietet; denn die Behandlung selbst fordert eine »Überschreitung der üblichen gesellschaftlichen Konventionen von der Methode her« (Cremerius 1984, S. 797).

Was Schutz, Glaubwürdigkeit und Verlässlichkeit für unsere Analysanden betrifft, gehen wir aufgrund vorliegender Erlebnisberichte, eigener Erfahrungen durch Folgetherapien und wissenschaftliche Untersuchungen von Becker-Fischer und Fischer (1996, 1997) sowie Gabbard (1994a-c) davon aus, dass vor allem sexuelle Grenzüberschreitungen von Analytikern und Psychotherapeuten verheerende Folgen von Beziehungs- und Vertrauensunfähigkeit, von jahrelanger Arbeitsunfähigkeit und Hörigkeit bis hin zu psychotischer Dekompensation und Suizid haben können. Dabei sind Fälle ohne solche Konsequenzen völlig unerheblich, denn nicht die tatsächlich eintretenden, sondern das bewusste Inkaufnehmen solcher bekannter Folgen zugunsten persönlicher Bedürfnisbefriedigung bestimmt solches Handeln als zutiefst unethisch.

Die Versuchungen im psychoanalytischen-psychotherapeutischen Prozess sind zu groß, um sich ohne Schutz nicht darin zu verlieren. Denn mit der tiefen emotionalen Abhängigkeit und der enorm erhöhten Beeinflussbarkeit auf Seiten des Analysanden korrespondiert eine von der analytischen Methode her geforderte regressive Senkung der Abwehrbereitschaft auf Seiten des Analytikers. Damit ist der Binnenraum des Analytikers fokussiert, »in dem der Kern der spezifisch-therapeutischen Funktion« (Ehlert-Balzer 1993, S. 11) ständig zwischen Aufhebung des Gegenüber-tragungs-Widerstandes durch Absenkung der Abwehrbereitschaft einerseits und Aufrechterhaltung der analytischen Arbeitsfähigkeit andererseits oszilliert. Dies erfordert Schutz für den Analytiker, Verlässlichkeit und Glaubwürdigkeit vor sich selbst durch die innere Haltung der Abstinenz; denn erst sie konturiert den Spielraum im analytischen Prozess zwischen Phantasie und Handeln in jenen Grenzen, in denen man sich als Analytiker selbst finden kann, erst »die Begrenzung des Handelns sichert den unbegrenzten Raum der Phantasie, den wir brauchen, um überhaupt Analyse betreiben zu können« (Ermann 1993, S. 15), erst die Identifizierung mit dem Gesetz, das für alle gilt, als Schutz, ermöglicht die Überwindung der narzisstischen Position. Dies gilt allgemein für jeden Psycho-analytiker und Psychotherapeuten in jedem analytischen und psychotherapeutischen Prozess. In Lehranalysen und Lehrthera-pien, den schwierigsten Analysen und Therapien, wird der fragile Rahmen der analytischen Situation und der analytische Prozess durch institutionell-iatrogene Faktoren belastet und erschwert:

Auf Seiten des Analysanden vermischt sich die tiefe emotionale Abhängigkeit und die damit verbundene Beeinflussbarkeit unter anderem mit der Befürchtung, sich nicht zu instabil, verrückt, krank, bedürftig zeigen zu dürfen, um der narzisstischen Kränkung zu entgehen, als nicht geeignet für den Beruf des Analytikers oder des Psychotherapeuten zu erscheinen. Die Folge kann eine kaum zu bearbeitende Idealisierung des Lehranalytikers und Lehr-therapeuten und ein kaum zu bearbeitender Widerstand gegen das Bewusstwerden der negativen Übertragung auf den Lehranalytiker und Lehrtherapeuten sein. Besonders gravierend ist dies dann, wenn der Lehranalytiker oder Lehrtherapeut ein am Institut ein-flussreicher und narzisstisch sehr bedürftiger ist. Hinzu kommt ein ebenfalls nur sehr schwer zu analysierender Widerstand gegen die Bearbeitung der narzisstischen Seite des Wunsches, Psychoana-lytiker oder Psychotherapeut zu werden, nämlich, das Begehren, der Begehrte zu sein.

Auf Seiten des Lehranalytikers beeinflussen Wünsche, der

Lehranalysand möge sich gut entwickeln, einem Ehre am Institut machen, und eine Angst vor narzisstischer Kränkung am Institut, wenn der Lehranalysand als wenig oder nur bedingt geeignet beurteilt wird, z. B. wenn nachgefragt wird »Bei wem ist der denn in Lehranalyse?«, den analytischen Prozess. Dies scheint häufig Grund dafür zu sein, dass Lehranalytiker ihren Lehranalysanden Geschenke machen, sie am Institut versuchen zu fördern u. a. m., mit anderen Worten, die psychoanalytische Abstinenz aufzuweichen. Vollziehen an ihrem Institut oder in ihrer Gesellschaft einflussreiche, machtvolle Lehranalytiker, die als institutionelle Hüter der psychoanalytischen Gesetze angetreten sind, sexuellen Missbrauch auf der Couch, führen sie sich selbst an die Stelle dieser Gesetze ein. Typisch hierbei ist meist eine völlige Uneinsichtigkeit, ein fehlendes Unrechtsbewusstsein; denn jemand, der sich in narzisstischer Verkennung selbst an die Stelle des Gesetzes einführt, es machtvoll-institutionell im Sinne des Wortes *verkörpert*, kann sich in dieser Logik nicht schuldig machen – er ist ja das Gesetz!

Herrscht Uneinsichtigkeit in das Scheitern der Analyse, Lehranalyse oder Lehrtherapie und damit der Ausbildung auch auf Seiten des oder der Lehranalysandin – denn es hat ja bestenfalls eine Wunscherfüllungs-Selbsterfahrung stattgefunden, aber keine Lehranalyse oder Lehrtherapie – entsteht eine narzisstische Kollusion, die meist erst durch das Scheitern der Beziehung zerfällt. Wird diese narzisstische Kollusion als solche nicht öffentlich gemacht, das Scheitern einer solchen Lehranalyse oder Lehrtherapie nicht als gescheitert deklariert, kann das in didaktischer Hinsicht die Ausbildung an einem Institut deformieren und die psychoanalytische oder psychotherapeutische Gemeinschaft zerstören. Ohne einen psychoanalytisch-psychotherapeutischen Kodex sind unsere Ausbildungsteilnehmer in Not; sie können keine Gewissheit darüber haben, ob das Verhalten der Lehranalytiker und der psychoanalytische Prozess an schützenden Grenzen orientiert sind, über die gewacht wird und die für alle gelten oder ob Willkürhandeln und persönliche Bedürfnisbefriedigung durch die Lehranalytiker ohne Konsequenzen, ohne Sanktionen bleibt.

Der Diskurs über Liebe und Abstinenz in der psychoanalytischen

Behandlung hat in den letzten 10 Jahren zugenommen – es ist also Bewegung festzustellen? Jedoch ist noch nicht entschieden, ob diese Bewegung rückwärts gerichtet den Stillstand einer Gewissheit von schon lange nicht mehr hinterfragten Antworten wiederholt und so die beträchtliche Gefahr aufrecht erhält, wenn sich Verführung, Begehren und Liebe in der analytischen Begegnung nicht entwickeln können oder unterdrückt werden müssen. Denn in der internationalen Literatur der letzten 15 Jahre zum Thema verfahren die meisten Autoren mit der Liebe im analytischen Prozess, mit der Übertragungsliebe, als sei sie ein metapsychologisch ableitbares Phänomen mit Widerstandscharakter, deklarieren sie als Abwehrformation und desavouieren sie als pathologische Entität. Sie leugnen, dass Freud der Liebe lediglich den Namen »Übertragungsliebe« verleiht, um sie als wichtigstes Instrument der psychoanalytischen Kur zu kennzeichnen. Schon in der Wortzusammensetzung drückt sich ja die Ambiguität dieses Zustandes aus, der Übertragungsliebe genannt wird. Übertragungsliebe heißt Liebe und Übertragung zugleich, sie ist unerwünscht und dennoch erwünscht. Erwünscht, weil sie ein zentrales Agens der psychoanalytischen Behandlung ist. Unerwünscht, weil sie die größten »technischen« Schwierigkeiten in die psychoanalytische Behandlung einführt und sich einer »technischen« Handhabung entzieht. Vielleicht ist es aber auch der Beginn einer Entwicklung, in der endlich vorantreibende, enttabuisierte Reden geführt werden können; Denn jede psychoanalytische Behandlung ist der Versuch, verdrängte Liebe zu befreien.

Falls Ihnen bei Ihrer Arbeit, bei Ihrem Ringen um Liebe und Abstinenz im psychoanalytischen Prozess Zweifel kommen sollten, wie viel Löffel vom Libidinösen Sie verkosten dürfen, denken Sie daran: In dubio pro libido!

Literatur

Becker-Fischer, M.; Fischer, G. (1996): Sexueller Mißbrauch in der Psychotherapie – was tun? Heidelberg.

Becker-Fischer, M.; Fischer, G. (1997): Sexuelle Übergriffe in Psychotherapie und Psychiatrie. Schriftenreihe des Bundesministeriums für Familie, Senioren, Frauen und Jugend, Band 107.

Borch-Jacobsen, M. (1997): Anna O. zum Gedächtnis. Eine hundertjährige Irreführung. München.

Broch, H. (1975): Hugo von Hoffmannsthal und seine Zeit. Eine Studie. Schriften zur Literatur I. Kritik.

Cremerius, J. (1984): Die psychoanalytische Abstinenzregel. Psyche 38: 769–800.

Ehlert-Balzer, M. (1993): Sexuelle Grenzüberschreitungen als unwiderrufliche Zerstörung des therapeutischen Raumes. Unveröffentlichtes Manuskript.

Ermann, M. (1993): Grenzen und Grenzüberschreitung. Über Phantasien und Handeln in der psychoanalytischen Begegnung. Unveröffentlichtes Manuskript.

Freud, S. (1915): Bemerkungen über die Übertragungsliebe. G. W. Bd. X. Frankfurt a. M.

Freud, S. (1925): Gesammelte Werke, Bd. XIV. Frankfurt a. M.

Freud, S.; Pfister, O. (1963): Briefe 1909–1939. Frankfurt a. M.

Gabbard, G. O. (1994a): Psychotherapists who transgress sexual boundaries with Patients. B. Menninger Clin. 58: 124–135.

Gabbard, G. O. (1994b): Sexual Excitement and Countertransference Love in the Analyst. J. Am. Psychoanal. Ass. 42: 1083–1106.

Gabbard, G. O. (1994c): On Love and Lust in Erotic Transference. J. Amer. Psychoanal. Ass. 42: 385–403.

Gast, L. (1998): »Doch alle Lust will Ewigkeit ...« Ein (theoriegeschichtlicher) Streifzug am San-Andreas-Graben der Psychoanalyse. In: Sexualberatungsstelle Salzburg (Hg.): Trieb, Hemmung, Begehren. Psychoanalyse und Sexualität. Göttingen, S. 25–40.

Gay, P. (1987): Freud. Eine Biographie für unsere Zeit. Frankfurt a. M.

Haynal, A. (1989): Freud und Ferenczi: Debatte über die psychoanalytische Praxis (die sogenannte ›Technik-Debatte‹). Unveröffentlichtes Manuskript.

Hirschmüller, A. (1978): Physiologie und Psychoanalyse in Leben und Werk des Josef Breuers. Bern.

Jones, E. (1962): Das Leben und Werk von Sigmund Freud I–III. Bern.

Kaiser, H. (1996): Grenzverletzung. Macht und Mißbrauch in meiner psychoanalytischen Ausbildung. Zürich u. Düsseldorf.

Krutzenbichler, H. W.; Essers, H. (2002): Muß denn Liebe Sünde sein? Zur Psychoanalyse der Übertragungs- und Gegenübertragungsliebe. Gießen.

Juristische Grenzen

Hans-Joachim Behrendt

Juristische Grenzen der Psychotherapie

Die Fragestellung, die im Thema enthalten ist, suggeriert auf den ersten Blick eine Art Einfriedung, ein Gehege, in dem Lebewesen, Mensch oder Tier, eingeschlossen sind – zu ihrem eigenen Schutz oder zum Schutze anderer.

Schon die Menge – ich unterdrücke mit Mühe den Ausdruck: der Wust –, der das berufliche Leben der Therapeuten bis ins Kleinste regelnden Vorschriften (Heilberufe-Kammergesetz, Psychotherapeutengesetz, Berufsgerichtsordnungen, Berufsordnungen der Psychotherapeuten, Ausbildungsrichtlinien, Institutssatzungen, Verbandsordnungen, Ethikrichtlinien etc.) macht überdeutlich, dass die rechtlichen Regelungen bis ins Herz der therapeutischen Kompetenz und des therapeutischen Verfahrens vordringen. Wir müssen somit eine eigentümliche Form der Verbindung, ja der Vermischung und Verschlingung der beiden Systeme von Recht und Psychotherapie konstatieren, welche uns vorderhand dazu zwingt, erst einmal die Unterscheidungsmerkmale von Recht und Psychotherapie herauszuarbeiten, bevor wir ihr wechselseitiges Verhältnis klären können.

Eine kurze Zwischenbemerkung zur verwendeten Terminologie: Ich spreche von System, weil ich mit diesem Begriff den Gesamtkomplex jeweils theoretischer und praktischer, personeller wie organisatorischer Elemente einschließlich eines alle diese Elemente umschließenden korporativen Moments erfassen will.

Mit den Begriffen Psychotherapie oder Therapie bezeichne ich hier ausschließlich psychoanalytisch ausgerichtete Verfahren.

Gegenstand und Ziel der beiden Disziplinen Rechtspflege und Therapie scheinen mir nicht die für eine Unterscheidung beider notwendigen Kriterien zu liefern.

Die Beobachtung jedenfalls, dass der Ansatzpunkt des Rechts
der Einzelne und sein Verhalten im weitesten Sinne ist, bietet ebenso wenig einen Anhalt für die Abgrenzung von der Psychotherapie
wie die Überlegung, dass das Recht zugleich auch immer das Verhalten einer Gemeinschaft oder gar der Gesellschaft insgesamt im
Blick hat. Gleiches gilt nämlich auch für die Psychotherapie.

Auch die Ziele beider Disziplinen liegen nicht so weit auseinander, wie es für eine eindeutige Differenzierung wünschenswert
wäre. Das gilt für den individuellen wie für den kollektiven Gegenstand. Das machen schon die Vokabeln deutlich, mittels derer man
die Zielvorstellungen beider Disziplinen umreißt: Heilung, Kon-
fliktbeilegung, Integration, Wiederherstellung etc.

Nach allem scheint es, dass eine Differenzierung beider Ar-
beitssysteme am besten gelingt, wenn man sich die unterschiedlichen Handlungsformen und Verfahrensmodalitäten beider vor
Augen führt.

Um die Übersicht bei diesem Vergleich zu wahren und den
Gegenstand unter Kontrolle zu halten, will ich bei der Gegenüber-
stellung die dem Juristen geläufigen und sein Tätigkeitsfeld umfassend beschreibenden Kategorien der Gesetzesproduktion und
der Gesetzesanwendung zu Grunde legen.

Fünf Unterscheidungsmerkmale lassen sich herausstellen: Die
Arbeitsmethode des Rechts bedient sich ausschließlich des Instru-
mentariums der Sprache, des Begriffs, der Logik; schon bei der Erfassung des zu regelnden Sachverhalts geht sie allein mit den Mitteln der bewussten, sprachlich gefassten Formulierung vor.

Demgegenüber bezieht die Therapie sowohl bei der Erfassung
ihres Gegenstandes wie bei dessen Bearbeitung die unbewussten
Regungen beider Seiten und deren Verknüpfung mit ein. Die
sprachliche Formulierung spielt zwar auch hier eine Rolle, aber
keineswegs die ausschließliche oder auch nur die dominante.

Hervorbringung und Anwendung der Gesetze unterscheiden
sich dementsprechend bei beiden Systemen fundamental.

Das Recht erlässt seine Gesetze zur Regelung gewisser Problemlagen und gibt ihnen eine möglichst klar gefasste sprachliche
Form, welche den Anforderungen innerer logischer Konsistenz
und Folgerichtigkeit sowie verwaltungstechnischer Umsetzbarkeit

genügen muss. Das Recht erfindet damit gewissermaßen seine Gesetze zur Erreichung bestimmter Zwecke.

Das Verfahren der Psychotherapie ist ein ganz anderes. Sie findet ihre Gesetze, lässt sie – wenn man so sagen darf – entstehen. Ihre Regelungen sind in der Regel bereits gefühlsmäßig fassbar, bevor sie in Worte gefasst werden. Keinesfalls werden hier die Gesetze aktiv hervorgebracht oder »gemacht«.

Vergleichbares gilt für die Gesetzesanwendung. Folgt die Fallbearbeitung im Recht den Regeln der sprach-gedanklich stimmigen Subsumtion unter den Gesetzestext und einer logisch einwandfreien Ableitung des Ergebnisses, so ergibt sich im Bereich der Psychotherapie die Problemlösung jedenfalls insofern zwanglos, wenn auch nicht mühelos, aus den empfundenen Gesetzlichkeiten des Falles, als es einer sprachlichen Ausformulierung des einschlägigen Gesetzes nicht bedarf.

Aus dem unterschiedlichen Gesetzesbegriff beider Systeme ergeben sich zugleich ganz unterschiedliche Vorstellungen über die Lebensdauer des jeweiligen Gesetzes. Steht es dem Recht frei, seine Gesetze schon nach kurzer Frist zu ändern, so geht die Therapie doch von lang dauernden, fast schon »ewigen« Gesetzen aus.

Aus dem Faktum des auf Seiten des Rechts bewusst und willentlich in Kraft gesetzten Gesetzes und seiner Aufgabe, bestimmte Sachverhalte durch sprachlich ausgedrückte generelle Anordnungen zu regeln, ergibt sich für die Anwendung des Gesetzes im Recht eine gewisse Gewaltsamkeit. Die Rechtssätze in sprachlicher Form zielen auf Gehorsam, das heißt auf zwangsweise Vollstreckung des Gesetzesbefehls im Falle des Ungehorsams.

Demgegenüber erweisen sich die Gesetze des Seelischen, wie sie in der Therapie ihren Niederschlag und ihre Auswirkung finden, beileibe nicht als weniger schmerzlich, aber nicht als im Sinne des Rechts gewaltsam, sondern als gewissermaßen selbstexekutiv.

Halten wir das Zwischenergebnis unserer Überlegungen schlagwortartig fest:

Die Systeme des Rechts und der Psychotherapie unterscheiden sich weniger nach Gegenstand und Ziel als vielmehr in ihren Vorgehens- und Verfahrensweisen.

Das Recht stellt seine prinzipiell zeitlich begrenzten Gesetze in einer ausschließlich auf Bewusstsein, Sprache und Rationalität gestützten Technik her und setzt sie in gleicher Manier um, ohne in letzter Konsequenz auf den Einsatz von Gewalt zu verzichten.

Demgegenüber vertraut die Psychotherapie auf die Existenz zeitlich prinzipiell unbegrenzter Gesetze primär unbewusster Qualität, deren Auftauchen in der Therapie als Ergebnis deutender Bemühung heilsame Wirkungen entfaltet, gewalt-, aber nicht schmerzfrei.

Unterscheiden sich somit die beiden Systeme zwar nach dem Modus ihrer jeweiligen Aktivitäten, nicht aber nach deren Gegenstand und Ziel, so erscheint es angebracht, zunächst einmal anhand bestimmter konkreter Einzelphänomene das merkwürdige Zusammenspiel oder auch Gegeneinanderagieren beider Disziplinen in Augenschein zu nehmen, um ersten Aufschluss über ihren zugleich konvergenten und divergenten Charakter zu erhalten.

Ich bleibe bei der nachfolgenden Untersuchung dem Muster der juristischen Unterscheidung von Gesetzesherstellung und Gesetzesanwendung treu und verwende Beispiele aus dem Strafrecht.

Als Beispiel aus der Gesetzessprache soll der Begriff der Schuld dienen.

Psychoanalytisch wird man die Schuld auf dem uns interessierenden Vergleichsfeld, dem der Vornahme einer verbotenen Handlung, bestimmen können als denjenigen affektiven Zustand bewusster oder unbewusster Natur, der durch das Über-Ich in Reaktion auf ein bestimmtes Verhalten des Subjekts hervorgerufen wird. Nimmt das Ich diesen Affekt wahr, so spricht man vom Schuldgefühl. »Schuldgefühl ist die dieser Kritik (des Über-Ichs) entsprechende Wahrnehmung im Ich« (Freud 1923, S. 282).

Die Schuld nun wird auf bestimmten Etappen des analytischen Prozesses wie anderer Verfahren der Selbsterkenntnis auftreten und sich idealiter als bewusst wahrgenommenes Schuldgefühl bemerkbar machen.

Juristisch, das heißt strafrechtlich in der Redeform des Gesetzes, wird das Phänomen der Schuld ganz anders, aber in einer höchst bezeichnenden Weise angegangen. Wir finden nämlich zu unserer Überraschung – trotz des gängigen Schlagworts vom »Schuldstrafrecht« – im Gesetz keine positive Definition der Schuld. Was wir hier finden, ist nur eine Ansammlung von gesetzlich umschriebenen Umständen, welche die Schuld entfallen lassen, Merkmalen also, bei deren Gegebensein gerade keine Schuld vorliegt. So spricht das Gesetz in § 20 von den Gründen, die die Schuldfähigkeit ausschließen, also von den grundlegenden Strukturdefekten der Steuerungsfähigkeit des Menschen, und in weiteren Vorschriften (§§ 17, 35) von den Umständen, welche bei gegebener Steuerungskapazität die Steuerungsfunktion im Einzelnen hemmen oder matt setzen, nämlich von fehlendem Unrechtsbewusstsein oder von so genannten Entschuldigungsgründen, bestimmten Not- oder Zwangslagen (vgl. hierzu im einzelnen Behrendt 1979).

In unserem Zusammenhang ist entscheidend, dass das Schuldurteil des Strafrechts sich – auch im strafrechtlichen Selbstverständnis – als das Ergebnis eines Zurechnungsprozesses von außen darstellt, welches aber in seinem Zentrum, also in Bezug auf die seelische Realität des Beschuldigten, erst einmal leer bleibt und dann projektiv durch das gewissermaßen stellvertretende Schuldgefühl oder Gewissensurteil des Richters ausgefüllt wird.

Der nur negativ konstruierte Schuldbegriff des Strafrechts gibt also der psychologischen Betrachtung durchaus Raum, indem er der Wirklichkeit menschlicher Schuld und menschlichen Schulderlebens gewissermaßen einen Platz freihält. Freilich ist in der Realität unseres heutigen Strafprozesses das Aufkommen wirklicher Schuldgefühle auf Seiten des Beschuldigten nicht eben die Regel.

Ein weiteres Beispiel für das verschlungene Mit- und Gegeneinander von Recht und Psychotherapie – jetzt aus dem Gebiete der Rechtsanwendung – bildet die Position des psychiatrischen Sachverständigen im Strafverfahren in seinem Verhältnis zum Richter. Scheinbar ist die Sache klar. Von juristischer Seite wird der psychiatrische Sachverständige wie der Sachverständige allgemein als »Gehilfe des Richters« bezeichnet: »Er hat dem Gericht den Tatsachenstoff zu unterbreiten, der nur auf Grund besonderer sachkundiger Beobachtung gewonnen werden kann, und das wissenschaftliche Rüstzeug zu vermitteln, dass die Auswertung ermöglicht« (BGHSt 7, S. 238 f.). Er ist nach der Gesetzeslage auf die genannten Aufgaben auch beschränkt. Es obliegt allein dem

Richter, sowohl die Tatsachenfeststellungen als auch die Folgerun-
gen des Gutachters eigenverantwortlich auf ihre Überzeugungs-
kraft zu überprüfen und das abschließende Urteil in alleiniger Verantwortung zu erlassen. Für die Beurteilung der oft im Zentrum
des Strafverfahrens stehenden Schuldfähigkeit gilt im Prinzip
nichts anderes.

Freilich steht die Konzeption des Gesetzes nicht selten in star-
kem Kontrast zur Prozesswirklichkeit. Hier zeigt sich, dass der
psychiatrische Sachverständige bei der ständig wachsenden Kom-
plizierung der äußeren und inneren Lebensverhältnisse und der
Ausdifferenzierung der verschiedenen Wissenschaftszweige häufig eine beherrschende Stellung erlangt (vgl. Schreiber u. Rosenau
2004, S. 83).

Angesichts der nicht aufhebbaren grundsätzlichen Differenz
zwischen der rechtlich-normativen und der seinswissenschaftlich-
empirischen Betrachtungs- und Handlungsperspektive und in An-
betracht der damit unvermeidlich gegebenen Unterschiede zwischen Richter und Gutachter hinsichtlich ihrer Berufsrolle, ihres
methodischen Zugangs, ihrer persönlichen Haltung und ihrer
Kommunikationsformen erscheint allein der Weg eines psychia-
trisch-forensischen Dialogs gangbar, bei dem die vorhandenen
Differenzen wechselseitig anerkannt und respektiert werden (vgl.
Nedopil 1999, S. 438 f.).

Allein eine solche Kooperation ermöglicht die Betrachtung des
Sachverhalts aus verschiedenen Positionen und dadurch die Her-
beiführung einer angemessenen Entscheidung. Betrachtet man das
wechselseitige Verhältnis von Richter und psychiatrischem Sachverständigen aus diesem Blickwinkel, so kann der Gedanke einer
gewissermaßen zweifachen oder doppelten Richterschaft nicht von
vornherein als abwegig abgewiesen werden. Der eine – psychiatrische – Richter repräsentiert dann gewissermaßen, um eine mittel-
alterliche Terminologie zu verwenden, das forum internum, der andere das forum externum (vgl. hierzu insbesondere Legendre 1998,
S. 147 ff.) Wir werden darauf zurückkommen.

In der uns interessierenden Frage nach den spezifischen Be-
sonderheiten des Zusammen- und Gegeneinanderwirkens von
Recht und Psychotherapie hilft aber auch letztere Bemerkung über

die Doppelrichterschaft nicht unbedingt weiter. Denn gerade das Zusammenwirken und seine nähere Gestalt beschäftigen uns. Die These von der engen personalen Kooperation beider Disziplinen in wechselseitiger Anerkennung und Respektierung jedenfalls befriedigt dieses besondere Interesse noch nicht hinlänglich.

Ein drittes Beispiel bei unserem bislang mehr impressionistisch gehaltenen Versuch, der Eigentümlichkeit des Zusammenspiels von Recht und Psychotherapie auf die Spur zu kommen, entnehmen wir dem Maßregelvollzug. Hier verlangt § 63 StGB im Sinne einer zwingenden Vorschrift, dass das Gericht im Falle der Tatbegehung im Zustand der Schuldunfähigkeit oder der verminderten Schuldfähigkeit die Unterbringung des Täters in einem psychiatrischen Krankenhaus anordnet. Indem das Gesetz (§ 136 des Strafvollzugsgesetzes) zugleich festlegt, dass die Unterbringung in einem psychiatrischen Krankenhaus nach ärztlichen Gesichtspunkten erfolgt und dass der Untergebrachte möglichst geheilt oder doch in dem Maße gebessert werden soll, dass er nicht mehr gefährlich ist, greift es tief in den psychotherapeutischen Prozess selbst ein. Mit der Anordnung der Unterbringung in einem psychiatrischen Krankenhaus – also in einer geschlossenen Einrichtung – errichtet das Recht für den Untergebrachten eine (notfalls gewaltsam erzwungene) Grenze, welche in vielerlei Hinsicht therapeutische Wirkungen entfaltet (näher hierzu Bender 2004, S. 56–58). Einiges sei erwähnt:

Sie wirkt der Selbstdiffusion entgegen; sie dient der Affekt- und Impulsregulation durch Internalisierung; sie kann eine maligne Über-Ich-Struktur ermäßigen; sie trägt dazu bei, Überhöhungen des Therapeuten oder des Teams von Seiten des Untergebrachten abzumildern; sie kann die Beziehungsfähigkeit durch Schaffung von Reibungsflächen erhöhen (Auchter 2004, S. 164 ff.; vgl. auch Bender 2004, S. 58 ff.).

Unser kursorischer und notwendigerweise ziemlich eklektischer Überblick über das Verhältnis von Rechtspflege und Psychotherapie ergibt ein Bild vielfältiger und wechselseitiger Verbindungen und Verstrickungen: bei den verwendeten Konzepten, bei den handelnden Personen und bei den Handlungsräumen, wenn man so sagen darf. Ihnen allen wohnt etwas Zwillingshaftes inne.

Wir stehen jetzt vor der Aufgabe, die Frage der wechselseitigen Zuordnung der beiden Disziplinen systematischer anzugehen, um Einsicht in etwaige Regelhaftigkeiten des merkwürdigen Zusammenspiels von Rechtspflege und Psychotherapie zu bekommen.

Den Grundgedanken für die Entwicklung einer solchen Rechtspflege und analytische Therapie übergreifenden konzeptionellen Raumes finden wir bei Legendre (1998), Laval (2002) und verwandten Autoren (genannt sei hier lediglich Trimborn 2003, der sich auf Legendre bezieht).

Dieser Gedanke besteht darin, dass der einzelne Mensch in vorgegebene Ordnungen genealogischer, kultureller, sprachlicher und anderer Art eingebunden ist, die seine Existenz überragen und ihr vorausgehen. Es geht um Ordnungen, die dem Menschen sozusagen im Vorhinein zugesprochen sind und die als Fatum (Götterspruch, Weissagung) sein Schicksal bestimmen. Es ist nun die Eigenart dieser für die Einzel- wie Kollektivexistenz lebensnotwendigen Ordnungen, dass sie für ihre Wirksamkeit der institutionell-öffentlichen Repräsentation bedürfen.

Gleiches gilt für die das Seelenleben des Menschen bestimmenden Regelhaftigkeiten. Auch sie bedürfen der institutionell-repräsentativen Darstellung im öffentlichen Raum, um ihre existenzsichernden und heilsamen Wirkungen für den Einzelnen und die Allgemeinheit zu entfalten. Die Tatsache, dass diese seelischen Gesetzlichkeiten größtenteils unbewusster Natur sind, macht das Postulat ihrer öffentlichen Instituierung einerseits besonders dringlich, stellt seine Verwirklichung andererseits aber auch vor besondere Probleme.

Als zentraler Dreh- und Angelpunkt der menschlichen Entwicklung wird die ödipale Konfliktkonstellation und ihre Lösung herausgestellt. Einiges sei zur Klarstellung des Fundaments, auf dem die Theorie der institutionellen Repräsentanz ruht, kurz und schematisch rekapituliert:

Die Gefühle von Allmacht, Einmaligkeit und Großartigkeit des sich entwickelnden Subjekts führen auf einer bestimmten Stufe zwangsläufig zu Inzest- und Mordwünschen, welche der Vater – als der die Mutter-Kind-Dyade aufsprengende »Dritte« – durch sein Verbot unterbindet, bei Strafe von Tod oder Psychose für die gewaltsame Übertretung oder die regressive Nichtbefolgung.

In Wahrheit ist das ödipale Szenario wesentlich facettenreicher, selbst ohne Berücksichtigung der negativen Variante. Zentral ist die physiologische, vor allem aber affektive Unzulänglichkeit des Kindes angesichts seines auf die Mutter gerichteten erotisch-sexuellen Begehrens. Verzweiflung, Gram und Scham darüber gebären Todeswünsche gegen den Vater, welche wegen dessen Übermacht auf das Kind zurückfallen. Im Zentrum des ödipalen Geschehens steht damit eine das Kind eigentlich überfordernde und beschämende Lage, aus der es sich primär nur destruktiv zu befreien sucht. Erst dadurch wird der Vater zum Mittelpunkt des Geschehens, um den sich die Affekte ranken. Die Vergeltungsangst des Kindes ist insofern imaginärer Natur, als der gute Vater über die Wahrung seiner Position hinaus keine Vergeltungsgefühle gegenüber seinem Kinde hegt, ihm vielmehr bei der Erringung einer größeren Selbständigkeit und Freiheit beisteht (zur Installierung des Über-Ichs und seiner Beziehung zur äußeren Realität vergleiche u. a. Bohleber 2001).

Die ödipale Szenerie stellt sich damit als ein phantasmatisches Schema dar (Freud spricht hier von einer auch phylogenetisch festliegenden Ur-Fantasie), welches den Vater in erster Linie als eine symbolische Größe erfasst. Dem realen Vater oder seinem Vertreter wird damit eine Rolle zugewiesen, die er ausfüllen oder verfehlen kann. Diese den seelischen Status des Vaters definierende Rolle nennt Legendre mit einer schönen Wendung – juristisch wie psychologisch gleichermaßen zutreffend – »das Amt des Vaters«.

Die Wahrnehmung des Vateramtes zeitigt für das individuelle wie auch gesellschaftliche Leben entscheidende Wirkungen:

Der väterliche Trennungsbefehl zwingt das Kind, sich von den Eltern zu lösen und weist ihm einen Platz in der Generationenfolge zu. Ferner: Nur wer dem ödipalen Dilemma entrinnt, gewinnt Zugang zu den seelischen Dimensionen von Freiheit und Vernunft. Die Bewältigung der ödipalen Verstrickung bildet drittens die entscheidende Voraussetzung für Recht und Rechtlichkeit. Die vierte Wirkung einer hinlänglichen Auflösung des ödipalen Dramas besteht darin, dass die dem Subjekt auferlegten Trennungs- und Verzichtsleistungen seinem Symbolisierungsvermögen, und das heißt im Wesentlichen seiner Sprachentwicklung, einen ganz entscheidenden Schub versetzen. Die fünfte Funktion der Lösung des ödipalen Konflikts schließlich ergibt sich aus der Summe der bisher genannten Funktionen. Sie liegt darin, die psychische Existenz des Menschen und damit auch sein physisches Fortbestehen zu sichern.

Wegen des dunklen und schattenhaften Charakters der unhintergehbaren ödipalen Gesetzlichkeit und wegen des unauslöschlichen menschlichen Bedürfnisses nach letzter Orientierung im Ungewissen bedarf das lebenssichernde Amt des Vaters einer Art Letztbegründung, einer Verankerung im Absoluten. Legendre spricht hier gelegentlich vom »mythischen Vater« und nennt diesen Bezug des Vateramtes zum Absoluten die »absolute Referenz« (der m. E. ausdrucksstärkere Begriff im französischen Original lautet *référence fondatrice*). Letztlich geht es um die private wie institutionelle Anerkennung der »Unerbittlichkeit der Struktur« (Legendre 1998) der unbewussten seelischen Realitäten, die sich einen Namen sucht. Man mag diese Überhöhung der Figur des sozialen Dritten »ein monumentales Subjekt der Fiktion« (diesen Ausdruck finden wir bei Pornschlegel u. Thüring 1998, S. 169) oder gar einen sprachlich formulierten Bluff nennen; fest steht, dass die Herstellung einer Vorstellungsinstanz, die der Verfügung der Subjekte in gleicher Weise wie die abgebildete unbewusste Realität entzogen ist, um der Weitergabe des Lebens selbst willen unverzichtbar ist.

Die schon kurz zitierte Theorie der institutionellen Repräsentanz besagt nun, dass das ödipale Verbot angesichts seiner im wahrsten Sinne des Wortes lebensnotwendigen Funktionen, nämlich der Begründung von Filiation, Vernunft, Recht, Rede und Existenz, einer öffentlichen Repräsentation, genauer: einer Verankerung in den Institutionen des Gemeinwesens bedarf. Eine solche Instituierung – und ständige Reinstituierung – des Vateramtes ist wegen der allgemeinen Anfälligkeit des Menschengeschlechts, wegen der Unverlässlichkeit privater Weitergabe zentraler Lebensmuster und der riesenhaften Aufgabe der Humanisierung künftiger Generationen unabdingbar.

Fragen wir nun nach den Konturen einer solchen öffentlich inszenierten Repräsentation der lebenswichtigen, im Unbewussten angesiedelten ödipalen Mechanik, so zeigen uns die historisch feststellbaren Formen der Instituierung des väterlichen Gesetzes in Mythologie, Poesie und Religion – wir denken etwa an den Ödipus-Mythos, an das Drama Prinz Friedrich von Homburg (Trimborn 1987, setzt in feinsinniger Weise Kleists Drama mit dem Wesen des psychoanalytischen Verfahrens und der Rolle des Analytikers in Beziehung) oder an die christliche Eucharistie (Legendre 2001, weist nach, wie das Sakrament die symbolische Verknüpfung der Gründungsreferenz mit der Realität des Subjekts bewerkstelligt) –, worauf es ankommt.

Stets geht es darum, dass das absolut verbindliche väterliche Verbot gerade im Falle der Übertretung in einer Art von Gründungsszene in aller Öffentlichkeit wirksam zur Darstellung gelangt.

Stets ist zwischen der institutionellen Inszenierung und dem Erleben des Einzelnen ein ununterbrochener Prozess lebhaften wechselseitigen Austauschs zu beobachten, der sich auf den Bahnen des Bewusstseins ebenso vollzieht wie auf denen des Unbewussten und der Affekte ebenso wie Vorstellungen transportiert (Pornschlegel u. Thüring 1998, zeigen unter Berufung auf Walter Benjamin, wie sich in den Zeremonien und Festen der Kulte das kollektive Gedächtnis mit dem individuellen verbindet und wie das Verbot sich auf diese Weise ständig aktualisiert). Die öffentliche Inszenesetzung der zentralen seelischen Mechanik bedient sich daher für ihre Vermittlungsaufgabe nicht nur der sprach-gedanklichen Fassung, sondern auch des bildlich-emblematischen Ausdrucks, da das Unbewusste primär über Bilder kommuniziert. Es entspricht der opaken Natur der psychischen Gesetzlichkeiten, dass die emblematische Repräsentation unvermeidlich vielschichtig ausfällt und zu ständiger Konkretisierung zwingt.

Stets schließlich verweist die öffentliche Repräsentanz des absoluten Verbotes wegen der Offenheit der menschlichen Existenz und der menschlichen Sehnsucht nach letzter Orientierung auf die Unerbittlichkeit der seelischen Struktur, mit anderen Worten auf die absolute Referenz, sei es die Macht der Dämonen, das Walten des Schicksals oder den Willen Gottes.

Es ist nun ein Leichtes zu zeigen, dass in den westlichen Industriegesellschaften, in denen Glaubwürdigkeit und Verbindlichkeit
der traditionellen inszenatorischen Formen des unerbittlichen Seelengesetzes – von Mythos, Poesie und Religion – entkräftet und
verbraucht sind, das Recht – in Sonderheit das Strafrecht, aber
auch das Recht im Übrigen – in die Position einer – alleinigen –
öffentlichen Repräsentanz des väterlichen Gesetzes hineingeraten
ist; deutlicher müsste man sagen, dass das Recht – Legendre
spricht von den Verwüstungen des Vateramtes im Westen – eine Art
letzte Rückzugslinie des väterlichen Prinzips darstellt, sozusagen
seine letzte Bastion.

Das Recht demonstriert in seinen Verfahren gerade am Fall der
Übertretung die prinzipielle Unverbrüchlichkeit des ödipalen Ver-
dikts. Das Recht leistet ferner in Gesetzgebung und Gesetzesanwendung jenen zirkulären Austauschprozess zwischen der öffentlichen Repräsentanz und dem Erleben des Einzelnen dadurch, dass
es seine Regelungen in unablässiger interpretatorischer Arbeit mit
den jeweils neuen Sachgegebenheiten abstimmt. Dabei stellen
seine Prozeduren sicher, dass das zentrale Verbot nicht nur sprachlich und gedanklich in den Institutionen vergegenwärtigt, sondern
auch bildhaft-emblematisch in öffentlicher Darstellung in Szene
gesetzt wird. Dass die Ergebnisse von Gesetzgebung, Judikatur
und Verwaltung oft genug einen undeutlichen, um nicht zu sagen
zwiespältigen Charakter besitzen, ist ein weiterer Hinweis darauf,
dass wir im Recht die öffentliche Repräsentanz des – schwer ent-
zifferbaren – Seelengesetzes vor uns haben. Schließlich erfüllt das
Recht auch das weitere Merkmal jedweder institutionellen Repräsentanz des absolut Verbindlichen, nämlich den Verweis auf die absolute Referenz, wenn auch nur in intermediärer Form, in dem es
seine Dikta »im Namen des Volkes« verkündet.

Halten wir einen Moment inne.

Wir haben – in einer freilich idealtypischen Sicht – festgestellt,
dass der Körper des Rechts als öffentliche Repräsentanz des
sozialen Dritten mit der familiären oder quasifamiliären Sozialisation des Einzelnen zusammenwirken muss, wenn das Leben des
Individuums wie das der Gemeinschaft gedeihen und gelingen
soll.

Diese Festlegung verliert ihre Gültigkeit auch nicht durch die Beobachtung, dass auf der kollektiven wie auf der individuellen Ebene ständig Kräfte ökonomischer, politischer und ideologischer Art am Werke sind, welche das Amt des Vaters unterminieren – solange solche Beeinträchtigungen der Omnipotenz begrenzenden Funktion des väterlichen Dritten marginal und überschaubar bleiben und solange sie auf demokratischem Wege korrigierbar sind.

Nicht zu bestreiten ist freilich die stets gegebene Möglichkeit einer weitergehenden, quasi grundsätzlichen, omnipotenten Entgleisung der seelischen Repräsentanz selbst.

Als Zwischenergebnis unserer Überlegungen zum Verhältnis von Recht und Psychotherapie können wir festhalten:

Zwischen Rechtssystem und psychoanalytischem System (im vorerwähnten Sinn) besteht trotz spezifischer schon angesprochener Differenzen eine starke Affinität.

Gesetzgeber und Rechtsanwender werden ebenso wie der Psychoanalytiker im Auftrag der Durchsetzung und Einhaltung des ödipalen Gesetzes tätig. Der Gesetzgeber und insbesondere der Richter im jeweiligen Bereich ihrer Zuständigkeit sind Verwalter des prinzipiell gleichen Vateramtes, welches auch der Analytiker bei seiner Tätigkeit wahrnimmt. Beide sind mit je verschiedenen Mitteln Sachwalter der Grenze, Vertreter der Leere, gewissermaßen Prokuristen des Mangels (es wird hier nicht übersehen, dass heutzutage allem Anschein nach die therapeutische Arbeit sich überwiegend mit Problemen der präödipalen Zone abmüht; eine gelingende Therapie überschreitet jedoch die ödipale Schwelle, wenn auch diese Etappe gewiss oft genug nicht erreicht wird). Beide, Richter wie Analytiker, tun schon aus Gründen der Erhaltung ihrer professionellen Kompetenz gut daran, jedes omnipotente Gebaren auch außerhalb ihrer beruflichen Tätigkeit zu unterlassen und sich rechtstreu zu verhalten.

Weiter: Alle Normbefehle richten sich nicht nur an die bewusste Verhaltenssteuerung der Rechtsunterworfenen, sie erreichen auch die unbewussten Verhaltensdeterminanten der Angesprochenen. Aber nicht nur die Verhaltensnormen, sondern auch die Organisationsnormen, etwa die, welche die Eltern- und Kindschaftsverhältnisse familien- und erbrechtlich definieren, treffen unwei-

gerlich zugleich Festlegungen von psychischer, hier: genealogischer Relevanz.

Alle Rechtsregeln und alle Rechtsbegriffe erfüllen mithin neben
ihrer juristischen Aufgabe auch eine im wörtlichen Sinne psychiatrische Funktion; sie sind sozusagen psychisch beschichtet.

Diese ganz allgemeine psychische Dimension des Rechts erklärt auch das eingangs konstatierte, etwas verwirrende, zugleich
divergente und konvergente Verhältnis von juristischem und therapeutischem System: hinsichtlich ihres jeweiligen Schuldbegriffs,
in Bezug auf das Zusammenwirken von Richter und psychiatrischem Sachverständigen und im Hinblick auf die juristische
Festlegung des Behandlungsrahmens im Maßregelvollzug. Wir
können nach allem die Beziehung zwischen Rechtssystem und
therapeutischem System vielleicht mit einem Begriff aus dem Ver-
fassungsrecht als »Einheit in der Unterschiedenheit« allgemeiner
charakterisieren.

Die juristische Begrifflichkeit trägt mithin durchgängig eine
psychische Beschichtung; freilich gilt nicht das Umgekehrte: Die
psychoanalytische Begriffsbildung weist nicht, jedenfalls nicht
durchgehend, eine zusätzliche juristische Qualität auf. Gleiches
gilt für das psychoanalytische System insgesamt.

Die Gründe hierfür liegen auf der Hand: Auf ihrem originären
Gebiet, dem der psychoanalytischen Therapie, bewegt sich die
Psychoanalyse in einem relativ rechtsfernen Gebiet, wenn auch
nicht auf einem normfreien Terrain. Je mehr sich jedoch das
psychotherapeutische System als Ganzes oder mit Teilen theoretisch wie praktisch, personell wie organisatorisch oder korporativ
in den Raum der institutionellen Repräsentanz, also des Rechts,
begibt, desto eher greifen Juridifizierungsprozesse ein, welche
dem System insgesamt oder den verfochtenen Theorie- oder
Praxisformen, den handelnden Personen wie auch den verwendeten Organisationsstrukturen juristische Qualifikationen aufprägen.
Dieser Vorgang einer auch juristischen Aufladung von Theorie-
und Praxisgebrauch, persönlichem Handeln und institutionel-
ler Organisation liegt nach dem hier verwendeten Modell der
öffentlichen Repräsentanz nahe und kann insofern kaum überra-
schen.

Ein Beispiel mag das Gemeinte verdeutlichen: Wir erleben in letzter Zeit verstärkte Bemühungen vereins- und verbandsrechtlicher Art, das Fehlverhalten von Analytikern zu untersuchen und in gewisser Weise zu sanktionieren. Sobald solche Bemühungen sich in Regelungen niederschlagen, die rechtmäßig zustande gekommen sind, handelt es sich bei solchen Regeln um Rechtssätze. Enthält ein solcher Rechtssatz – wie etwa § 8 der Berufsordnung der Landespsychotherapeutenkammer Baden-Württemberg – nun den Begriff »Abstinenz«, so ist dieser von Hause aus analytisch-therapeutische Begriff damit zugleich zu einem Rechtsbegriff geworden. Wie dieser Prozess der Verrechtlichung ehedem analytischer Begrifflichkeit sich im Erleben des Analytikers ausnimmt, kommt in sehr sensibler und den Leser anrührender Diktion bei Schilling (2002) zum Ausdruck.

Abschließend muss dargestellt werden, wie das hier vorgeführte, wegen seiner normativen Qualität notwendigerweise in gewissem Umfang idealistische Schema des Zusammenspiels von individueller Sozialisation und öffentlicher Repräsentanz in der Gegenwart zunehmend unter Druck gerät und in Gefahr steht, außer Funktion gesetzt zu werden. Mannigfaltige Kräfte bewirken sowohl auf der persönlichen wie auch auf der gesellschaftlichen Ebene einen verhängnisvollen Abbau des Vateramtes.

Sie können hier nur stichwortartig, bruchstückhaft und grob vereinfacht genannt werden:

Ein weitgehender Konsumismus macht sich breit, verursacht durch die technisch-industriell ermöglichte Vollversorgung mit den Gütern des Lebens einschließlich einer Sicherheitsgarantie gegenüber fast allen Gefahren der menschlichen Existenz: Die Not der Notlosigkeit grassiert.

Die Dominanz des Ökonomischen, Produkt mächtiger Interessen, führt ferner zu einer ausschließlich dinglich-materiellen Sicht der Welt und des Menschen, welche den oral-konsumistischen Zug ins Regressive massiv verstärkt.

Die Macht der neuen Medien und Informationstechnologien zwingt die Seelen in die illusionäre und imaginäre Welt der Bilder und beeinträchtigt allem Anschein nach schon die Mentalisierungs- und Affektregulierungsprozesse der Heranwachsenden.

Die Globalisierung verleiht den genannten Kräften eine bislang unbekannte Wucht.

Der wissenschaftlich-technische Fortschritt gibt ihnen eine neuartige Intensität.

All die angeführten machtvollen Tendenzen wirken nicht nur unvermittelt auf die familiäre Sozialisation ein, sondern entfalten ihre Wirkung auch auf dem Weg über die normativen Instanzen, das heißt über die institutionellen Repräsentanzen einer Gesellschaft.

Zu ihnen gehören beileibe nicht nur das Recht, sondern alle öffentlichen Agenturen, die für die Angehörigen einer Gemeinschaft verbindliche, auch die unbewussten Verhältnisse prägende Texte herstellen. Zu diesen zählen in den westlichen Industriegesellschaften auch solche Instanzen wie Politik, Ideologie, Kunst, Wissenschaft, Werbung, Medien und selbst so etwas wie die Börse. Alle diese im dargestellten Sinne normativen Instanzen haben nun entweder Gründungscharakter in dem Sinne, dass sie die Unerbittlichkeit des ödipalen Gesetzes beglaubigen, bestärken oder verkörpern, oder sie setzen die Humanisierung des Menschengeschlechts aufs Spiel, indem sie das unausweichliche Verbot unterlaufen, dementieren oder sabotieren. Tertium non datur.

Wie der Zustand der westlichen Gesellschaften in Bezug auf das stets zerbrechliche institutionelle Gerüst der Repräsentanz des Unvermeidlichen einzuschätzen ist, will ich dem Urteil der Leser überlassen. Legendre jedenfalls spricht von der »normativen Selbstbedienung« des neuzeitlichen »Majestätssubjekts« und stellt eine düstere Prognose.

Unbestreitbar ist, dass die genannten Kräfte Gestalt und Funktion des Rechts, der letzten verbliebenen Bastion der Vaterrepräsentanz, massiv beeinträchtigen, indem sie es für ihre Zwecke zurechtschneiden, in Dienst nehmen und missbrauchen. Das Recht wird so zunehmend zu einer selbstreferenziellen Regelungsmaschinerie, zu einem puren Instrument des Managements aller nur möglichen Problemlagen im Dienste partikulärer Interessen.

Ein deutliches Beispiel für diesen deformierten Charakter des Rechts selber bietet das Regelwerk, welches gegenwärtig den Kern des psychoanalytischen Verfahrens aufs Spiel setzt, indem es seine Gestalt aus den mannigfaltigsten Motiven, welche per se nicht unbedingt illegitim sind, beeinträchtigt. Solche gesetzgeberischen Motive: Kostenersparnis, Qualitätssicherung, Berufspolitik, Ausbildungsregelung, Wissenschaftsideologie führen jedenfalls dann zu einer inadäquaten rechtlichen Normierung, wenn der Regelungsgegenstand, hier die Psychoanalyse als therapeutisches Verfahren, in seiner besonderen Eigenart nicht angemessen wahrgenommen wird und wenn die die Regelung leitenden Gesichtspunkte nicht in ein ausgewogenes Verhältnis zueinander gesetzt werden oder gar einzelne Gesichtspunkte verabsolutiert werden. Für solche Art »omnipotenter« Gesetzgebung scheint gerade auch die demokratische Legislative besonders anfällig, da sie nur allzu oft dem Druck der stärksten Pressuregroup nachgibt oder doch im Kompromisswege sachlich unangebrachte Lösungen ermöglicht (zu den hier den analytischen Verfahren drohenden Gefahren siehe Gerlach 2004).

In dem Maße, in dem mächtige Tendenzen der Zeit die rechtliche Instituierung des Vateramtes im wörtlichen Sinne außer Kraft setzen, entfallen auch die Garantien, die das Recht für ein Gedeihen der gegenwärtigen und der nachwachsenden Generationen geben kann. Umso wichtiger und dringlicher ist die Erkenntnis, dass die Psychoanalyse um ihrer selbst willen auf das Recht nicht verzichten kann und das Recht in gleicher Weise um seiner selbst willen nicht auf die Psychoanalyse. Die Analyse muss mit ihren Mitteln und mit ihren Kräften dafür Sorge tragen, dass die sozusagen mythische Dimension des Rechts als Institution des väterlichen Gesetzes nicht verloren geht; – ein Repräsentanzsystem eigener Provenienz zu errichten scheint sie derzeit nur begrenzt in der Lage (m. E. zu Recht nennt Trimborn 2003, die Institutionen der Psychoanalyse »eine Welt, eine polis«, in der die Analytiker leben, nur handelt es sich hier um eine spezielle und begrenzte, d. h. nicht in der allgemeinen Öffentlichkeit wirkende Repräsentanz des väterlichen Dritten). Umgekehrt muss das Recht, um Sinn und Ziel seiner Arbeit nicht aus dem Auge zu verlieren, bei der Analyse stete Auskunft über die Welt des menschlichen Unbewussten einholen.

Damit wird keineswegs einer falschen Psychiatrisierung oder Sakralisierung des Rechts das Wort geredet. Ganz im Gegenteil:

Es soll vielmehr durch Verbreitung der psychoanalytischen Erkenntnisse ein Bewusstsein für die metajuristische Realität des
Rechts offen gehalten und vertieft werden.

Es gibt im Übrigen gute historische Gründe für die Annahme,
dass das ödipale Gesetz am wirkungsvollsten durch eine Art von
Doppelrepräsentation zu Geltung gelangt, wie wir sie etwa im Eu-
ropa des Mittelalters vorfinden. Kaiser und Papst, weltliches und
geistliches Imperium stritten zwar unablässig um die Vorherr-
schaft, kritisierten, bekämpften und schwächten sich wechselseitig. Jedoch scheint es, dass gerade das spannungsvolle Wechsel-
spiel zwischen weltlicher und geistlicher Macht der Maßlosigkeit
der öffentlichen Inkarnation des Dritten entgegenarbeitete und,
wichtiger noch, dass gerade die Auseinandersetzung die prinzipielle Bedeutung des öffentlich instituierten Vateramtes für das allgemeine Bewusstsein hervorhob und außer Zweifel stellte.

Der italienische Rechtshistoriker Prodi (2003) sieht die Be-
sonderheit und Einzigartigkeit Europas und seiner freiheitlichen
Verfasstheit in einer Geschichte der doppelten Darstellung des
väterlichen Dritten begründet. Der Dualismus der normativen
Repräsentanzen, seien es Kaiser und Papst, Territorialherr und
Landeskirche oder schließlich positives Recht und moralische
Ordnung, setze sich bis in unsere Zeit fort, in der er freilich zu
unserem Unglück zerfalle.

Nach solcher Auffassung bedarf es auch heute noch einer ständigen spannungsreichen Dialektik zwischen den Institutionen,
die Träger moralischer Normen sind, und solchen Institutionen,
welche das positive Recht verkörpern. Letztlich geht es um die
heilsame, weil freiheitsverbürgende Konkurrenz von instituierten
Normen, welche ihren persönlichen Ursprung im Gewissen haben,
welche aber im Verhalten objektivierbar und gesellschaftlich ge-
neralisierbar sind, und solchen normativen Installationen, welche
das Recht als Sachwalter der Macht errichtet; klarer und einfacher:
um die öffentliche Konkurrenz von Moral und Macht und ihren jeweiligen normativen Repräsentanzen.

Bei dieser Sicht der Dinge wäre die oben diagnostizierte Dege-
neration des authentischen Rechtssystems zu einem nicht referen-
zierten Instrument des Managements zu lesen als das Verschwin-

den eines institutionellen Dualismus, welcher durch einen eindimensionalen Rechtsabsolutismus abgelöst wird, der die gesamte Domäne ehedem primär moralischer Regelung (z. B.: das Sexual- und Familienleben, das Gesundheitswesen, das Erziehungssystem, das Schulwesen) in sich aufsaugt und vereinnahmt. Für eine solche Expansion des positiven Rechts in jeden Winkel des täglichen Lebens gibt es viele, allzu viele Beispiele (das Phänomen der grassierenden political correctness ist kein taugliches Gegenbeispiel. Es handelt sich hierbei, wie bei vielen anderen Erscheinungen, etwa Ombudsmänner, Komitees, Initiativen etc., um Übergangsphänomene der Verrechtlichung).

Paradoxerweise scheint gerade dieser Sieg des Systems des positiven Rechts, dem kein institutionelles metajuristisches Normensystem mehr den Spiegel vorhält, zu Überladung und Überlastung der juristischen Institutionen und Instrumentarien zu führen, so dass manche schon vom »Selbstmord des Rechts« (Prodi 2003, unter Bezug auf Ellul) sprechen.

Wenn es sich so verhält, dass nur »der normative Spalt zwischen der inneren, aber kollektiven (nicht privaten) Welt der moralischen Norm und der äußeren Welt des positiven Rechts, der unser Leben charakterisiert und das Entstehen von Freiheit und Demokratie während all dieser Jahrhunderte möglich gemacht hat, als einziger das Überleben unserer kollektiven Identität als abendländische Menschen ermöglichen (Prodi 2003) kann, so muss die erhobene Forderung nach Einmischung des analytisch- therapeutischen Systems in dem Sinne präzisiert werden, dass die Psychoanalyse das ihre dazu beiträgt, eine auf den Erfahrungen und Erkenntnissen der inneren Welt, ihrer Welt, gegründete institutionelle Repräsentanz dem entgleisenden positiven Recht gegenüberzustellen.

Wir haben die Frage nach den rechtlichen Grenzen der psychoanalytischen Therapie für das geltende Recht nicht hinlänglich konkret beantwortet, wohl aber, wie wir hoffen, etwas Licht in die Vorfrage nach dem Verhältnis von Recht und Therapie bringen können.

Literatur

Auchter, T. (2004): Rahmen, Halt und Grenze. Über strukturbildende Faktoren im Maßregelvollzug. In: Bender T.; Auchter T. (Hg.): Destruktiver Wahn zwischen Psychiatrie und Politik. Gießen, S. 141–169.

Behrendt, H.-J. (1979): Die Unterlassung im Strafrecht. Entwurf eines negativen Handlungsbegriffs auf psychoanalytischer Grundlage. Baden-Baden.

Bender, T. (2004): Sozialgeschichtliche und psychoanalytische Perspektiven Forensischer Psychiatrie und Psychotherapie in Deutschland. In: Bender, T., Auchter, T. (Hg.): Destruktiver Wahn zwischen Psychiatrie und Politik. Gießen, S. 25–85.

Bohleber, W. (2001): Über-Ich, äußere und innere Realität und der kulturelle Wandel. In: Kupsch, W. (Hg.): Was ist aus dem Überich geworden? Arbeitstagung der DPV in Freiburg vom 15. bis 18. März 2001. S. 9–15.

Freud, S. (1923): Das Ich und das Es. G. W. Bd. XIII. London.

Gerlach, A. (2004): Die Geschichte der »Stellungnahme zur psychoanalytischen Therapie«. Forum Psychoanal. 20: 7–12.

Laval, G. (2002): Bourreaux ordinaires. Psychanalyse du meurtre totalitaire. Paris.

Legendre, P. (1998) : Das Verbrechen des Gefreiten Lortie. Abhandlung über den Vater. Freiburg i. Br.

Legendre, P. (2001): Die Eucharistie und die genealogische Szene. Tumult 26: 7–13.

Nedopil, N. (1999): Verständnisschwierigkeiten zwischen dem Juristen und dem psychiatrischen Sachverständigen. Neue Zeitschrift für Strafrecht 19: 433–439.

Pornschlegel, C.; Thüring, H. (1998): Warum Gesetze? Zur Fragestellung Pierre Legendres. In: Legendre, P.: Das Verbrechen des Gefreiten Lortie. Abhandlung über den Vater. Freiburg i. Br., S. 169–203.

Prodi, P. (2003): Eine Geschichte der Gerechtigkeit. Vom Recht Gottes zum modernen Rechtsstaat. München.

Schilling, R. (2002): Die Erfahrungen in der Ethik-/Schlichtungskommission der DPV 1998–2002. In: Lahme-Gonostaj, H. (Hg.): Symbolisierung und ihre Störungen. Arbeitstagung der DPV in Frankfurt a. M. vom 20. bis 23. Nov. 2002, S. 430–455.

Schreiber, H.-L.; Rosenau, H. (2004): Rechtliche Grundlagen der psychiatrischen Begutachtung. In: Venzlaff, U.; Foerster, K. (Hg.): Psychiatrische Begutachtung. 4. Auflage. München, S. 53–123.

Trimborn, W. (1987): Der Analytiker, der Rahmen und die Öffentlichkeit. Jahrbuch der Psychoanalyse 21: 85–131.

Trimborn, W. (2003): Überlegungen zum Verhältnis von Ausbildung und Institution. DPV-Informationen 35: 5–13.

Vera Walther-Moog

Psychotherapie zwischen Ethik und Recht

Psychotherapie und juristische Grenzen?

Dieses Thema ruft bei Psychotherapeuten und ihren Patienten –
und sicher nicht nur bei diesen – ambivalente Reaktionen hervor.
Es gibt häufig einen großen Bedarf an Sicherheit und Wissen darüber, was geht und was nicht geht, was man von unserem Berufs-
zweig erwarten darf und was verboten ist. Wenn auch die Gesetze
und Verordnungen aus diesem Grunde erwünscht sind, so rufen sie
auch wiederum Abwehr hervor: Freud sagte in seinem Werk „Die
Frage der Laienanalyse" (mit „Laienanalyse" wurde die Ausübung
der Psychoanalyse durch Nichtärzte, das heißt durch Psychologen,
Theologen, Pädagogen etc. bezeichnet):

„In unserem Vaterlande herrscht von alters her ein wahrer furor pro-
hibendi, eine Neigung zum Bevormunden, Eingreifen und Verbieten, die
– wie wir alle wissen, nicht gerade gute Früchte getragen hat … Wo nur
wenige Verbote bestehen, da werden sie sorgfältig eingehalten; … wo man
auf Schritt und Tritt von Verboten begleitet wird, da fühlt man förmlich die
Versuchung, sich über sie hinwegzusetzen" (Freud 1926, S. 326).

Freud sprach von Österreich, hätte jedoch von Deutschland sicher
nichts anderes gesagt.

Wer Psychotherapeuten mit Vorschriften konfrontieren will, der
muss mit trotziger Auflehnung, Rückzug oder Indifferenz rechnen.
Zu der erdrückenden Last eines oftmals überhöhten und leider allzu
oft unbewussten Ich-Ideals des Psychotherapeuten, das für depressive Reaktionen oder – in Abwehr dagegen – für narzisstische
Omnipotenzvorstellungen sorgt, soll nun auch noch die Last ge-
setzlicher Vorschriften kommen?

Die Frage, die zur Diskussion anregen soll, ist, inwieweit Recht und Gesetz dem einzelnen Psychotherapeuten nützen, berufliche Identität stiften, diese stärken und schützen können. Oder ob die rechtlichen Begrenzungen eine Einengung, eine Last darstellen. Ich werde in diesem Vortrag einen Überblick verschaffen über die rechtlichen und ethischen Rahmenbedingungen unserer therapeutischen Arbeit.

Identität und Normenwelt

Zunächst ein paar Bemerkungen zu dem Begriff der *Identität* aus psychoanalytischer Sicht: Was immer das psychotherapeutische *Handeln* von Psychotherapeuten und damit dessen berufliche Tätigkeit reguliert, rührt auch an die *Identität* des Psychotherapeuten. Wie in keinem anderen Beruf ist doch seine persönliche Identität mit der beruflichen Identität als Psychotherapeut bzw. Psychoanalytiker verknüpft, weil dieser sich selbst und seine bewussten und unbewussten psychischen Anteile seiner Persönlichkeit als Medium seiner Arbeit einsetzt.

Der Begriff der Identität ist mehrdeutig. Es ist ein Begriff, der in soziologischen, psychologischen, pathologischen und biographischen Zusammenhängen gebraucht wird. Freud hat – darauf hat Erik Erikson (1973) in seinem Werk „Identität und Lebenszyklus" hingewiesen – den Begriff Identität nur einmal gebraucht, und zwar in einem psychosozialen Zusammenhang. Bei dem Versuch, seine Bindung an das Judentum zu formulieren, sprach Freud von der „klaren Bewusstheit innerer Identität". Der Begriff „Identität" weist auf das Band hin, das den einzelnen Menschen mit den von seiner einzigartigen Geschichte geprägten Werten seines Volkes verbindet. Dieser Begriff von Identität, so Erikson drückt eine „wechselseitige Beziehung aus, als er sowohl ein dauerndes inneres Sich-Selbst-Gleichsein, wie ein dauerndes Teilhaben an bestimmten gruppenspezifischen Charakterzügen umfasst".

Persönliche Identität ist das Resultat eines inneren Wachstumsprozesses, der unter anderem die Erfahrungen von Beschränkung und Kränkung, Irrungen und Verlust, Schuld und Scham, Trauer und Zweifel mit einschließt. Sie sind Teil eines inneren Raums. Die

Begrenzung ist Voraussetzung dafür, dass ein Raum, auch ein innerer Raum, entstehen kann. Die symbiotische Beziehung zum Primärobjekt wird durch die Existenz des Dritten – des Vaters, des väterlichen Prinzips, der Begegnung mit der Realität – begrenzt. Der Verzicht, die Frustration, die Eindämmung der narzisstischen Omnipotenzvorstellungen durch die Konfrontation mit Realität lässt diesen Raum entstehen, und er beinhaltet auch das Erleben der eigenen aggressiven und libidinösen Strebungen gegen das Objekt. Sie lassen dieses als ein Gegenüber – als etwas Anderes, Fremdes – erleben, etwas, von dem man psychisch getrennt ist, etwas, das somit auch verloren gehen oder beschädigt werden kann. Die depressive Position im Sinne von Melanie Klein oder das Stadium der Besorgnis im Sinne Winnicotts machen es dem Individuum erst möglich, Bewusstsein darüber zu erlangen, dass es dem Anderen Schaden zufügt oder zufügen kann. Erst mit diesem Wissen können sich ein Schuldgefühl und ein Wunsch nach Wiedergutmachung entwickeln. Die Wiedergutmachung und das *vorausschauende* Vermeiden von Schaden am Anderen sind Qualitäten, die erst durch diesen Entwicklungsprozess entstehen können. Erst dann können ein innerer Raum und die Akzeptanz von Realität im Individuum wachsen und damit eine Voraussetzung für persönliche Identität entstehen.

Die *berufliche Identität* als Psychotherapeut erlangt man nicht nur durch die Aneignung von theoretischem Wissen, kompetenter psychotherapeutischer Haltung und Techniken, sondern in erster Linie durch einen eigenen psychischen Wachstumsprozess der durch die Selbsterfahrungen in der Lehrtherapie bzw. Lehranalyse gedeiht. Eine Ethik und ein Bewusstsein für das »rechte Handeln« im psychotherapeutischen Handeln entsteht durch den eben beschriebenen Trennungsvorgang, der den inneren Raum schafft. Und durch die Ablösung von den einengenden infantilen unbewussten Identifikationen mit früheren Objekten und deren Ersetzung durch reifere Beziehungsstrukturen. Die Übertragung von unbewussten Beziehungsstrukturen und Selbstanteilen auf den Lehranalytiker und deren Bewusstwerdung durch Deutung geben den emotionalen Erfahrungen ihren Raum im psychoanalytischen Setting. Die Erfahrungen in der eigenen Lehranalyse werden durch die in den Supervisionen und in den »Peer-Groups« ergänzt und im Weiteren durch die eigene Lebenserfahrung und die Erfahrungen während der Berufstätigkeit. Sie enden praktisch nie. Ob berufliche Identität durch Gesetze und Verordnungen erreichbar ist, ist jedoch fraglich. Wenn Identität nur durch äußere Normen gesetzt wird und nicht auf einen inneren Resonanzboden trifft, dann ist sie brüchig. Werden Grenzen von außen gesetzt und nicht aus der Erfahrung der eigenen Begrenztheit von innen nachvollzogen, dann wird die Norm der Feind sein, ein Aggressor, den man bekämpft, flieht oder heimlich umgeht.

Ethische und rechtliche Normen

Welches sind nun die Normen, die uns als Psychotherapeuten betreffen? *Ethische Normen* für die Behandlung von kranken Menschen gibt es, solange es Ärzte gibt. Und Ärzte bzw. Heiler zählen wahrscheinlich zu den ältesten Berufen überhaupt. Seit dem Corpus Hippokratikum der griechischen Antike (400 v. Chr.) sind die ethischen Grundwerte der Heilbehandlung fester Bestandteil der Ärzteschaft. Über die Konstitutionen Kaiser Friedrichs II. von 1241 finden sie sich im Genfer Gelöbnis wieder, das Teil der Berufsordnung der Ärzte ist. Obgleich der hippokratische Eid seit der Gründung des Deutschen Kaiserreichs 1871 und der Vereinheitlichung der Ärzteausbildung und den Abschluss der Ausbildung mit einem Staatsexamen offiziell nicht mehr abgelegt wird, ist er doch zur Grundlage der Musterberufsordnung der Bundesärztekammer geworden.

Inhalt der medizinalen Berufsordnungen sind unter anderem die in Recht gegossenen Regeln der Ethik, und die finden sich auch, wie wir später sehen werden, in den Berufsordnungen der Psychotherapeuten wieder. Dass es für die Psychotherapeuten jetzt eine eigenständige Berufsordnung gibt, verdanken wir dem Psychotherapeutengesetz, das am 1.7.1999 in Kraft getreten ist.

Das Psychotherapeutengesetz

Bitte sehen Sie es mir nach, dass ich als Psychoanalytikerin darauf hinweise, dass es Sigmund Freud war, der bereits früh nachdrücklich dafür plädierte, die Psychoanalyse vom Joch der Medizin zu befreien und einem eigenen psychologischen Berufsstand vorzubehalten (Freud 1926). Ich möchte im Folgenden die Geschichte dieses Gesetzes in Erinnerung rufen:

Vor dem Erlass des Psychotherapeutengesetzes gab es die heilkundliche Anerkennung der Psychotherapie im »Gesetz über die berufsmäßige Ausübung der Heilkunde ohne Bestallung« von 1939 – das Heilpraktikergesetz –, das auch für die heilkundlich ausgeübte Psychotherapie einschlägig war (Jerouschek 2004). Es verlangte hierfür eine Zulassung. Weitere Marksteine auf dem Weg zum PsychThG waren die Richtlinien Psychotherapie und dann das Delegationsverfahren, auf die ich jetzt kurz eingehen möchte:

1967 wurden die ersten *Psychotherapie-Richtlinien* zwischen dem Bundesausschuss Ärzte und den Krankenkassen vereinbart. Psychotherapie wurde als krankenversicherungsrechtliche Leistung, neurotische Beschwerden als Krankheit anerkannt. Leistungspflichtige Verfahren waren zunächst nur analytische und tiefenpsychologisch fundierte Psychotherapie. Psychotherapeutische Leistungen konnten jedoch nur durch Ärzte erbracht werden. Aufgrund des Mangels an psychotherapeutisch geschulten Ärzten wurde im Jahre 1972 das *Delegationsverfahren* eingeführt. Das bedeutete: Formal war der Arzt zuständig für die Behandlung psychotherapiebedürftiger Patienten, aber er konnte die Behandlung an einen Psychotherapeuten delegieren, der nicht Arzt war. Vom Ausgangsberuf her war die Psychotherapie nicht auf die akademische Psychologie beschränkt. Das war insofern gut vertretbar, als – etwa für den psychoanalytischen Bereich – die Psychotherapeuten an den Ausbildungsinstituten der großen Verbände, so der DPV und der DPG, nach Standards ausgebildet waren, die die Anforderungen des heutigen PsychThG zum Teil weit überstiegen. Es arbeiteten im Felde der tiefenpsychologisch fundierten Psychotherapie und der Psychoanalyse nicht nur Psychologen und Ärzte, sondern auch Sozialpädagogen, Soziologen, Sozialarbeiter und

Theologen. Zu der Behandlungsmethode der Psychoanalyse und ihren Abwandlungen, die tiefenpsychologisch fundierten Psychotherapien, kam 1980 die Verhaltenstherapie als kassenrechtlich anerkanntes Therapieverfahren in Teilbereichen und 1987 allgemein hinzu.

Das *Delegationsverfahren* war nicht sehr beliebt bei den Psychotherapeuten, weil die Tätigkeit unter der Kuratel der Ärzte von den ausübenden Psychotherapeuten als narzisstische Kränkung empfunden wurde. Ein *1978* eingebrachter Gesetzentwurf zu einem Psychotherapeutengesetz kam über das Referentenstadium nicht hinaus. Viele von uns erinnern sich noch an die Sondervereinbarungen zwischen den Krankenkassen und psychologischen/ therapeutischen Berufsverbänden, insbesondere der TK, die mit dem BDP Verträge über die Erstattung nicht delegierter Behandlungen abschloss. 1991 scheiterte das Gesetzesvorhaben der CDU/CSU-FDP-Regierung am Widerstand der Opposition, denn SPD-Bündnis 90/Die Grünen, wollten die vorgesehene Zuzahlung durch die Versicherten in Höhe von 25 %, später 10 %, nicht mittragen. In der 13. Legislaturperiode wurde das Gesetzgebungsverfahren wieder aufgegriffen und das Gesetz wurde am 12.2.1998 im Bundestag beschlossen und am 1.7.1999 trat das Psychotherapeutengesetz in Kraft. Damit erlangten die Psychologen nach einer Ausbildung zum Psychotherapeuten direkten Zugang zu den Leistungen der Krankenversicherungen und ein psychotherapeutisches Berufsrecht (vgl. Jerouschek 2004, S. 2).

Das Regelwerk des Psychotherapeutengesetzes und seine rechtliche Auswirkungen

Das Psychotherapeutengesetz, so, wie es heute besteht, regelt die *Ausbildung zum Psychologischen Psychotherapeuten* und *Kinder- und Jugendlichentherapeuten, die staatliche Prüfung, die rechtlichen Voraussetzungen zum Erlangen der Approbation, der Berufsausübung, die Bedingungen, die Ausbildungsstätten bieten müssen, die Zuständigkeiten* und *Übergangsvorschriften* sowie *die EU-rechtlichen Verknüpfungen.* Kein werdender oder approbierter

Psychotherapeut kommt heute umhin, sich mit den Inhalten des Gesetzes genauer zu befassen. An den Ausbildungsinstituten wird das Fach Recht und Ethik gelehrt – nicht nur eine Folge der Notwendigkeit, sich im Dschungel der Normen zurechtzufinden, sondern auch eine Folge, die das Gesetz selbst vorsieht. Dessen Inhalte sind konkretisiert in den Ausbildungs- und Prüfungsverordnungen für Psychologische Psychotherapeuten, die das Bundesministerium für Gesundheit erlassen hat. Das Fach Recht und Ethik ist ein Bestandteil der Ausbildung und Prüfung geworden.

Besonders herausgehoben werden soll, dass der *Zugang* zur Ausbildung zum *Psychologischen Psychotherapeuten* ausschließlich auf *Psychologen*, die einen Universitäts- oder Hochschulabschluss im Fach Psychologie besitzen, der das Fach *Klinische Psychologie* einschließt, beschränkt ist. Dies ist in erster Linie im Diplom-Studiengang der Fall.

Die insgesamt 12 Paragraphen des Psychotherapeutengesetzes können hier nicht diskutiert werden, ebenso wenig wie die entsprechenden Änderungen, die im Sozialgesetzbuch notwendig wurden, genauer gesagt im fünften Buch des Sozialgesetzbuches, welches die gesetzliche Krankenversicherung und somit die Beziehungen zwischen Ärzten, Zahnärzten und Kassen und jetzt auch zwischen den Psychotherapeuten und den Kassen normiert.

Im Zuge des Psychotherapeutengesetzes gab es auch einige Änderungen im Rahmen des *Straf-* und des *Strafprozessrechts*. So sind die Berufsbezeichnungen Psychotherapeut, Psychologischer Psychotherapeut/Kinder- und Jugendlichenpsychotherapeut jetzt vor Missbrauch strafrechtlich geschützt, was in der Änderung des § 132 des Strafgesetzbuches zu finden ist. Der Psychologische Psychotherapeut hat jetzt, wie der Arzt auch, ein Zeugnisverweigerungsrecht. Was ihm anvertraut wird, das braucht er in einem Prozess gegen den Patienten nicht auszusagen (§ 53 StPO). Seine Unterlagen dürfen ebenso wenig wie die des Arztes beschlagnahmt werden (§ 97 StPO). Umgekehrt ist der Psychotherapeut verpflichtet zur Verschwiegenheit. Was ihm von seinem Patienten anvertraut wurde, darf er gemäß § 203 StGB bei Strafe nicht weitersagen. Er hat andererseits die Pflicht bestimmte Straftaten, von denen er Kenntnis erlangt, zur Anzeige zu bringen, andernfalls macht er sich gemäß § 138 StGB strafbar.

Berufsordnungen, Psychotherapeutenkammern, Berufsgerichtsbarkeit – rechtliche Säulen beruflicher Identität?

An dieser Stelle sind im Rahmen der Frage nach Identität und Grenzen die *Berufsordnungen* interessanter, jene in Recht gefassten ethischen Regeln. Regelungen zu erlassen, die die Rechte und Pflichten eines Psychotherapeuten betreffen, ist Sache der Länder. Durch wen genau können Berufsordnungen erlassen werden? Für die Mediziner ist schon immer klar gewesen: Es gibt eine Ärztekammer bzw. die Länderärztekammer, die die Berufsordnungen festlegen. Für Psychologen gibt es erst seit ganz kurzer Zeit Psychotherapeutenkammern. In fast allen Ländern sind sie inzwischen etabliert. Als Letzte stehen die neuen Bundesländer kurz vor der Gründung einer gemeinsamen *ostdeutschen Psychotherapeutenkammer*.

Rechtliche Grundlage für die Errichtung von Berufskammern der Ärzte, Apotheker, Tierärzte, Zahnärzte und eben jetzt auch der Psychotherapeuten sind die *Heilkammergesetze* der Länder. In Niedersachsen beispielsweise wird dies »Kammergesetz für Heilberufe« genannt. In Nordrhein-Westfahlen heißt es »Heilberufsgesetz«. In diesen Ländergesetzen sind die Bestimmungen zu finden, die die Errichtung von Heilberufskammern betreffen.

Was sind nun die Aufgaben der Psychotherapeutenkammern?

Die Psychotherapeutenkammern üben erstens die *Berufsaufsicht* aus. Dazu gehört:

– Erstellen einer Berufsordnung,
– Fort- und Weiterbildungsregelungen,
– Bescheinigung von Zusatzqualifikationen,
– Berufsgerichtsbarkeit,
– Qualitätssicherung,
– Mitgliederverwaltung.

Zweitens vertreten sie die *Interessen* des Berufsstandes. Dazu gehört:
– Beratung in berufsrechtlichen Fragen,
– Einrichtung von Fürsorge-/Versorgungseinrichtungen für die Kammerangehörigen und deren Familien (Versorgungswerk),
– Vertretung der beruflichen Belange gegenüber Ministerien, anderen Kammern, Gerichten, Politik, Öffentlichkeit,
– Fortentwicklung der Berufe.

Es besteht eine Pflichtmitgliedschaft. Jeder approbierte Psychotherapeut ist Mitglied der Kammern – und zahlt dafür Beiträge. In den Kammern sind gewählte Vertreter des Berufsstandes. Die Kammern geben sich eine Satzung und organisieren sich in Ausschüssen und Kommissionen. So gibt es beispielsweise einen Ausschuss für Ethik und Berufsordnung, in dem die Berufsordnung entworfen, diskutiert und verabschiedet wird.

Es sind also die Psychotherapeutenkammern, die die Berufsordnung bestimmen. Inhalt der Berufsordnungen sind die *allgemeinen Berufspflichten und Regeln der Berufsausübung.* Es ist eben in der Psychotherapie nicht alles erlaubt. So ist beispielsweise das ethische Prinzip der *Abstinenz* jetzt Teil des positiven Rechts geworden. Die Vertrauensbeziehungen von Patientinnen und Patienten dürfen nicht zur Befriedigung eigener Interessen und Bedürfnisse missbraucht werden. Ich erwähne besonders, dass jeglicher sexuelle Kontakt unzulässig ist. Dies ergibt sich selbstverständlich nicht nur aus den Berufsordnungen und den allgemeinen ethischen Richtlinien, sondern auch aus dem Strafgesetzbuch. Die abstinente Haltung erstreckt sich nach den meisten Berufsordnungen jedoch auch auf die Personen, die dem Patienten nahe stehen. Und sie gilt auch nach der Beendigung der Psychotherapie.

Weiter ist die Schweigepflicht geregelt, die Aufklärungspflicht, die Dokumentations- und Aufbewahrungspflicht. Es gibt Regeln zur Datensicherheit, eine Verpflichtung zur Fortbildung und Qualitätssicherung, zur Honorierung und so weiter.

Wer immer als Patient oder als Kollege vom Handeln eines Psychotherapeuten sich verletzt fühlt, findet in der Psychotherapeutenkammer eine Anlaufstelle. Die Kammer kann das Berufsgericht anrufen. Es gibt eine *Berufsgerichtsbarkeit*, die nach den Vorschriften des Heilberufegesetzes geregelt ist. Verstöße gegen die Berufsordnung können je nach Schweregrad mit Verwarnung, Verweis, Entziehung der Approbation, Geldbuße bis 50 000 Euro oder Feststellung der Unwürdigkeit zur Ausübung des Berufes geahndet werden.

Ethische Richtlinien

Es gibt also *juristische Grenzen*, die unser Handeln als Psychotherapeut nicht nur gebieten, sondern die Ausübung des Berufes verbieten kann, wenn wir sie überschreiten. Juristische Grenzen sind etwas anderes als ethische Grenzen, aber erstere entspringen gewöhnlich aus den letzteren und unterstehen einer administrativen Überprüfung, während die Einhaltung ethischer Prinzipien von den Fachgesellschaften intern geprüft wird, was teilweise ebenfalls erhebliche Konsequenzen haben kann. So gibt es bei den einzelnen Berufsverbänden wie bei der Deutschen Psychoanalytischen Vereinigung (DPV), der Deutschen Psychoanalytischen Gesellschaft (DPG) oder der Deutschen Gesellschaft für Psychoanalyse, Psychotherapie, Psychosomatik und Tiefenpsychologie. (DGPT) als Dachverband, den Dachverbänden der Verhaltenstherapeuten und der anderen psychotherapeutischen Schulen jeweils eigene Ethikrichtlinien, die bei einem Verstoß auch zu einem Ausschluss aus dem Verband führen können.

Die *ethischen Anforderungen*, die an Psychotherapeuten gestellt werden variieren nach Herkunft und Identität der Psychotherapierichtung. Es gibt jedoch einen breiten Konsensbereich, der ethische Commonsense, der durch die amerikanischen Medizinethiker T. L. Beauchamp und J. F. Childress (1994) entwickelt wurde. Von ihnen stammt das *Vier-Prinzipien-Modell der Ethik*, das auf das Handeln von Psychotherapeuten Anwendung findet:

– das Prinzip der Nichtschädigung;
– das Prinzip der Autonomie: Der Patient soll selbst eigenverantwortlich Ziele der Therapie bestimmen können. Er hat ein Recht auf die dazu notwendigen Informationen;

– das Prinzip der Fürsorge: Der Patient sollte in der für sein Wohlbefinden förderlichsten Weise behandelt werden;
– das Prinzip der Gleichheit: Unter den Bedingungen knapper
  Ressourcen sollten nicht bestimmte Gruppen zum Schaden
  anderer privilegiert werden.

Ich will an dieser Stelle das Prinzip der *Nichtschädigung* als ein
zentrales Prinzip jeder Ethik überhaupt besonders herausgreifen.
Unvereinbar mit dem Prinzip der Nichtschädigung sind alle bewussten und unbewussten Instrumentalisierungen des Patienten zu
eigennützigen Zwecken, egal ob aus sexuellen, emotionalen oder
finanziellen Motiven. Nach den Ethik-Richtlinien der DGPT sind
wir auch verantwortlich für unsere *unbewussten* Handlungen. Wir
müssen wissen, dass wir als Behandelnde einer besonderen Ver-
führungssituation ausgesetzt sind, wir müssen Kenntnis nicht nur
von unseren bewussten, sondern auch von unseren unbewussten
Wünschen und Motiven anstreben. Ausgebeutet wird der Patient
beispielsweise auch dann, wenn er ermuntert wird, Dinge zu tun,
von denen der Therapeut fasziniert ist, die er aber selbst nicht aus-
zuleben wagt, um so am Erleben des Patienten zu partizipieren.
Die Beziehung zum Patienten kann missbraucht werden, wenn der
Therapeut seine Patienten an sich bindet, wenn er sie als Ersatz für
reale Beziehungsdefizite missbraucht oder wenn der Therapeut
selbst mit Trennung schlecht zurechtkommt und seine Patienten
länger als nötig in Behandlung behält. Wir sehen, wie notwendig
es ist, dass der Therapeut für seine eigene psychische und natürlich
auch physische Gesundheit sorgt und eine ausreichende Kenntnis,
in seiner Lehranalyse, Lehrtherapie, Selbsterfahrung, von sich
selbst erwirbt – und zwar auch von seinen *unbewussten Konflikten
und Wünschen*, um die Gefahr der Schädigung des Patienten so gering wie möglich zu halten.

Ethischer Umgang des Psychotherapeuten mit sich selbst

Juristische Grenzen der Psychotherapie – solche des positiven Rechts und solche der Ethik – begrenzen uns auf der einen Seite, bringen aber auch Sicherheit und Klarheit. Sie schaffen einen *Rahmen* für unser therapeutisches Handeln. Allerdings fordern sie auch zu Übertretungen auf. Sie stiften auch Identität, sofern wir uns mit ihnen identifizieren können.

Wir müssen sehen, dass wir in einem sehr schwierigen Beruf arbeiten: Wir sind einem hohen emotionalen Stresslevel, einer chronischen Dauerbelastung ausgesetzt. Es gibt wenige narzisstische Gratifikationen, wir sind Zielobjekt der permanenten Projektionen der Patienten, erleben projektiv identifiziert deren innere unbewussten Anteile abgespaltener unverträglicher Selbst- oder Objektrepräsentanzen, »containen« die vom Patienten (noch) nicht selbst ausgehaltenen psychischen Anteile. Häufig genug leiden unsere Angehörigen an den Folgen unserer »Entgiftungsarbeit« am Patienten. Um überhaupt ethisch arbeiten zu können, müssen wir selbst auf unsere *Psychohygiene* achten. So hat beispielsweise die Psychotherapeutenkammer Bremen in ihrer Berufsordnung unter § 16 aufgenommen, dass der Psychotherapeut verpflichtet ist, darauf zu achten, seine Arbeitsfähigkeit zu erhalten, sich körperlich und psychisch nicht zu überfordern.

Nun habe ich Sie so sehr darauf hingewiesen, was wir alles *müssen*, sogar auf unsere Gesundheit müssen wir achten. Wie können wir unsere Arbeit überhaupt bewältigen, zudem unser eigenes Über-Ich, unsere eigenen Idealvorstellungen aushalten und dazu noch die Regeln der Berufsordnung und der Ethik befolgen? Viel zu wenig war hier von den *Pflichten* der Solidargemeinschaft der Versicherten, wie es im Kassenjargon heißt oder von der Gesellschaft allgemein uns gegenüber die Rede. Abschließend soll daher ein Vorschlag von Adolph von Knigge angeführt werden:

»Den Mann, der alles anwendet, was in seinen Kräften steht deine Gesundheit herzustellen ...« – abgewandelt für: »Den Psychotherapeutinnen und Psychotherapeuten, die alles anwenden, was in ihren Kräften steht, deine Gesundheit herzustellen,« – » ... belohne nicht sparsam, sondern reichlich nach deinem Vermögen. Am besten man zahle (ihm) jährlich etwas Festgesetztes, möge man krank oder gesund sein, damit er kein Interesse dabei habe, uns mit allerlei Krankheiten zu versehen oder die Herstellung aufzuhalten«.

Literatur

Beauchamp, T. L; Childress, J. F. (1994): Principles of Medical Ethics. New York.

Erikson, E. H. (1973): Identität und Lebenszyklus. Frankfurt a. M.

Freud, S. (1926): Die Frage der Laienanalyse. Leipzig.

Jerouschek, G. (Hg.) (2004): PsychThG. Psychotherapeutengesetz: Kommentar. München.

Knigge, A. von (1788): Über den Umgang mit Menschen. Leipzig, 1969.

Grenzüberschreitungen:
Lust und Last

Florence Wasmuth

Das Göttliche im Menschen – Faust, eine deutsche Volkssage von F. W. Murnau (1926): Eine psychoanalytische Betrachtung[1]

Die Wette

Wir haben es bei dem Faust-Film von Murnau (1926) mit einem Märchen zu tun, in dem der ewige Kampf zwischen dem Guten und dem Bösen vor dem Hintergrund einer Wette zwischen dem Teufel und dem Erzengel dargestellt wird. Die Welt ist von Krieg, Pest und Hungersnot belastet – bedeutet dies, dass sie der Macht des Bösen gehört? Und ist der Mensch überhaupt noch »gut«? Wenn Fausts Seele der Macht des Bösen, verkörpert durch Mephisto, nicht widerstehen kann, und doch das Gute wählt, gehört die ganze Welt Mephisto. Aber was ist das, »das Gute« im Faust-Kontext?

Mit Hilfe eines psychoanalytischen Verständnisses soll gezeigt werden, dass es hier nicht um eine philosophische Debatte der menschlichen Freiheit geht, zwischen dem Guten und Bösen zu wählen, sondern dass es sich hier um einen Entwicklungsprozess handelt, der gesellschaftlich bedingt ist. Um diese Frage genauer betrachten zu können, müssen wir, wie Mephisto es dem Erzengel rät, auf Faust »hinabschauen«.

Faust ist ein zurückgezogener alter Gelehrter, der sich durch menschliches Leid und Elend erdrückt fühlt: Die dunkle Kraft um ihn herum zerschlägt jede Freude, jedes Spiel, jede Beziehung, jede Hoffnung. Persönliche Bindungen hat er nicht. Erst als ein Mädchen ihn um die Rettung ihrer todkranken Mutter bittet, kommt es zu einer Beziehung. Faust wird erstmalig gerufen und

1 Für die redaktionelle Hilfe sei Herrn Reinhard Loup herzlich gedankt.

dramatisch umarmt. Was bedeutet diese Situation? Wir sehen hier
eine Familienkonstellation ohne Mann, ohne Vater. Die Mutter und
ihre Tochter sind wehrlos von der Pest bedroht. Der Versuch, Faust
einen Platz als Retter in dieser Dyade zu verschaffen, scheitert.
Trotz seiner Medizin stirbt die Mutter in seine Armen. Fausts Ent-
setzen ist groß, er ist verzweifelt, sein Vertrauen in die Religion
und in die Wissenschaft schwindet. Das Volk sieht in der Seuche
eine Strafe Gottes, sein Weltbild ist von Sündenvorstellungen ge-
plagt. Man könnte sagen, Faust, seine innere Welt sowie seine Mitmenschen sind vom *negativen Bewusstsein* geprägt. Ihre Welt ist
voller Verzweiflung. Es stellt sich die Frage, ob der Mensch die
Freiheit hat, dieses negative Bewusstsein zu beeinflussen oder zu
verändern.

Die Opposition, der Kontrast

Nach der ersten düsteren Szene mit dem alten Faust und der Begegnung mit Mephisto folgt – nach der wieder gewonnenen Jugend
– die Reise nach Italien, geprägt von Überfluss, Reichtum und
Herrlichkeit. Faust bekommt alles, was er möchte. Seine Welt ist
grenzenlos durch seine Begierde bestimmt (»*Genuss ist alles!*«).
Die Thematik der Begierde kristallisiert sich in der Eroberung
einer Prinzessin bei ihrer Hochzeit: eine Dreiecksituation, eine
ödipale Situation: Der Mord an dem Dritten, die Beseitigung des
Rivalen geschieht unter dem Einfluss von Schlafmitteln, ohne
wirkliches Bewusstsein.

Mit der Reise nach Italien gewinnt Faust eine Jugend und eine
Vergangenheit, die in völligem Gegensatz zu seiner Situation als
alter Mann steht. Diese gegensätzlichen Lebensphasen sind ohne
Kontinuität dargestellt, haben keinen Bezug zueinander. Sie
erinnern an manisch-depressive Zustände, bei denen die Verinner-
lichung von Abgrenzung und die Milderung von Schuldgefühlen
ganz unintegriert bleiben. Der Betrachter bemerkt auch, dass der
Schwarz-Weiß-Film ganz von Kontrasten lebt: gut/böse, Täter/
Opfer, Allmachtsfantasien/Elend, Genuss/Leiden.

Die Rückkehr in die Heimat bedeutet für Faust die eigentliche

Chance, aus diesem Kontrast einen anderen, einen neuen Weg zu finden. Faust verfügt jetzt über einen Diener, Mephisto, und wir sehen die sich versammelnde Menge in der Stadt, nun befreit von der Seuche. Menschen gehen gemeinsam in die Kirche: eine aufsteigende Kraft, ein neuer Anfang nach der Zerstörung.

Hier wiederholt sich nun die Anfangssituation. Ein Mädchen lebt mit ihrer Mutter allein in einer vaterlosen Familie, diesmal gibt es einen Bruder, der dem jungen verliebten Faust die Möglichkeit einer Auseinandersetzung mit einem echten Rivalen gibt. Deutlich wird auch das Drama des Mädchens: hin und her gerissen zwischen ihrer Bindung an die Familie und ihrer neuen Liebe, wendet sie sich einer außenstehenden weiblichen Person zu, Martha.

Das Drama

Bevor das eigentliche Drama geschieht, wird es erst wieder *gespielt*. Das Paar Mephisto – Faust, der Männerbund, lockert sich auf, so dass sich zwei heterosexuelle Paare bilden können: Gretchen – Faust und Mephisto – Martha. Die Beziehungen werden auf einer Generationsebene strukturiert. Die älteren Figuren, Mephisto und Martha, treten als spielendes Liebespaar auf, so dass die homoerotischen Beziehungen (Faust – Mephisto und Gretchen – Martha) nun trianguliert werden. Nun können symbiotische Anforderungen im Beziehungskontext aufgelockert werden. Humor und Leichtigkeit treten in den Vordergrund, Gegensätze werden entschärft: Genuss wird möglich. Zwei Jugendliche lösen sich von ihren Vorbildern, um ihre eigene Liebe zu verwirklichen. Mephisto manipuliert natürlich weiter, nun aber mit Humor, zumindest für eine Weile.

Wie schon bei der Reise in Italien taucht nun das Dreiecksthema erneut auf. So wie in der Adoleszenz haben hier die jungen Heranwachsenden eine zweite Chance, dem ödipalen Drama einen anderen Ausgang als in der Kindheit zu geben. Beide Helden sind in einem unlösbaren Dilemma: Der junge Mann muss den Rivalen, den Bruder beseitigen, um das Mädchen zu erobern. Aber wenn er ihren Bruder tötet, verliert er ihre Liebe. Wenn umgekehrt das

Mädchen ihrer Zuneigung folgt, verliert sie die Bindung an ihre
Familie. Das eigentliche Verbrechen ist das Streben nach Liebe
und Sexualität, nach einer Bindung, die stärker ist als die Zugehörigkeit zur Familie. Die exogamen und die endogamen Bindungen
sind nicht zu vereinbaren. Die Sexualität wird unterdrückt, weil sie
das Individuum betont, eine subversive bindende Kraft (»Teufelskraft«) ausübt, welche die Zugehörigkeit zur Gruppe/Familie und
den Konsens dieser Gruppe in Frage stellt. In diesem Kontext ist
es eine Sünde, den moralischen Konsens der Gruppe infrage zu
stellen. Die Gruppe hat die Lösung des Konflikts Trieb versus
Über-Ich durch Gebote und Verbote verbindlich geregelt, speziell
durch die Unterordnung der genitalen Wünsche innerhalb der familiären Struktur.

In Fausts Kontext einer patriarchalen familiären Struktur
steckt die Unmöglichkeit das »Dirnenbild« mit dem »unschul-
digen Mädchenbild« zu vereinigen. Die Idealisierung des Präge-
nitalen (Mädchenhaften) und die Dämonisierung der sexuell
sündigen Frau weisen auf eine Spaltung zwischen diesen beiden
Bereichen. Wir sehen in dem Film, wie Mephisto die Figur der
Madonna meiden muss, um das Schmückkästchen in Gretchens
Zimmer bringen zu können. Die »Teufelskraft«, der genitale Trieb
an der ödipalen Schwelle, bedroht die symbiotische, harmonische
Mutter-Kind-Dyade, weil sie mit der Einführung eines Dritten, (Triangulierung) Rivalität, Aggressionen bzw. negative Gefühle zum Ausdruck bringt (Wir haben es hier mit vaterlosen Familien zu tun, in denen die Triangulierung schwerer zu vollziehen
ist).

Es gibt zwei Tote, die Mutter und den Bruder Gretchens. Die
Logik der Großgruppe ist hier unbarmherzig: Gretchen wird von
der Menge als Sündenbock ausgewählt, als ob sie die Alleinschul-
dige wäre. Auf sie werden die verdrängten Triebe der Großgruppe
übertragen. Wir sehen hier inszeniert, welchen ungeheuren Druck
die Massen auf das Individuum ausüben, was für eine normative,
aber auch repressive Kraft die Großgruppe besitzt. Der Sündenbock bzw. die Projektionen auf ihn, schützen die Gruppe vor ihrem
eigenen »negativen Bewusstsein«. Die Gruppe erhält eine Bestäti-
gung der Verdrängung ihrer eigenen Wünsche nach Freiheit, nach

individueller Autonomie. Derjenige, der am meistens empört ist, verdrängt die verbotenen Wünschen am meisten.

In dieser Szenerie benutzt Murnau einen Kunstgriff: Er lässt den Bruder Gretchens von Mephisto töten, obwohl Faust offensichtlich die Schuldgefühle für alle Taten (den Mord, das Schwängern, das Verlassen) auf sich nimmt und flüchtet. Dieser Kunstgriff schafft eine psychologische Unterscheidung: Faust wird nicht mehr zum eigentlichen Mörder. Auch wenn er den Wunsch hatte, den Bruder zu töten, er hat es eigentlich nicht getan. Diese psychische Differenzierung wird in der Schlussszene die Auflösung des Dramas ganz vollziehen, vorher aber muss eine tiefe Regression erfolgen.

Die zunehmende Spaltung

Ab dem zweiten Mord ist das Spiel aus. Die düstere Stimmung des Anfangs kehrt mit der verschneiten Landschaft wieder ein, und die erdrückende spaltende Dynamik nimmt zu.

Nach dem Scheitern der Liebesversuche werden beide jungen Helden in die Regression, in eine paranoid-schizoide Position zurückgeworfen. Faust flieht, getrieben durch Mephisto, Gretchen wird zunehmend ausgegrenzt. Im Grunde genommen werden ihre Schicksale symmetrisch, Mephisto auf der Seite von Faust mit seiner Angst und seinen Schuldgefühlen, die repressive Macht der Menge auf der Seite Gretchens, die sie an den Rand einer Psychose bringt. Sie hält sich an ihrem Kind fest. Das Kind ist das, was ihr geblieben ist.

Auch hier erfolgt eine Rückkehr zur Anfangssituation: Eine Mutter mit ihrem Kind in Not, zwar nicht bedroht von einer Seuche, sondern vertrieben durch die Menschen. Murnau gestaltet das Bild Gretchens pseudoreligiös: eine Frau mit Tuch im Schnee mit ihrem Kind, die wie in einer Pieta leidet. Das Ganze zeigt eine extreme Polarisierung: Opfer-Täter in der Beziehung Individuum-Gruppe, ein Maximum an Leiden und Isolation, das uns als Zuschauer in einer pathetischen, ikonenhaften Art dargestellt wird.

Wir können hier ein Muster für den negativen Teufelskreis der Schuldgefühle erkennen.

In normalen (reifen) Situationen beinhalten Schuldgefühle auch die Möglichkeit einer Versöhnung, eines Wiederfindens des Angegriffenen. Es gibt aber Fälle (z. B. beim malignen Narzissmus), in denen sich ein Teufelskreis anbahnt, und in denen die Schuldgefühle einer Versöhnung im Wege stehen. Das Leiden der Opfer weckt Schuldgefühle, die als Rache auf den Täter wirken, weshalb dieser sein Opfer umso mehr angreifen muss. Dies wiederum führt zur Vermehrung der Schuldgefühle usw. Der Täter ist unfähig, sich an eine gute Beziehung zum Gegenüber (»zum Objekt«) zu erinnern, was ihm die Hoffnung auf Versöhnung geben könnte. Mit anderen Worten: Er hat zu wenig gute, positive Beziehungserfahrungen internalisiert, die ihm diese Zuversicht geben könnten. Jedes Signal einer möglichen Versöhnung wird paranoid erlebt und durch Aggressivität geprägt.

Auf der Seite der Opfer gibt es einen ähnlichen Teufelskreis. Erlittene Verletzungen bestätigen ein negatives unbewusstes Selbstbild, die Vorstellung einer narzisstischen Selbstentwertung: Da ich »sowieso ein Schwein bin«, ist es normal, dass ich abgelehnt oder geschlagen werde. Die Sündenwahnvorstellungen beziehen sich auf triebhafte und aggressive Komponenten, die nicht integriert werden konnten. Dieses negative masochistische Bewusstsein bildet mit der oben erwähnten sadistischen, narzisstischen Perversion ein Paar. Die masochistische Haltung erzeugt die Unfähigkeit, sich gegen dem Aggressor zu wehren (und damit den Teufelskreis zu unterbinden), weil die unbewussten Aggressionen gegen sich gewendet werden, um das Gegenüber als »gutes Objekt« zu erhalten. In beiden Fällen gibt es einen Mangel an guten Introjekten und eine Tendenz zur Verschmelzung mit dem Gegenüber.

Die Wende

Als Mephisto seines Sieges sicher ist (die zerstörerische Macht der Schuldgefühle, die jede Eros-Strebung in die Depression zwingt), erfolgt aber eine Wende. Als das Kind stirbt, hat Gretchen nichts

mehr, woran sie sich festhalten kann. Gleichzeitig aber muss sie
sich nicht mehr um das Kind sorgen. In diesem Moment kommt in
der verschneiten Landschaft eine Truppe Männer vorbei. Einerseits
retten sie Gretchen vor der Kälte, andererseits beschuldigen sie sie
weiter, ihr Kind getötet zu haben, und setzen die Spaltung weiter
fort, in der die Frau als schlecht dargestellt und so ihr Leid ver-
leugnet wird. Dieser Männerauftritt wirkt auf Gretchen wie ein
Donnerschlag. Erinnern diese Soldaten sie an ihren gestorbenen
Bruder, an ihren verschwundenen Geliebten oder an beide gleichzeitig? Auf jeden Fall erinnert sie sich plötzlich an ihre vergangene
Liebe, und sie beginnt zu rufen. Sie löst sich von ihrer masochistischen Haltung. In der leidenden Mutter erwacht die Geliebte, die
Frau: Faust hört ihre Stimme, er befreit sich aus der Abhängigkeit
Mephistos. Befreit von den Schuldgefühlen, Gretchens Bruder getötet zu haben, kommen seine genitalen Liebesstrebungen wieder
zum Ausdruck, so dass er die fürsorglichen Anteile wieder beleben
kann: »Du hast mich belogen, sie leidet, sie leidet«, sagt Faust. Die
Spaltung, die Blindheit schwindet. Faust bemächtigt sich Mephistos: »Anflehen wird ein Befehl«, sagt er. Er befreit sich aus der
regressiven, schonenden Abhängigkeit von Mephisto, um seine
Liebe zurückzugewinnen.

Als Faust seine Liebe wieder entdeckt, wird er von Mephisto in
einen Greis verwandelt, so dass er Gretchen gegenüber als Betrü-
ger erscheinen muss. Gleichzeitig wird aber auch das Geschehen
in die richtige zeitliche Abfolge gestellt. Die Brücke zwischen
dem jungen und dem alten Faust schwindet, die Spaltung zwischen Vergangenheit und Gegenwart, zwischen Verdrängtem und
aktuellem Bewusstsein. Faust zeigt Gretchen sozusagen sein wah-
res Gesicht, und sie erkennt ihn. Die Erinnerung an die Liebe, die
sie erhalten hat, ist trotz der Schuldgefühle und der Schmerzen
nicht abhanden gekommen.

Schluss

Zwei Aspekte bezüglich der pseudoreligiösen Verarbeitung des Filmes sollen hervorgehoben werden: Murnaus »Faust« ist insofern modern, als er die moralische Debatte aus ihrem ideologischen und religiösen dogmatischen Kontext herauslöst, um in eine persönliche, intrapsychische Ebene zu treten. »Sieh hinab«, kündigt Mephisto an. Faust, auf der Spur seiner verpassten Jugend, bekommt eine zweite Chance, die Dinge besser zu erleben: Er folgt Entwicklungsprozessen. Murnaus Film benutzt religiöse Kategorien und integriert sie in die Gestaltung. Sie erinnern an eine mythische oder poetische Art des Erzählens. Das Liebesobjekt, das verlassen, verletzt und durch Schuldgefühle verfrüht altert, bekommt den Glanz der ersten Begegnung, der Verliebtheit wieder – wie bei einer Wiedergeburt. Diese Szenerie gleicht der Wiederherstellung eines Urvertrauens, einem neuen Anfang, der den Teufelskreis Täter/Opfer durchbricht. Die übernatürliche, absolute Kategorie drückt die Unzerstörbarkeit eines idealisierten Grundvertrauens in sich und in die Welt aus. Da dieses Grundvertrauen im Grunde genommen in jeder menschlichen Existenz durch individuelle, aber auch kollektive Schicksale immer wieder auf die Probe gestellt oder zerstört wird, muss es psychisch immer wieder erneuert werden. Diese Wandlungsprozesse werden kreativ externalisiert und imaginativ kulturell geformt. Damit wiederum lehnt das individuelle Unbewusste sich daran an, um die eigenen Wandlungsprozesse in Formen, in eigene Bilder zu bringen.

In dem Film haben wir das Mutter-Kind-Kultbild, die Statue Mariä mit dem Kinde, die Mephisto nicht anschauen kann. Sie ist die tradierte Gestaltung einer vertrauensvollen primären Beziehung in der christlichen Kultur. Angedeutet wird das Bild der Pieta, Symbol für die Trauer, als Gretchen in der verschneiten Landschaft am Zaun bzw. am Kreuz leidet. Natürlich stellt die teuflische Gestalt Aggression und Triebhaftigkeit dar.

Die zweite Bemerkung bezieht sich auf *die Eigenschaften des Religiösen*, die im Film wohl eher gezeigt werden. Religionen vermitteln moralische Regeln, die mit Verboten und Schuldvorstellungen verbunden sind: Am Anfang des Filmes sehen wir die

Menge, die durch kollektive Über-Ich-Projektionen religiöser Art das Unglück bzw. die Seuche sinnbildlich zu ordnen versucht. Zum Ende des Filmes wird das religiöse Ideal nicht mehr mit Verboten, Reue und Schuld, sondern mit kosmischen Kategorien verbunden. Es geht um eine mystische Empfindung: »Die Liebe, die in dem Weltall schallt«. Hier spielen die Kategorien Natur und Weltall die Rolle eines globalisierenden Ursprungs, der immer wieder Sicherheit gibt, so wie ein ursprüngliches Mutterbild oder vielleicht eine idealisierte Heimat für das Individuum. Diese Kategorien müssen immer wieder neu fantasiert werden. Wie Erikson sagt: »Jede Generation (ganz gleich, unter welchem ideologischen Himmel) schuldet der nächsten einen verlässlichen Schatz an Grundvertrauen« (1958, S. 292). Dies gerade weil jedes ideologische Paradies paradoxerweise historisch bedingt ist und eine begrenzte Lebenszeit aufweist.

Im Entwicklungsprozess auf kollektiver Ebene entsprechen unterschiedliche Aspekte des kollektiven Über-Ichs ähnlichen Aspekten der individuellen psychischen Dynamik (vgl. Erdheim 1984). Die grausamen archaischen Über-Ich-Anteile (kollektive Sündenwahnvorstellungen, Schuldzuweisungen) erinnern an frühe traumatische Entwicklungsstörungen. Die Sittenreglementierungen entsprechen den durch die Eltern tradierten gesellschaftlichen Geboten; last but not least erinnern die mystischen regressiven Anteile an die frühen kindlichen Ideal-Ich-Bildungen, die mit einer starken ästhetischen Färbung einhergehen.

Ähnlich wie in der persönlichen Entwicklung junger Helden, die sich von ihren Schuldgefühlen und ihrem negativen Bewusstsein gelöst haben, kann sich das individuelle Über-Ich dem aktuellen Entwicklungsstadium des kollektiven Über-Ichs anpassen oder unterordnen. Es kann aber auch aus dem kollektiven Konsens heraustreten, so wie das Paar Faust–Gretchen in der Szene auf dem Scheiterhaufen, um zu einem reiferen, menschlicheren Über-Ich zu gelangen. In diesem Fall kann man von einer Grenzüberschreitung sprechen, da der so genannte »Sieg über das Böse« ein Heraustreten aus einem historisch bedingten kollektiven Konsens bedeutet. Ein subversiver Akt, der zu weiteren Integrationsfähigkeiten führt.

Literatur

Erikson, E. H. (1958): Der junge Mann Luther. Eine psychoanalytische und historische Studie. Frankfurt.

Erdheim, M. (1984): Die gesellschaftliche Produktion von Unbewusstheit. Frankfurt.

Autorinnen und Autoren

Cornelia Albani ist Ärztin und Oberassistentin an der Klinik für Psychotherapie und Psychosomatische Medizin der Universitätsklinik Leipzig. Sie ist Psychoanalytikerin und seit vielen Jahren mit Psychotherapieforschung, insbesondere der Forschung zu den interpersonalen Grundlagen von Psychotherapie befasst.

Anschrift: PD Dr. Cornelia Albani, Universität Leipzig, Klinik und Poliklinik für Psychotherapie und Psychosomatische Medizin, Karl-Tauchnitz-Str. 25, D-04107 Leipzig.

Frank Bartuschka ist Facharzt für innere Medizin und psychotherapeutische Medizin, Psychoanalyse, Lehranalytiker (DGPT), Chefarzt der Klinik für Psychotherapie und psychosomatische Medizin, ASKLEPIOS-Fachklinikum Stadtroda, Balint-Gruppenleiter, Vorsitzender des Thüringer Weiterbildungskreises für Psychotherapie und Tiefenpsychologie e.V., seine Schwerpunkte sind Gruppenpsychotherapie, psychosomatische Krankheiten und die Traumatherapie.

Anschrift: Dr. med. Frank Bartuschka, Asklepios-Fachkliniken Stadtroda, Klinik f. Psychotherapie und Psychosomatische Medizin, Bahnhofstr. 1a, D-07646 Stadtroda.

Hans-Joachim Behrendt ist Emeritus der Friedrich-Schiller-Universität Jena und assoziiertes Mitglied des Psychoanalytischen Seminars Freiburg. Er arbeitet seit langem auf dem Grenzgebiet von Strafrecht und Psychoanalyse und lebt heute in Freiburg i. Br.

Anschrift: Prof. Dr. jur. Hans-Joachim Behrendt, Kartäuserstr. 118f, D-79104 Freiburg i. Br.

Eva-Maria Biermann-Ratjen war 34 Jahre lang als klinische Psychologin und Gesprächspsychotherapeutin wissenschaftliche Mitarbeiterin an der Psychiatrischen und Nerven- und Poliklinik am Universitätskrankenhaus Hamburg-Eppendorf. Sie bewegt insbesondere die gesprächspsychotherapeutische Entwicklungs- und Krankheitslehre. Sie ist Mitautorin des Buches »Verändern durch Verstehen« über Gesprächspsychotherapie, das kürzlich in der neunten Auflage erschienen ist, und hat zusammen mit Jochen Eckert viel über Gruppentherapie und die Behandlung von Patienten mit Borderline-Persönlichkeitsstörungen nachgedacht.

Anschrift: Dipl.-Psych. Eva-Maria Biermann-Ratjen, Loehrsweg 1, D-20249 Hamburg.

Michael Broda ist Lehrtherapeut in eigener Praxis. Mit Wolfgang Senf hat er das Lehrbuch »Praxis der Psychotherapie« herausgegeben, mit Volker Köllner das Buch »Praktische Verhaltensmedizin«. Er ist Mitherausgeber von »Psychotherapie im Dialog«, Supervisor und Gutachter der KBV.

Anschrift: Dipl.-Psych. Dr. phil. Michael Broda, Psychotherapeutische Praxis, Pirmasenser Str. 23a, D-66994 Dahn.

Michael Geyer ist Direktor der Klinik für Psychotherapie und psychosomatische Medizin der Universitätsklinik Leipzig. Er ist Mitbegründer des Sächsischen Weiterbildungskreises für Psychotherapie und der Akademie für Psychotherapie in Erfurt. Er hat sich wissenschaftlich u. a. mit Fragen der Psychotherapieforschung, der Kurzzeittherapie und epidemiologischen Studien befasst.

Anschrift: Prof. Dr. med. Michael Geyer, Universität Leipzig, Klinik und Poliklinik für Psychotherapie und Psychosomatische Medizin, Karl-Tauchnitz-Str. 25, D-04107 Leipzig.

Diether Höger ist emeritierter Professor für Psychologie an der Universität Bielefeld und Gesprächspsychotherapeut. Sein Hauptinteresse gilt der Psychotherapieforschung, hier wiederum der therapeutischen Beziehung, für die seiner Ansicht nach die Bindungstheorie von besonderer Bedeutung ist.

Anschrift: Prof. Dr. phil. Diether Höger, Universität Bielefeld, Fakultät für Psychologie und Sportwissenschaft, Postfach 100131, D-33501 Bielefeld.

Sebastian Krutzenbichler ist Psychoanalytiker, psychologischer Psychotherapeut, Leiter der Tagesklinik Netphen der Klinik Wittgenstein, Vorsitzender des Ausbildungsinstituts für Psychoanalyse und Psychotherapie (DPG) Siegen-Wittgenstein, Leiter des Lehranalytiker-Gremiums und Vorstandsmitglied der Deutschen Psychoanalytischen Gesellschaft.

Anschrift: Dipl.-Psych. Sebastian Krutzenbichler, Bismarckstr. 19, D-57319 Bad Berleburg.

Claas-Hinrich Lammers ist Psychiater und Psychotherapeut und leitet die Borderline-Station der Charité-Universitätsmedizin, Campus Benjamin Franklin in Berlin. Zur Therapie von Patientinnen mit einer Borderline-Störung kommt er über die »normale« Psychiatrie, die Verhaltenstherapie, die Neurobiologie, die Hypnotherapie, die Traumatherapie, die Dialektisch-Behaviorale Therapie und zunehmend die emotionsfokussierte Psychotherapie.

Anschrift: PD Dr. med. Claas-Hinrich Lammers, Charité-Universitätsmedizin Berlin, Klinik und Hochschulambulanz für Psychiatrie und Psychotherapie Berlin, Eschenallee 3, D-14050 Berlin.

Friedhelm Lamprecht ist bis zum 30. September 2006 Direktor der Abteilung Psychosomatik und Psychotherapie im Zentrum Psychologische Medizin der Medizinischen Hochschule Hannover und war einer der ersten Psychosomatiker, die sich den Kosten-Nutzen-Aspekten insbesondere in der stationären Psychotherapie zuwandten.

Anschrift: Prof. Dr. med. Friedhelm Lamprecht, Med.Hochschule Hannover, Abt. Psychosomatik, Carl-Neuberg-Str. 1, D-30625 Hannover.

Christian Reimer ist Direktor der Klinik für Psychosomatik und Psychotherapie, Gf. Direktor des Zentrums für Psychosomatische Medizin der Justus-Liebig-Universität Gießen. Facharzt für Psychiatrie und Psychotherapie und für Psychotherapeutische Medizin, Psychoanalyse. Lehranalytiker (DGPT), Gruppenlehranalytiker (DAGG), Mitherausgeber des Lehrbuchs »Psychotherapie – ein Lehrbuch für Ärzte und Psychologen« (Springer) und des Lehrbuchs »Psychodynamische Psychotherapien – Lehrbuch der tiefenpsychologisch orientierten Psychotherapien« (Springer). Mitherausgeber der Zeitschrift »Psychotherapeut«.

Anschrift: Prof. Dr. med. Christian Reimer, Justus-Liebig-Universität, Klinik für Psychosomatik und Psychotherapie, Friedrichstr. 33, D-35392 Gießen.

Inge Rieber-Hunscha ist niedergelassene Fachärztin für psychotherapeutische Medizin, Psychotherapie und Psychoanalyse, Autorin zweier psychotherapeutischen Fachbücher (»Zerreißproben – zwischen Ausbildung und Praxis der analytischen Psychotherapie«, Gießen 1996. »Das Beenden der Psychotherapie«, Stuttgart 2005). Zahlreiche Publikationen und Vorträge zu unterschiedlichen psychotherapeutischen Themen, Lehrtätigkeiten, Funktionen bei der Landesärztekammer Hessen.

Anschrift: Dr. med. Inge Rieber-Hunscha, Ginnheimer Landstr. 167a, D-60341 Frankfurt a. M.

Ulrich Sachsse ist Psychiater und Psychoanalytiker. Er leitet als Medizinaldirektor die Akutpsychiatrie III, Psychotherapie und Tagesklinik des NLKH Göttingen. Seine Arbeitsschwerpunkte sind klinische Anwendungen der Psychoanalyse bei schweren Persönlichkeitsstörungen sowie die Erforschung und Behandlung von selbstverletzendem Verhalten und chronifizierten, komplexen posttraumatischen Belastungsstörungen. Er schrieb mehrere Bücher zu diesen Themen: »Selbstverletzendes Verhalten. Psychodynamik-Psychotherapie« (2002) und »Traumazentrierte Psychotherapie« (2004).

Anschrift: Prof. Dr. med. Ulrich Sachsse, Niedersächsisches LKH Göttingen, Fachklinik für Psychiatrie und Psychotherapie, Rosdorfer Weg 70, D-37081 Göttingen.

Bernd Sprenger ist Chefarzt der Psychosomatischen Klinik Wendisch Rietz und ist einer der wenigen ärztlichen Leiter, die in Personalunion auch die ökonomische Verantwortung für ein Krankenhaus tragen. Er befasst sich lange mit Vorschlägen, wie ökonomische und ärztliche Werte, Interessen und Ziele innerhalb eines Therapiekonzeptes eine Einheit bilden können.

Anschrift: Dr. med. Bernd Sprenger, Oberbergklinik Berlin Brandenburg, Am großen Glubigsee 46, D-15864 Wendisch Rietz.

Bernhard Strauß ist Direktor des Instituts für Psychosoziale Medizin am Klinikum der Friedrich-Schiller-Universität Jena. Er ist Psychoanalytiker und psychologischer Psychotherapeut und in der Klinik, Aus- und Weiterbildung und Forschung aktiv. Seine Schwerpunkte sind die Psychotherapieforschung, Psychoonkologie, Lehr- und Ausbildungsforschung, die psychosomatische Gynäkologie und Geburtshilfe sowie die klinische Sexualforschung. Er leitet den Arbeitskreis »Psychotherapie und Gesellschaft« des Collegium Europaeum Jenense.

Anschrift: Prof. Dr. phil. Bernhard Strauß, Institut für Psychosoziale Medizin, Klinikum der Friedrich-Schiller-Universität Jena, Stoystr. 3, D-07740 Jena.

Vera Walther-Moog ist Diplom-Psychologin und Rechtsanwältin mit Schwerpunkt Mediation und psychotherapeutisches Berufsrecht. Ausbildung zur Psychoanalytikerin am Kölner Institut der Deutschen Psychoanalytischen Vereinigung (DPV). Sie arbeitet als approbierte Psychotherapeutin mit Schwerpunkt Psychoanalyse und als Supervisorin in freier Praxis und als Lehrtherapeutin und Dozentin am Psychoanalytischen Institut der DPV in Köln.

Anschrift: Dipl.-Psych. Vera Walther-Moog, Am Hofgarten 12, D-53113 Bonn.

Florence Wasmuth ist Fachärztin für psychotherapeutische Medizin und Psychoanalytikerin in eigener Praxis und Dozentin der Arbeitsgemeinschaft für Psychoanalyse und Psychotherapie e. V. Berlin. Sie stammt aus Frankreich und befasst sich seit langem mit psychoanalytischen Themen im Kontext von Filmen.

Anschrift: Dr. med. Florence Wasmuth, Bülowstr. 90, D-10783 Berlin.